D0982504

[И. ГРЕКОВА]

ТАКАЯ ЖИЗНЬ

И. ГРЕКОВА

ТАКАЯ ЖИЗНЬ

РОМАН

ПОВЕСТИ

Москва
АСТ
Астрель

УДК 821.161.1-31
ББК 84(2Рос=Рус)6-44
Г80

Художник *Ирина Сальникова*

Грекова, И.
Г80   Такая жизнь: роман, повести / И.Грекова. – М. : АСТ :
Астрель, 2010. – 381, [3] с.

ISBN 978-5-17-061316-8 (ООО «Издательство АСТ»)
ISBN 978-5-271-24832-0 (ООО «Издательство Астрель»)

Поколения читателей знают и любят И.Грекову
(псевдоним Елены Сергеевны Вентцель) как непре-
взойденного мастера «городской прозы». В книгу «Такая
жизнь» вошли известный роман «Вдовий пароход», повести «Маленький Гарусов» и «Дамский мастер».

УДК 821.161.1-31
ББК 84(2Рос=Рус)6-44

Подписано в печать 01.12.09. Формат 84х108/32.
Усл. печ. л. 20,16. Тираж 3000 экз. Заказ № 9309.

Общероссийский классификатор продукции
ОК-005-93, том 2; 953000 — книги, брошюры

Санитарно-эпидемиологическое заключение
№ 77.99.60.953.Д.012280.10.09 от 20.10.2009 г.

ISBN 978-5-17-061316-8 (ООО «Издательство АСТ»)
ISBN 978-5-271-24832-0 (ООО «Издательство Астрель»)

ВДОВИЙ ПАРОХОД

1

Мой муж был убит на фронте в самом начале войны. Мы оставались в Москве. «Мы» — это я, моя мать-старушка почти без ног и моя дочь Наташа четырнадцати лет. Какое-то оцепенение помешало мне действовать. Эвакуироваться вовремя мы не успели, а потом, в суматохе, было уже поздно. Впрочем, мне предложили одно место в машине, отъезжавшей на восток со двора незнакомого учреждения; все спешили, по воздуху летали документы из какого-то развеянного архива. Одно место? Разумеется, я отказалась. Потом заколебалась: «Отправить Наташу?» — и сразу же: «Нет, не отдам». Машина уехала. Обо всем этом я рассказала дома, сомневаясь в правильности своего решения. «Все верно, — сказала мама, — погибать, так вместе». Она вообще бодрилась, была суха, подобранна, много вязала, шевеля спицами где-то у самого уха и летящими губами считая петли. Наташа, та вообще ничего не понимала, пела по утрам, завязывая банты перед зеркалом; меня ужасало, как легко она пережила смерть отца. Теперь я понимаю, что для нее вообще жизнь была нереальной, а тогда мне подчас хотелось ее ударить.

Одним словом, мы остались на месте, так было легче — ничего не предпринимать. Жили как бы по-старому в нашем старом доме, в старой квартире с высокими закругленными окнами, выходившими во двор, где мирно висело разноцветное белье, и какая-то нежная провинциальность оплетала плющом балконы. Работы у меня не было. Я продавала на барахолке кое-какие вещи и тут же покупала или выменивала кое-какую еду. Осень шествовала вперед, уже по утрам руки покусывало морозом, плющ побагровел и усох. Жизнь формировалась, в городе восстанавливался порядок, пошатнувшийся было в дни поспешной эвакуации. Выдавали карточки, заботились о затемнении, мальчишки искали шпионов, сигналивших врагу с чердаков вспышками света. Я сама однажды видела такую вспышку, мигавшую ярко и загадочно. В магазинах иногда появлялись ненормированные продукты, странные, например, крабы и шампанское. За ними выстраивались очереди, люди посмеивались: за чем стоим? Одну такую очередь я выстояла, после этого мы всю ночь ели крабов и пили шампанское, а Наташа тренькала на гитаре. В этом ночном празднестве было что-то глубоко нечестивое. Время от времени налетали немецкие самолеты, их я не боялась, я вообще ничего не боялась, была как-то уверена, что худшее в нашей семье уже произошло и ничего больше произойти не может. К тому же налеты случались сравнительно редко, и их последствия на огромном лице города были почти незаметны. Развалины убирались, и на их месте быстро разбивался сквер. В городе властвовали аэростаты заграждения — гигантские колбасы, днем ведомые под уздцы девушками в военной форме, а вечером поднимавшиеся сторожами в чуткое небо. В их пузатом спокойствии было что-то надежное: спите, люди. Голос из репродуктора, привычно скандировавший знакомые слова: «Граждане, воздушная тревога», уже не пугал, мы под него не спеша одевались. Бомбоубежище было не в нашем доме, а в соседнем, через двор, мне все казалось, что мы занимаем в нем чье-то чужое место. А мама беспомощна, и таскать ее туда было мученьем. Да что долго объяснять! Так или иначе, в убежище мы ходить перестали.

Однажды поздно вечером после отбоя вновь объявили тревогу. Наташа подняла голову с подушки и сказала с досадой: «Мама, опять тревога? Ух как они мне надоели!» — а я ответила: «Ничего-ничего, спи, доченька». Это были последние слова, которые мы друг другу сказали, потому что как раз в эту ночь наш дом был разрушен бомбой. Мама и Наташа погибли, а я — нет. Как говорится, чудом уцелела. Чудом ли? Скорее это было одно из тех обратных чудес, чудес зла, автор которых — сам дьявол. У меня был перелом позвоночника, ноги и обеих рук. Как ни странно, я была в сознании. Помню тяжесть навалившегося кирпича, какую-то дверь, косо и страшно вставшую надо мной, мысль: «Мама? Наташа?» — мысль: «Конец». Когда меня вытаскивали, я кричала: «Осторожнее!» — потому что берегла руки.

Потом был промежуток полного беспамятства. Первым ощущением, которое я осознала, была непомерная тяжесть, именно тяжесть, а не боль. Мне представлялось, что это все еще был кирпич, который почему-то не разбирали. Только много позже я поняла, что это был не кирпич, а гипс. Он окружал меня со всех сторон, я была в нем замурована, заключена. Кроме тяжести, я ничего не чувствовала. Я была

9

слепа. Меня окружала темнота, не безлично серая, а огненно-черная, что могло означать одно: я слепа. В черноте иногда вспыхивали искры, звездообразные взрывы света. Они были подвижны и катились всегда в одну сторону. В какую-то минуту я раскрыла губы и сказала: «Мама? Наташа?» — но ничего не услышала. Я была глуха.

Так, в глухой темноте шло для меня время без времени, отмечаемое только сверканьем катящихся искр; они появлялись через регулярные промежутки, измерить которые я не могла, знала только, что они регулярны и образуют четкий рисунчатый ритм. Искры сами по себе были очень красивы, они чем-то напоминали живых существ, может быть морских звезд, но неумолимость, с какой они катились всегда в одну сторону, была не от живого мира.

Зрение вернулось ко мне раньше, чем слух. Через некоторое неопределенное, но очень долгое время я увидела свет. Он брезжил, колеблясь и как бы сомневаясь, в водянисто-серой комнате, похожей на аквариум, потому что в воздухе-воде над моим лицом висела большая белая рыба. Я открыла рот, чтобы сказать все то же: «Мама? Наташа?» — и опять ничего не услышала. Белая рыба встрепенулась, махнула хвостом и на большой скорости промчалась мимо. Вместо нее появилась другая, но оказалось, что это не рыба, а белая косынка медицинской сестры. Под косынкой на бледно-желтоватом, слегка отечном лице светились внимательным удивлением большие глаза. «Значит, я в больнице и не слепа», — подумала я и посмотрела вдоль себя в сторону ног. На койке лежало нечто белое, очень большое, что по занимаемому месту должно было быть мной, но не было, а ощущалось, как посторонняя тупая тяжесть. Мне вливали в рот что-то теплое, не имевшее вкуса.

Сознание возвращалось ко мне постепенно, но не равномерно, а толчками. Несколько позже света стал возникать звук, тоже искрами, взрывами, вначале болезненными. Однажды я открыла глаза и увидела, что возле меня сидит моя подруга и плачет. Плач был громкий и напоминал икание. «Мама? Наташа?» — спросила я и услышала собственный голос, резкий, как крик. Моя подруга ничего не ответила, но по ее лицу я поняла, что они погибли. Я была вся в гипсе, с ног до головы, и не могла ни биться, ни двигать руками, ни себя уничтожить. Опять мне что-то вливали в рот. Вернулись беспамятство, чернота. Кажется, я заклинала ее стать вечной. Сознание приходило, мигало и пропадало опять. Душевная боль не была постоянной, она возникала взрывами и тогда была нестерпима — казалось, что она разорвет изнутри гипс.

После того я еще год провела в больнице, и врачи боролись за мою ненужную мне жизнь. За этот год воля к смерти, очень сильная вначале, успела во мне погаснуть. Ее заменила ненависть к гипсу, желание уничтожить уже не себя, а гипс. Потом стал появляться, вспыхивая и опять пропадая, интерес к заоконному миру. Он был доступен вначале лишь боковому зрению, но чувствовалось, что он велик и прекрасен. Потом, когда мне освободили шейные позвонки и я уже могла поворачивать голову, заоконный мир открылся во всю ширину и оказался в самом деле велик и прекрасен. Там шевелились ветки, падал дождь, гуляли голуби. Все это было свежо и ярко, много ярче, чем в обычной жизни.

11

Я, например, никогда не видела таких синих голубей. В дальнейшем эта яркость слегка померкла, но в какой-то мере сохранилась и до сих пор. Иногда меня поражает, скажем, яркость дождя.

Итак, я уже могла поворачивать голову. Теперь я уже хотела поправиться, если это возможно. Оказалось, что это возможно. В один прекрасный, насквозь солнечный день сплошной гипс заменили на облегченный, ликующе-легкий, почти невесомый. В этот день я браталась с мухами, невесомо летавшими по солнечной палате. Прошло еще время, и вот я уже могла сидеть на койке, владеть руками, есть. Еда, скудная в те времена, занимала в жизни людей большое место, что трудно понять тем, кто не голодал. Принятие пищи превращалось почти в обряд. Я удивлялась, что с трепетом жду раздачи обеда, но трепет был. Шаркали шаги, гремела посуда, появлялась санитарка в разношенных тапочках, с янтарными голыми пятками, начиналась раздача. Я ела. Потом я спала — долго, запоем, как спят грудные.

Когда меня выписывали, оказалось, что подвижность рук частично утеряна, а это означало еще один конец — по профессии я пианистка. Впрочем, этот конец мало значил рядом с другими. Пожалуй, я не была по-настоящему талантлива. От таланта мне досталась только свирепая совесть, заставлявшая меня без конца упражняться, днем — на рояле, ночью — впустую, барабаня пальцами по колену, и яростное недовольство собой, а этого мало. Мне дали третью группу инвалидности и выпустили в жизнь. Помню, как я ее встретила, выйдя из ворот больницы, как стояла, бестолково глотая воздух, убитая солнечным светом, а моя подруга держала меня под локоть.

Первые недели я прожила у нее. Но это не могло продолжаться вечно. Я стала хлопотать о жилплощади. «Зачем тебе это нужно? — говорила подруга. — Оставайся, живи у меня». Нет, этого я не могла. Стыдно сказать, она меня раздражала. Она впала в какой-то экстаз самопожертвования, была говорлива, вздорна, много плакала и словно требовала того же и от меня. Но я не могла плакать — то, что во мне было, не сводилось к слезам... А ее деспотические заботы! От них можно было с ума сойти. Как, например, она кричала на меня в подлинном гневе за то, что я вышла на улицу без шарфа. Как будто он что-нибудь значил, шарф. Как будто сама я что-нибудь значила. Как будто что-нибудь значили мы все, бесполезные перед лицом того огромного, что происходило в мире... Радио она не слушала, газет не читала, вся погрузилась в испуганную суетню. А когда мы обедали, она внимательно делила еду на неравные доли, всегда стараясь подсунуть мне ту, что побольше, а я возражала, и начиналось смехотворное перебрасывание тарелками... Нет, мне надо было иметь свой угол, свои четыре стены, чтобы жить.

В райсовете довольно скоро мне выделили комнату, освободившуюся то ли за выездом, то ли за смертью жильцов. Комната оказалась небольшая, еще уменьшенная своей стройной продолговатостью, с высоким, смугло задымленным потолком. Окно выходило на задний двор, где стояли рядами голубые мусорные баки, а на их фоне шествовал, осеняя себя хвостом как флагом, ярко-оранжевый кот. Все это увиделось мне прекрасным, особенно закатный солнечный свет на огненной шерсти кота. От прежних жильцов в комнате оставалась кровать, брошенная, очевидно, за непригодностью: сетка прохудилась и кое-где была грубо стянута веревками. Я присела на кровать, сетка подалась, заскрипела. Железная полоса под коленями была восхитительно холодна. Да, мне все это понравилось, хорошо бы и на будущее сохранить эту пустоту, простоту и яркость. Я не хотела обзаводиться вещами. Говорят, корабли, обрастая ракушками, теряют ход. Я не хотела терять ход, хотя идти мне было некуда. И все же какой-то легкий ход мерещился мне как благо. Кстати, нелюбовь к вещам осталась у меня навсегда.

Моя подруга дала мне самое необходимое: стол, стул, матрас, одеяло, кое-что из посуды, из носильных вещей. Она хотела бы дать больше, всю меня осыпать подарками, но я не брала. Помню нелепый спор из-за приземистого предмета, который она называла козеткой, — мне так же мало хотелось впустить его в свою комнату, как паршивого пса. Подруга настаивала, я решительно сказала: «Лучше умру», — и опять она плакала, а я нет. Теперь я жалею, что не взяла.

Нам предстояла разлука: вскоре моя подруга должна была уехать к замужней дочери куда-то в Сибирь. Она страшилась отъезда и, говоря о нем, снова и много плакала, а я была черства. Мне бы понять ее тревогу, ее усталость, ее предчувствия... Слезы текли по ее маленьким, похудевшим щекам. Записывая для меня свой адрес, она надела очки, и по ее постаревшему лицу я поняла, что обе мы уже немолоды. На прощанье она сунула мне пачечку денег и сказала: «Отдашь, когда сможешь». Этих денег я ей так и не вернула, потому что вскоре она умерла. Я не знаю, где ее могила, растут ли на ней цветы и какие. Я пыталась выслать свой долг ее дочери, но перевод вернулся с пометкой: «Адресат выбыл». Этот невозвращенный долг до сих пор меня мучит рядом с другими долгами и винами, которым нет числа.

Моя подруга уехала, и я осталась совсем одна. Ни родных (все умерли), ни товарищей по работе (все разъехались), ни даже соседей по дому (дом разрушен, и на его месте разбит сквер). Прежде подпирали заботы: свои заботы о ком-то и чьи-то заботы о тебе. Слово «беззаботный» обычно сопровождает представление о счастье. А на самом деле до чего неприютна, неприкаянна жизнь без забот! Прошло много времени, пока я к ней приспособилась. Первое время я даже не могла готовить еду: мне казалось диким кормить самое себя.

Деньги, которые мне оставила моя подруга, подходили к концу. Пора было поступать на работу. О прежней профессии, конечно, и думать было нечего — с этим я примирилась безропотно, кто знает, может быть, с тайной радостью, что больше не надо изводиться отсутствием таланта... Мне было все равно, где работать, но что я могла, что умела? Для физической работы я не годилась. Для умственной? Тоже скорее всего нет...

— Какое у вас образование? — спрашивали меня.

— Консерватория... — отвечала я, стыдясь. — По классу рояля.

— Играть можете?

— Нет.

— Что же с вами делать, товарищ? Подумаем. Заходите еще.

Они думали, а я заходила еще и еще, но работы не было. Я была как просительница, клянчащая на бедность. После отказа (а это всегда был отказ, хотя и отложенный) я дрожащими руками собирала свои вещи:

мешочек с хлебом или картошкой, суковатую палку-клюку, сумочку со справками, заменявшими мне документы. Нередко справки падали на пол, я их собирала, страдая от собственного калечества и жалости окружающих, иногда выражавшейся в том, что они начинали сидя суетиться и двигать руками. Потом я заматывалась шалью и уходила не оборачиваясь, боясь, как бы мне не предложили денег за нищий взгляд.

Так прошло несколько месяцев. Я начала уже терять надежду, как вдруг мне предложили работу! Да, настоящую работу, музыкальным воспитателем в Дом ребенка.

— А что такое Дом ребенка?

Мне объяснили: это вроде детского дома, только для самых маленьких, от рождения до трех лет. Говоря популярно, вроде яслей.

«Популярно говорил» мой работодатель, инспектор по художественному воспитанию, огромный детина, рыжий до ужаса, с рыжими волосами в ноздрях. У него было дел выше головы, на столе сотни бумажек и разные дыроколы. Говоря со мной, он ритмично постукивал карандашом.

— Ну как? Все ясно?

Я колебалась. Предложение испугало меня, всколыхнуло всю бездну моей неуверенности в себе. Ничего я не знаю, не умею. И все же это была работа, а работать было необходимо, чтобы жить. А жить надо было непременно, неизвестно для чего, но надо! Никогда еще я не была так жадна на жизнь. Меня радовал, меня страстно интересовал мир со всеми своими подробностями: лиловым асфальтом улиц, бегучими дымами в небе, зеленой прошлогодней травой, лезущей из-под грязного снега грубым символом бессмертия... А живые существа: кошки, голуби, дети со своей занятостью и тайной! Не надо это понимать так, будто я забыла свое горе. Нет, горе было во мне, горе было свято, но жизнь привлекала меня безмерно...

Карандаш стукнул весьма решительно.

— Жду ответа. Устраивает это вас, товарищ Флерова?

Стук означал: не задерживай. Даже он, этот рыжий, был мне интересен.

— Устраивает, но... боюсь, не справлюсь.

— Пустяки! «Чижик-пыжик, где ты был?» — пропел он фистулой. — Ну как? Сыграете «Чижика»?

Я поглядела на руки, пошевелила пальцами. Пальцы двигались.

— Пожалуй, сыграю.

— Тогда заметано. Даем направление в Дом ребенка. А вы не тушуйтесь. Повеселее, повеселее, мамаша!

Кажется, впервые в жизни меня назвали мамашей, а было мне тогда неполных сорок лет. Потом называли по всякому — и мамашей, и бабушкой, и бабусей. Даже бабой-ягой. Ходила я с палочкой вроде клюки, спина согнута, мальчишки бегали за мной и кричали:

— Баба-яга, костяная нога!

Ко всему привыкаешь.

2

Дом ребенка, куда мне дали направление, помещался в окраинном переулке, в одном из тех, где Москва перестает быть Москвой, где вылезает из-под ее облика глубокая, глухая провинция. Там стоят, развесив ветви, старые, дуплистые деревья, под ними ютятся покосившиеся пятнистые домики, серо-лиловые, как всякая обветренная, мытая дождями древесина. На окнах домиков данью времени кое-где сохранились крестообразные бумажные наклейки — наивное средство, будто бы сохранявшее стекла во время налетов, — ими очень увлекались в начале войны. А сейчас было начало весны — слабое, солнечное начало; пахло землей, мокрыми ветками, будущим. Я шла переулком, опираясь на свою клюку, и меня радовало, как гибко и свободно идет от колонки женщина с ведрами, как плавно похаживает на ее плече коромысло, роняя светлые полновесные капли. На деревьях целым кагалом картаво орали какие-то птицы, должно быть грачи. Нищая, весенняя прелесть домиков, бумажных крестов, грачиных гнезд трогала надеждой, обещанием жить. Радиорупор на углу передавал что-то бодрое о положении на фронтах; под ним стоял, задрав голову, старик в обтрепанных валенках, и его борода сквозила на солнце.

Дом ребенка, в конце переулка, за высоким забором, тоже весь насторожился в ожидании жизни. В саду меж подтаявших, рябо почерневших сугробов парами ходили по дорожкам под присмотром воспитательницы очень маленькие, очень тихие дети. Они были одинаково скромно и бедно одеты в казенные ватнички. Дом был каменный, двухэтажный, в кольце террас, сплошь затканных плющом, голым, усохшим за зиму, но жадно желающим жить. Когда я подходила к дому, меня поразил тихий хор маленьких плачущих голосов, доносившийся из одного крыла сквозь раскрытые форточки. Женщина в белом халате с бадейкой в руке вышла из дома. Я спросила: «Что это?» — разумея тихий хор.

— Грудные плачут, — ответила она. — Ну, это так говорится — грудные, а где ихние груди? Матерей нет — кто погиб, кто бросил. Наши все искусственники, на смесях растут. Рахит замучил, но ничего, боремся. А вам что надо, мамаша?

У нее было нежное, полное, желтоглазое лицо, чуть оттененное пушком у выпуклых губ.

— Мне заведующую, — сказала я, — меня, знаете, сюда направили на работу.

Женщина засмеялась и махнула бадейкой, указывая, куда мне идти. Это могло означать: тоже, работничков посылают... «Нет, не возьмут, — подумала я, — кому я тут нужна со своим "Чижиком"?»

В сенях стояли батарейкой бутылочки с сероватым молоком, аккуратно заткнутые ватными тампонами. Дверь в кабинет заведующей была открыта. Я вошла. Заведующая, очень немолодая, со складками заботы на желтом лице, считала на счетах. Я положила ей на стол свое направление.

— Сейчас, — сказала она, продолжая считать. — Не десять рук. Бухгалтер больна. А я здорова?

Мне было трудно стоять, я села. Щелк-щелк — говорили счеты. В окно светило солнце. Тонкая разрезная тень от плюща осторожно двигалась по столу, по желтым рукам заведующей. Хора грудных отсюда почти не было слышно, он звучал еле-еле, слабой музыкой жалобы, нотой печали. «Нет, не возьмут, — снова подумала я, — слишком здесь хорошо».

Заведующая кончила считать, отодвинула счеты и взяла мое направление.

19

— Арифметику знаете?

— Плохо, — ответила я, спешно припоминая таблицу умножения.

— Вот как и я. Дважды два еще знаю, а более высшего — нет. Мне грамотные сотрудники ох как нужны. Рабочие руки требуются. А кого присылают? Только что не в гробу.

Я встала, собираясь уйти. Мешочек, сумочка...

— Постой, не лотошись! — прикрикнула она. — Я не со зла, это у меня плач души. Надо же мне поделиться! Не делишься, не делишься — и лопнешь.

Я молчала.

— В мое положение тоже надо войти. Нянек нет. Нюрка на завод возмечтала, не сидится ей, штопор в заднице. Слесарей нет, ведра все прохудились. Молока не допросишься, суют суфле. А от суфле какой рост? Я им говорю: «Дети, говорю, расти им надо». А они: «У всех трудности». Подавись они своими трудностями, тьфу! Все одна, кругом одна, помощников нет. С ума сойду, прямо в психическую, под душ Шарко.

Я молчала. Все правда, мне остается уйти.

— Не входишь в положение. Ну ладно, возьму. Ставка есть. Не козу же брать на эту ставку.

Так меня приняли в Дом ребенка на ставку музыкального воспитателя.

Странная была эта должность, эта ставка. И почему она существовала? Загадка. Казалось бы, рассуждая по разуму — война, всего не хватает, мало молока, мало хлеба, а тут — музыка. И вот поди ж ты, тоненький культурный ручеек, кем-то и когда-то задуманный, струился себе и струился, помогал жить... В Доме ребенка имелся даже рояль — старенький, глубоко расстроенный, но со следами чистого, благородного тона. Я взялась за работу. Первым делом надо было позвать настройщика. По этому поводу мне пришлось выдержать баталию с нашей заведующей Евлампией Захаровной. По ее мнению, звук был очень даже хорош. Но я подавила ее авторитетом, сославшись на свое специальное образование (вообще-то я редко о нем вспоминала). Отыскался и настройщик, замшелый старик, очень словоохотливый, который все время спрашивал: «Вы меня узнаете?» — разумея под этим: вы меня понимаете? «Узнать» его было довольно трудно по запутанности его мыслей, но одно было ясно: за работу он требовал бутылку. Опять бой с Евлампией Захаровной, которая вместо бутылки давала чекушку, то есть четверть литра. Старик был непреклонен, и через неделю заведующая сдалась. Откуда она достала бутылку — неизвестно. Эта женщина была хозяйственным гением, могла что угодно добыть, обменять, выклянчить. «Если б знать арифметику, я бы далеко пошла!» Одним словом, рояль был настроен. Я села за него со страхом. Руки, руки. Но они кое-как слушались. Я сыграла несколько пьесок из «Детского альбома» Чайковского. Когда-то, очень давно, я их разучивала, сидя у рояля с бантом в косе, мечтая о воле, о дворе, о «казаках-разбойниках», а меня заставляли играть, заставляли... Тогда я ненавидела музыку, словно предчувствовала, что ничего из меня не выйдет... «Болезнь куклы», «Похороны куклы»...

— Ничего, — сказала заведующая, — бывает хуже. Все-таки инвалид.

— А «Катюшу» можете? — спросила Нюра, та самая полнолицая техничка, которая тогда, в первый день, махнула на меня бадейкой. — Я «Катюшу» сильно обожаю. Услышу — и плакать.

Я кое-как по слуху подобрала «Катюшу». Нюра заплакала.

— Все-таки что значит образование, — сказала она, кончив плакать. — Рожу сына — обязательно в консерваторию отдам.

Так началась моя вторая музыкальная жизнь. В каком-то смысле она была удачнее, чем первая. Понемногу, день ото дня я становилась бойчее, начинала дерзать. Я не только играла — я пела! Детские песенки я извлекала все оттуда же, из глубин своего детства с бантом в косе. Вот эту песенку пела мне няня, эту — мама...

Никогда я не думала, что маленьким детям так нужна музыка! Они впитывали ее, как сухая земля пьет воду. Даже самые маленькие, грудные. Когда был музыкальный час для грудников, их высокие белые крашеные железные кроватки, плоско застеленные, без подушек, вкатывали в зальце, где был рояль. Грудные плакали, жалуясь на судьбу. Но как только я начинала играть, они замолкали и слушали. Их молочно-синие глаза глядели неопределенно-загадочно, наблюдая что-то недоступное людям, находящееся, может быть, даже у них за затылком. А некоторые поднимали крохотные ручки с розовыми лучиками пальцев и играли ими как будто в такт. Те, что постарше, ползунки, понимали еще больше. Они стояли в своих манежиках на слабых, гнущихся, еще не ходящих ножках и, цепляясь за перильца, так и тянулись к песне. Лучше всего было, когда они все вместе начинали петь, робко и нестройно гудя. Это ползунковое пение всегда трогало меня — не скажу до слез, слез у меня не было, но до раздирающей внутренней дрожи. А старшие, ходячие — года по полтора-два, — как они жадно толпились вокруг рояля! Дети были бледненькие, рахитичные, ножки колесиком, по сравнению с домашними малоразвитые. Многие из них не умели говорить, объяснялись знаками и птичьим щебетом... Но тут они оживлялись, повизгивали, каждый норовил стать поближе, уцепиться за мое платье. А какой-нибудь один — самый смелый, самый взрослый — дотягивался до рояля и трогал клавишу пальцем. Возникал звук. «Музыка», — говорила я, и они лепетали за мной трудное слово. Для них музыка была чудом, да она и была чудом. Рояль кряхтел, мои ограниченно подвижные руки двигались непроворно, и все же это была музыка, как будто играла не я, а она сама, великодушно прощая мою неумелость...

В Доме ребенка понемногу ко мне привыкли. Иногда я помогала Евлампии Захаровне с арифметикой. Хороши были мы обе! А иногда, оставаясь после работы, я аккомпанировала няням, поварихам, а они пели. Положительно хороший голос был у Нюры, не голос, а колокол. В хоре он не просто выделялся, а царил, создавая другим богатырский фон. «Вам бы учиться, Нюра!» Она только рукой махала. Она мечтала пойти на фронт, в крайнем случае — на оборонный завод, но оставалась, жалея детей и заведующую, которую терпеть не могла, но все же любила. У этой Нюры был вообще парадоксальный характер. Страстная законность и презрение к закону. Она не была замужем, но решение родить сына было в ней твердо: «Познакомлюсь и рожу».

В общем, своей работой я была довольна. Зарплата моя была маленькая, меньше, чем у технички, но мне хватало. По должности мне полагалось питание, и я возвращалась домой с баночкой супа.

3

Домой...

Работа работой, а у человека должен быть дом, куда он возвращается, снимает рабочее платье, надевает халат, живет.

Дом, куда меня поселили, — большой и мрачный, шестиэтажный, построенный где-то в начале века с потугами на стиль модерн, весь извилистый, с лилиями по фасаду. Теперь он был запущен и одичал, облупился; лифт не ходил, штукатурка отваливалась, во дворе валялись обломки лилий. В квартире, кроме моей, было еще четыре комнаты: в трех жили три женщины, по одной на комнату, а четвертая, запертая, пока пустовала — ее хозяева, Громовы Федор и Анфиса, были на фронте.

Со всеми этими людьми, соседями по квартире, выпало мне жить, и стали они мне теперь как новая семья — одна из тех, что складываются не по выбору, а по суровому случаю. Прежде ведь и женились-то не по выбору, а по сватовству, и ничего, жили. А для меня-то, вдвойне одинокой, это была единственная возможная форма семьи — если бы не она, я бы не вытянула...

Соседи мои пока были: Капа Гущина, Павла Зыкова (все ее звали Панькой) и Ада Ефимовна. Вижу я их всех такими, какими встретила впервые: не старыми, но и не молодыми. С тех пор прошло много лет; конечно, мы все изменились, но я изменений не замечаю, и по-прежнему мы все не старые, но и не молодые. Все так же черны гладкие Капины волосы (разве появились две-три сединки), все так же стройны ломкие Адины ноги. Пожалуй, Зыкова с годами еще отощала и в ее перманенте больше стало седого сена, но по-прежнему она груба и энергична и по-прежнему стоит за правду, как ее понимает.

Капа Гущина, Капитолина Васильевна, тогда работала ночным сторожем (теперь пенсионерка). Низкая, полная, книзу широкая, как шахматная фигура. Ходит плавно, неслышно, на суконном ходу. Моды не признает, всегда на ней несколько юбок почти до полу — может быть, потому, что ноги кривы. Лицо, впрочем, миловидное, яблочное. Говорит на «о». Очень религиозна, любит церковь и все божественное: похороны, свадьбы, крестины. На старости лет мечтает уйти в монастырь, «да нет их теперь, монастырей-то, истребили, как клопов дустом». Была замужем два раза, оба мужа умерли.

Ада Ефимовна — бывшая опереточная артистка, давно потерявшая голос и покинувшая сцену, но на всю жизнь преданная искусству; пошла в билетерши, лишь бы не расставаться с театром, с его огнями и бархатом. По сцене ее фамилия Ульская, по паспорту — Заяц; это ужасно, она до сих пор краснеет, когда почтальон приносит ей пенсию и приходится расписываться так неприлично. В сущности, некрасива: нос утюжком, щеки из мягких выпуклостей, но какое-то «черт меня побери» безусловно есть. Улетающий шарфик, отставленный мизинчик, пышная юбочка. О себе говорит уменьшительно: «болит головка», «озябли пальчики». Картавый голосок с изъянцем, на манер жаворонковой трели. Картавит не только на «р», но повсюду, «милая» звучит у нее как «ми́гая», с этаким мягким, придыхающим «г». Сентиментальна, добра, смешлива. Смеется так, словно ее щекочут и она согласна; глаза при этом становятся луночками и почти исчезают. Была три раза замужем; третий муж (кажется, он-то и звался Заяц) умер, два первых живы, поют.

В комнате дальше всех от парадного входа, темнее и неказистее всех (наверное, бывшей людской) живет Панька Зыкова, Панька-монтер, тогда и теперь монтер, должно быть, до самой смерти монтер: время ее не берет. Высокая женщина-полумужчина, вся из грубых сочленений: кажется, у нее не два колена, а десять. Когда ходит, от нее ветер по комнате. Свирепа и справедлива, чужого не возьмет, своих прав не уступит. Меня возненавидела с первого взгляда, но что-то есть в этой ненависти горячее, откровенное, привлекающее больше, чем пустое равнодушие. Была замужем, муж умер. Говорить о себе Панька не любит, сведения о ней ходят стороной, главным образом через Капу, которая все знает.

Когда я еще только поселилась в квартире и никого из соседей толком не знала, Капа Гущина спросила меня:

— Муж есть?

— Погиб на фронте.

— Значит, вдова?

— Вдова.

Капа насмешливо, но с каким-то удовлетворением хмыкнула:

— Здрасьте. Еще одну прислали. Теперь у нас полная команда. В каждой комнате по вдове. Прямо не квартира — вдовий пароход.

«Вдовий пароход, — повторяла я, вернувшись к себе. — Вдовий пароход». В этих словах было что-то завораживающее. Какое-то неспешное, неуклюжее движение. Часто я не спала по ночам, глядела в свое голое окно, за которым падал дождь или шел снег и в любое время года качался фонарь со своей тенью. Мне казалось, я чувствовала, как движется вдоль времени неизвестно куда вдовий пароход со своей командой.

Прошло много лет, и до сих пор мы вместе и всё куда-то плывем на вдовьем пароходе.

Живя так долго вместе и рядом, нельзя оставаться чужими, и мы не чужие. Между соседями возникает своеобразная родственность, отнюдь не любовная, скорее сварливая, но все же родственность. Они ссорятся, оскорбляют друг друга, срывают один на другом свою нервную злобу — и все же они семья. Заболеешь — соседи купят что надо, принесут, чайник согреют. Умрешь — соседи похоронят, помянут, выпьют.

Про каждую из своих соседок я так много знаю, что возникает иллюзия прозрачности, как будто их души видны сквозь тело. Я не могу уже отдать себе отчет, откуда я про них столько знаю: то ли сами они мне рассказали, то ли рассказали о них другие, то ли я сама себе это вообразила. Так или иначе, каждую из них я вижу с пронзительной ясностью снаружи и изнутри. В последнем я скорее всего ошибаюсь: внутренний мир каждого человека сложнее, чем может представить себе другой. Но я стараюсь. Неотвязное влечение переселяться в других людей. Иногда мне кажется, что я потеряла свои глаза и смотрю на мир попеременно чьими-то чужими глазами: то Капиными, то Панькиными, то глазами-луночками Ады Ефимовны. А чаще всего — серыми глазами Анфисы, которую я любила больше всех и больше всех была с ней близка. Анфиса Громова была мне вроде сестры — богоданной, судьбоданной, — хотя и ссорились мы жестоко и подолгу были почти врагами. Теперь она умерла, а мы, остальные, выжили. Хотя в ее смерти как будто бы меня обвинить нельзя, все же я вины с себя не снимаю.

Анфисы Громовой тогда еще не было с нами. Она вернулась осенью сорок третьего года.

С той мучительной ясностью зрения чужими глазами, изнутри людей, которая, может быть, меня обманывает, я вижу, как она вернулась.

День осенний, сумрачный, подслеповатый. Дождь. Анфиса, крупная в своей длинной шинели, грязью забрызганной по подолу, стоит у подъезда. Из-под нелепой маленькой пилотки свисают на щеки прямые мокрые волосы. Вещевой мешок за плечами, так называемый сидор, горбит ее и старит. Она не решается войти в подъезд и вместо того глядит на воробьев, скачущих по лужам смирно и молча, словно больные дети. Ей воробьев жалко. Большой, грязно-желтый, известково облупленный дом кажется ей чужим, будто и не жила она здесь никогда. Постояв у подъезда и пожалев воробышков — просто так, чтобы оттянуть время, — она вздыхает, отворяет дверь, которая тяжко бухает противовесом, и начинает подниматься по лестнице. Идет она трудно и медленно, как старуха. Лямки сидора режут плечи, особенно левое, возле ключицы, где в прошлом году ранило. Она останавливается на площадке и опять вздыхает.

Приехала.

4

Стоя на площадке третьего этажа перед собственной дверью, Анфиса и узнала ее и не узнала. Почтовый ящик вроде бы новый, с замочком — при ней такого не было. Новый список жильцов приколот кнопками по углам. Звонить: Зыковой один раз, Гущиной два, Ульской три, Флеровой четыре раза. Никакой Флеровой Анфиса не знала и встревожилась: не ее ли комнату, часом, отдали? Она позвонила два раза, Гущиной. Никто не отзывался. Она — еще два. За дверью зашевелились, цепочка брякнула, и знакомый голос спросил:

— Кто там?

— Свои, — ответила Анфиса.

— А кто свои-то? Свои-свои, а пальто сопрут в одночасье.

«Вот оно как на гражданке живут, друг другу не доверяют, — подумала Анфиса, — на фронте лучше».

— Открой, Капа, это я.

Дверь приотворилась, показался любопытный черный глаз.

— Не узнаешь?

— Батюшки, Фиска! — ахнула Капа и вовсю распахнула дверь. — А я тебя сразу-то не признала. Страшная ты больно, не обижайся на меня, только очень страшная.

А сама-то Капа ничуть не изменилась, такая же гладкая. Видно, брешут, будто на гражданке плохо живут.

— Здравствуй, пропащая. Чего не писала? Мы тебя и в живых не числили.

— А я живая.

— Ну-ну. Живая, так проходи. С чем пожаловала? Ай отвоевалась?

— Значит, отвоевалась, — тихо сказала Анфиса и перешагнула порог. Тяжелый, намокший сидор она сразу спустила с плеч и поставила на пол, держа за лямки.

В прихожей полутемно: может, и не заметит Капа? Заметила... Она да не заметит! Шустрые черные глазки сразу нашарили, куда впиться — в живот, на котором грубо топорщилась шинель, не сходясь на пуговицы. Увидела и просияла, будто маслом ее смазали:

— С подарочком! Проздравляем-кланяемся!

Анфиса молчала.

— С Федором, что ли, судьба свела?

Анфиса помотала головой: нет.

— Так-так. Ветром, значит, надуло. Бывает...

— Ты меня, Капа, не спрашивай ни про чего. Нет моих сил. Устала, измокла, как пес. Сидор тянет, а плечо-то раненое.

Капа плечом не заинтересовалась, а живо спросила:

— В сидоре чего?

— Так, кой-чего. Концентраты, табак, тушенка «второй фронт»...

— «Второго фронту» баночку дашь?

— Две дам, только разберусь. А ключ от комнаты моей, у тебя он?

— А как же! У меня.

У Анфисы отлегло от сердца. Значит, не отдали комнату.

— А я смотрю, читаю на двери: Флерова О.И. Думаю, отдали мою комнату. Сердце так и екнуло.

— Боже сохрани, я разве отдам?

— А что за Флерова такая?

— Бог ее знает. Вдова. Прислали вместо Макошиных. Психованная, вроде интеллигентки. Радиоточку

30

завела, слушает. А что по той точке дают? Быр да быр. Добро бы только хор Пятницкого завела или частушки — это еще терпимо, а она вой замогильный слушает, скрипка не скрипка, гармонь не гармонь, тьфу. Панька Зыкова обижается за точку, а я ничего. Мне что? Пускай слушает. По мне все хороши, все люди.

— Ключ, значит, у тебя? Мне бы его...

— Будь покойна. И ключ, и комната, и вещи. Я одной пуговицы не взяла. Я не бандитка какая-нибудь, я бога помню. Вы-то, нынешние, бога забыли. Вот он вас и наказывает — войну наслал. У Елоховской новый батюшка так и говорит: «Воздастся вам по делам вашим...»

— Мне бы ключ, Капа. Устала я.

— Постой-погоди, не бойся-сомневайся, все отдам, ни синь пороху не пропало, все на месте, и платья висят и пальто-коверкот. Тоська-дворница все молотила: «Продай да продай. Фиску, грит, давно убило, и косточки дождем моет, а ты над ее добром как Кощей над смертью». «Нет, грю, не продам, вернется Фиска». Ан по-моему и вышло. Несу, несу.

Капа принесла ключ. Отворили дверь, запахло мышами. Комната сразу как ушибла Анфису: грязь, пылища, обои отстали... Федоровы воскресные брюки, чистая шерсть, на стене висят, наверно, моль поела... На кровати — раскиданные подушки в грязных наволочках...

— Жил тут кто без меня?

— А кому жить? Никто не жил. Тебе Панька Зыкова будет хлопать, будто я за деньги ночевать пускала. Ты ей не верь, врет она, как змей. Язык у нее длинный, в ногах путается. Всего два раза только и пустила, да

31

и то не за деньги, а по любезности. Такая хорошенькая парочка, как два голубка. Я и пустила. А денег мне от них не надо, разве что из продуктов принесут, возьму, чтобы не обижать. А твое все цело, проверяй.

— Брюки-то Федора он носил? На стенке висят, я в шкафу оставила, в нафталине.

— Про брюки ничего не знаю. Такая хорошенькая парочка. Нужны ему твои брюки, как попу мячик. Одет изящно: галстучек модный, курточка-трофей... А у нее-то по плечам кудри, кудри...

Анфиса не слушала — смотрела на цветы. Были у нее цветы, были... Во всем доме не было лучше. Теперь сохли в горшках одни сухие будылья. И так стало ей жалко цветы, ну жальче всего...

— Обещалась поливать, Капа...

— И верно, не поливала, все некогда. Мой грех. Крутишься-крутишься, из очереди в очередь, да сготовить хоть никакое, да постирать — вот и день прошел. А ночью у меня работа. А ты цветка не жалей, человека надо жалеть, а не цветка.

— Да я ничего.

— Какое ничего, вижу — жалеешь.

— Не жалею я, просто устала.

— Ну отдыхай, Христос с тобою.

Ушла. Анфиса стянула с себя мокрую, жесткую шинель (кажется, поставь ее — так и будет стоять), взялась за кирзовые сапоги, сорок третий размер. Пока их стаскивала, так задохлась, будто дистанцию пробежала. Размотала портянки, присела передохнуть. Большие босые ступни с искривленными пальцами поставила на пол, слегка развела колени и уложила на них поприольнее большой, неудобный в носке живот. В животе загулял-завозился ребенок, выставив вбок что-то острое, не понять — локоть или коленку. Даже из-под гимнастерки было видно, как он угловато выпятился. Анфиса заулыбалась, как всегда, когда сын ее — она знала, что у нее непременно сын будет, — резвился очень уж прытко. Его молчаливая, подвижная, никому не подвластная жизнь ее умиляла: «Наружу просится, деточка моя милая». Ребенок побрыкался-побрыкался, спрятал угловатое внутрь и затих. Анфиса тоже затихла. В дверь постучали — опять Капа.

— Я грю: Фиса, ты мне за хранение кофту зеленую отдай. Тебе ни к чему, а мне в церковь ходить. Я ночи не спала, имение твое сторожила.

— Ладно, отдам.

— Я только по справедливости, мне чужого не надо. Ведро твое кухне стоит — я в нем и не мою. А Панька Зыкова моет. «Ведро, грит, теперь коммунальное, поскольку владелицу убило». Стыда нет. Разуется, голяшки наружу, зад кверху и моет. В чужом-то ведре...

— Мне не жалко, пускай моет.

— Мужика к себе поселила демобилизованного, для грешной плоти. Живет непрописанный. Утром моется-моется, всю раковину захаркал. В сортире с папироской заседает...

— Мне-то что, пускай заседает.

— Тебе все пускай да пускай. Вот и допускалась.

— Капа...

— Молчу-молчу. Я всегда молчу, никого не обижаю. Со мной по-хорошему — и я по-хорошему. Я помочь хочу, вразумить. Вот сидишь босая, а пол холодный. Долго ли женское воспаление схватить? Обуйся толком, тогда и сиди. Чайку тебе поставить?

— Спасибо, Капа, я сама.

— Больно ты культурная вернулась. Высшее образование. Не навязываюсь. Адью.

Капа вышла. Обиделась. Анфиса, все так же сидя с босыми ногами на голом полу (чем-то приятен был этот холод), задумалась. Давно пора ей было подумать, а в дороге все некогда...

5

О муже, о Федоре...

До женитьбы работали они с Федором на одном заводе, она кладовщицей, а он лекальщиком. Специальность редкая, дефицитная, Федора на заводе ценили. К тому же он большим ударником был. Познакомились в самодеятельности. Был у них женский хор под названием «Снежинка». Заводоуправление не поскупилось, одело весь хор в белый атлас до полу. Красиво было. Построят хор полукругом — глаза разбегаются, такая белота, такое сверкание. Анфиса в том хоре пела. Голос у нее был сильный, чистый, хоть и толстоват, назывался альт. Руководитель-то альты больше любил, чем сопрано. Сопрано на заводе сколько угодно, а альтов — раз, два и обчелся.

А Федор солистом на гитаре играл. Так и познакомились. Дальше — больше. Стал за ней ухаживать, и сразу видно, что не с глупостями. Потанцевал раза три — падеспань, вальс, польку-кокетку, — а потом прямо и говорит: выходи, мол, за меня замуж. Анфисе Федор ничего, нравился, одно ее смущало, что он моложе ее на год: ей двадцать шесть, ему двадцать пять. А собой он был очень даже взрачный, легок, как перышко, пониже ее и в плечах поуже, а сильный. Волосы рыжеватые, легкие, вились костерчиком. Анфиса подумала и согласилась.

Поженились и стали жить. Комнату дали им от завода хорошую, светлую, двадцать метров. Справляли свадьбу за счет заводоуправления, кричали «горько», все как у людей. Скоро Анфиса бросила работать, потому что расчету не было: зарплата ничтожная, Федор при хорошем уходе втрое принесет. Она хлопотала по хозяйству, чистоту поддерживала на высшем уровне, а еще и времени оставалось, когда все переделает, радио послушать: любила музыку. Придет Федор с завода усталый, помоется, кудри расчешет, а она ему сразу обед на стол. Борщ как огонь, с салом, с перцем. Или же кислые щи на свинине. Федор к мясу-то не очень стремился, больше на горячее налегал. Накушается, оботрет губы и обнимет ее: «Ах ты моя красавица!» Анфиса красавицей не была, но и уродом тоже нельзя назвать: прямая, сильная, статная, коса русая ниже пояса. Любил Федор, когда Анфиса при нем косу распускала, расчесывала.

Федор работник был золотой и на заводе и дома. Запаять, починить, покрасить — все он. В квартире его уважали. Даже Панька Зыкова на что злыдня, а и та его стеснялась. Для нее музыка — нож острый, а когда Федор дома — не возражала. А Анфиса с Федором под гитару разные песни пели, и из кинофильмов, и с радио, и из самодеятельности. Он — за сопрано, она — за альт. Особенно хорошо у них получался дуэт пастушка и пастушки «Мой миленький дружок». А еще они пели старинные песни, народные, которым Анфису бабушка научила. Детство у нее было трудное, деревенское, мать от бедности злая, а бабка — золото. Сама хорошо пела и Анфису выучила. Вот и пригодилось в семейной жизни.

Федор выпивкой не увлекался, разве на Первомай или на Октябрьскую. Да и то не шибко и поведения не позволял. Скажет только: «Перебрал я, Фиса», и спать ложится. Утром проснется: «Ты уж меня прости за вчерашнее». А чего прощать-то? Мужчина, он и есть мужчина. У Анфисы отец, можно сказать, не просыхал. А тут человек в кои веки раз выпьет. Она ему — рюмочку на опохмелку, все по чину.

Хорошо жили, ничего не скажешь, одно только — детей не было. Анфиса маленьких очень любила, сначала надеялась, что свой родится, а потом и надеяться перестала. Значит, неплодная. Ну что теперь поделаешь? Был ей Федор вроде ребеночка: глаза голубые, волоски кудрявые. За последние годы поредели они, стали на темечке просвечивать. Федор очень огорчался: «Лысый буду, разлюбишь меня» — «А мне ты и лысый хорош». И в самом деле, разве в волосе счастье? Был бы душевный покой. Вечером лягут они спать, пододеяльник чистый, прохладный, подушки как лебеди, будильник потикивает: я тут, я тут. Анфиса обнимет Федора за шею, голову его мужскую, тяжелую к себе на плечо положит, и так ей хорошо! Слушает она, как Федор спит, и сама потом засыпает.

Прожили восемь лет, все хорошо, и вдруг война! Федору сразу же повестку прислали. Собрала его Анфиса, поплакала. Вечером сели за стол — проводить солдата. Капа выпила водочки и ну вопить по Федору как по покойнику. Анфиса-то не выла, она выть по-бабьи не умела, а все же стыдно было, что не она воет, а Капа.

Утром Федор встал, умылся, покушал, кушак подтянул — и прощаться. Анфиса ему на грудь так и приклеилась — не оторвать. Он легонько ее отстранил. «Ну-ну, — говорит, — не навек прощаемся, может, и не убьет меня, жди». И ушел. Ушел как сгинул — ни письма, ни открыточки. Анфиса осталась одна, и так скучно ей стало, так темно, будто свет вырубили. Пошла проситься обратно на завод, взяли ее в цех: рабочих рук не хватает. На заводе все по-новому: мужиков забрали, одни бабы, да ребята-фабзайцы, да старый мастер Кузьмич, на Мороза похожий. Анфиса работала на совесть, но тоска-скука не проходила. Как-то незачем стало ей жить. Обед она не готовила, перебивалась кой-как, всухомятку, одну чистоту поддерживала по-старому, да и то бессознательно, как кошка умывается: шарк да шарк себе лапой по морде. И будильник ее раздражал по ночам, и спала она плохо. Похудела, подурнела. А писем все не было. Ждала-ждала, терпела-терпела и решила сама ехать на фронт. К Федору. Где он воюет, она не знала, а все-таки на фронте она будет к нему поближе, вдруг да и встретятся.

Поступила на курсы медсестер. Там она была самая старая, кругом девчата, а ей тридцать пять. Училась ничего, овладевала навыками. Теория ей плохо давалась, но на курсах на теорию особо не налегали, больше на навыки. Окончила курсы — получила назначение. Куда — ей было все равно, потому что где Федор, она не знала. Просила только поближе к переднему краю, ей и дали. Если бы знала, нипочем бы сюда не просилась, да дело сделано — работай. Работала Анфиса, как всегда, на совесть, хотя и была большая трусиха, боялась бомб, как волков. Не так страшен обстрел, как бомбежка, лучше пусть сбоку прилетают, чем сверху падают, хотя это кто как любит. Анфиса бомбы особо не любила, даже брезговала ими, видела одну неразорвавшуюся — как свинья.

Когда начиналась бомбежка, она все старалась засунуть куда-нибудь голову: под койку так под койку, под стол так под стол. Засунет, а зад наружу. Сестры-товарки над ней потешались: «Смотри, Фиска, самую нужную часть оторвет!» В общем, кое-как привыкла, перемогла свою трусость, работала не хуже других. Главное, раненые ее любили, она на них хорошо действовала, умела и уговорить и успокоить, даром что сама трусиха. Большая, сильная, кого хочешь поднимет, ее так и называли Фиска Подъемный Кран. Косу пришлось отрезать, не лезла под пилотку, да и мыть хлопотно, воды дефицит — больше чайника не дадут. Боялась, что разлюбит ее Федор, когда увидит, что нет косы. Но и в стрижке она была еще ничего. Сама-то в зеркало не смотрелась, но девчата говорили, что ничего, для такой пожилой даже совсем прилично. И даже один раненый лейтенантик в нее влюбился! Беленький, хиленький, кадык торчком, как у битой курицы крылышко. Бредил с температуры, позвал: «Пить». Подошла, дала напиться, а он: «Анфиса Максимовна, я вас полюбил». Вот комик — полюбил! Она ему в матери вполне. Однако виду не подала, не засмеялась над его чувством, приголубила его, волосы расчесала, он и уснул. Думала, забыл про свою любовь — нет, не забыл. Перед тем как ему эвакуироваться — синий такой, сквозной, — опять подозвал и за свое: «Фисочка, я вас очень люблю и мечтаю на вас жениться». А температура уже нормальная. Чудик! Фиса опустила глаза и сказала: «Извиняюсь, я замужем». Такую пьесу разыграли.

И другие тоже к ней обращались, хоть и не с такими словами, но обращались. Нежные они, мужчины. В бою герой, идет петухом в самое что ни на есть пекло. А в госпиталь попадет — куда что девается! Укола боится, в обморок падает, капризничает, как ребенок. И ласка ему нужна, как маленькому. Это Фиса хорошо понимала, и любили ее больше за понимание, а так, за другое, не за что было любить — ни красоты, ни молодости.

Ранило ее, когда госпиталь перебазировали. Обстрел, носилки, все орут, ад кромешный, падает и сверху и сбоку — с ума сойти. Анфиса впопыхах и не заметила, как ранило, и не больно совсем, как будто толкнул ее кто в плечо и окликнул. Потом заметила: батюшки, кровь! И по рукаву и по переду. Анфиса крови боялась, к чужой не могла привыкнуть, а тут на́ тебе — из самой ее, как из поросенка. Она закричала тонким, заячьим голосом, присела на корточки и закрыла лицо. Потом ее вели к машине под руки, она спотыкалась, зажмурив со страху глаза, и все говорила: «Братцы, братцы». Ее ведут, ее сажают, а она как заведенная: «Братцы, братцы». Очень перепугалась.

А больно стало уже потом, на койке, больно так, словно тебе плечо с мясом вырывают. На операции вынули у нее осколок — большой, корявый, с мизинец ростом, страшно подумать, что в ней сидел, — и как он ее не убил? Долго она его в мешке таскала, потом потеряла где-то, а жаль: Капе бы показать, пусть убедится, что и в самом деле воевала, не шутки шутила.

Отлежалась Анфиса после ранения — зажило на ней быстро, как на собаке, почему-то собака считается особо живучая, — поправилась, снова в госпиталь, только уже не лежать, а работать. Сначала все боялась, как бы опять не ранило. При каждом выстреле или разрыве начинала психовать, допускала небрежности, инструмент роняла стерильный, потом обтерпелась: боялась, но в норме.

О Федоре она не очень часто думала: некогда было. Иногда разве вечером, укладываясь на ночь, вспоминала, как лежали они рядышком: она у стенки, он с краю, и голова его у нее на плече, как раз на том, где ранило. А днем не очень-то раздумаешься — только поспевай. Работать и вместе думать Анфиса не умела, что-нибудь одно: или работа, или думанье. Уставала она крепко. В усталости пропадал, забывался Федор. По частям вот он: глаза, руки, волосы рыженькие, а в целого человека не складываются. Может быть, убило его, а может быть, и жив — ничего в этой войне не рассмотришь. Анфиса все же надеялась, что жив, потому что сказал «жди», а зря такими словами не бросаются. Она и ждала, добросовестно, ни на кого не польстилась, хотя и были желающие.

Так оно и шло, пока не появился Григорий. Околдовал он ее, наверно. Уже выздоравливал, нога в гипсе, ходил на костылях, а весело, с танцем: стук-стук. Сядет, костыли рядом, ногу вперед и хвастается:

— Во, красота! С такой-то ногой мне и цены нету. Килов на десять. Девушки, налетай: прошу тыщу. Кто больше?

Девушки смеются и Анфиса с ними, хотя ей не смешно, а страшно. Собой молодец — статный, сухой, железный, кудря на лбу, уши острые. На цыгана похож, на конокрада. Анфиса таких видела в детстве, ходили по деревням. Бабы все детей пугали: «Отдам цыгану». Такой вокруг пальца обведет в один момент. Григорий с ней не заговаривал, а она уже чувствовала, как он ее вокруг пальца обводит.

Однажды были они одни, без девчат (ушли на танцы), и Григорий сказал:

— Эх, Фиса-Фисочка! Нравишься ты мне очень. Ну, больше всех других.

У нее сердце так и упало: обводит! Григорий добавил:

— На лошадь похожа. Я лошадей люблю. Зверь добрый, стоит сено жует, глаз большой, умный. Запряги — везет. Ну точно как ты.

Конокрад! Анфиса, изо всей мочи ему сопротивляясь, только и смогла вымолвить тихим таким голосом:

— Жена небось есть.

— Это есть. Это у каждого есть. Эка невидаль — жена!

— И дети?

— Детей пока не было, не стану врать. Может, без меня народились. Это бывает.

— А тебе не обидно?

— Зачем обидно? Я и сам с усам, свое возьму, не прозеваю. Я человек веселый, люблю, чтобы всем весело было. «Жди меня!» — передразнил он с веселой ужимкой и выругался. — Вот тебе и «жди». Она там ждет, она там горюет, сопли размазывает, а меня, накася выкуси, убило! Ай-ай-ай, какая жалость! Нет уж, пока живем, пускай ей будет весело, и мне весело, и тебе весело, Фиса.

Тут он обнял Анфису одной рукой — другая удерживала костыль, — и рука эта, твердая, железная, так и стиснула ее обручем. Обвела, обхватила, и не податься. А главное, как все просто: мне весело, тебе весело, ему весело. Молодой месяц в окошке над левым раненым плечом стал поворачиваться, заваливаться и упал в преисподнюю.

Так и вышла у них любовь. Встречались они в процедурной, по вечерам крадучись, горячо и коротко, и тут только Анфиса узнала, что такое любовь. Раньше она думала, что любит Федора, — куда там! Никакого сравнения. Вот с Григорием это была любовь, все было новое, особое, весь свет менялся, и месяц в окошке не месяц, а белый цветок, и облака вокруг него ангелами. И, туда же, стук костылей как музыка, и дыханье частое в темноте — ну ни у кого такого не было! В процедурной пахло дегтем от мази Вишневского, этот запах стал Анфисе как коту валерьянка.

От любви она изменилась, похорошела, глаза обвело черным, и дикое что-то появилось в лице. Девчонки замечали, хихикали — ей хоть бы что. Даже бомбежек перестала бояться.

А потом Григорию сняли гипс, и пришло ему время уезжать, возвращаться к себе в часть. Анфису как по голове ударило, когда она узнала, что будет разлука. Прямо затрясло:

— Я без тебя не могу. Я без тебя умру.

— Небось не умрешь. Не ты первая, не ты последняя. Не горюй, Фиса-Фисочка, держи хвост пистолетом!

— Я ж люблю тебя, Гриша!

— Подумаешь, делов. Я, например, тоже тебя люблю, и что? Эх, бабы! Целоваться с вами сладко, расставаться — хуже нет. Это я такой стих сочинил.

И уехал. И адреса не оставил. И писать даже не обещал, и ничего у нее не осталось, даже фотокарточки.

Что тут поделаешь? Стала жить, работать, как раньше, только без души — душа каменная. Жизнь была какая-то ненастоящая, вроде сна. А сны-то как раз были настоящие, во снах приходил Григорий, стучал костылями, хотел ее целовать, но тут как раз сон кончался, она просыпалась и плакала. Один раз он пришел черный и сказал ей: «Фиса, меня убило». Она вскрикнула диким голосом, так, что с соседних коек девчата посыпались, кинулись к ней, а она только тряслась и кусала стакан с валерьянкой. Целый день она плакала, работала и плакала, конечно, в ущерб работе, так что врач даже на нее цыкнул. А ночью опять пришел Григорий — веселый, на костылях и совсем живой. «Врал я, — говорит, — что меня убило». Тут им удалось-таки поцеловаться, и целовались до безумия, пока все не кончилось.

Так и жила, между снами. Много времени прошло, месяца три.

Однажды ночью ушел от нее Григорий, оставив ее, как всегда, с бьющимся сердцем, с мокрыми глазами. Лежала, думала и вдруг почувствовала, что где-то глубоко в животе у нее забился живчик. Похоже, как, бывает, щеку дергает: так-так! Она и внимания не обратила, мало ли что бывает на нервной почве.

Другой раз живчик забился уже не ночью, а днем. Шла с бинтами, а он как запрыгает. Тут Анфиса поняла и похолодела. Не может быть! А живчик свое: так-так. Подтверждает. Прошла в процедурную, лица на ней нет, девчат перепугала. Ну и дела! Не может быть, она же неплодная.

Прошла неделя, и сомнений уже не оставалось: живчик был тут, живой, прыгал и стукал, радовался и набирался сил. Он-то радуется, а ей смерть. Пока, слава богу, не видно, а узнают — куда деваться?

А вскоре уже и заметно стало. Мылись с девчатами в бане, а санитарка Клава как скажет: «Тетя Фиса, да вы в положении!» Анфиса только голову опустила, чего уж тут говорить.

Клавка, конечно, раззвонила по всему госпиталю. Стали люди на Анфису поглядывать да посмеиваться, а она погибать. Думала, не выдержит позора, даже приготовила таблетки, чтобы отравиться. Но оказалось все не так страшно. Люди посмеивались, но не очень, без издевательства. Дело обычное: в тыл отправят, только и всего. Главный хирург, правда, очень сердился: время горячее, а Анфиса у него лучшая сестра. «Вы у меня правую руку отрубили, поймите вы, глупая женщина!» Но потом и он присмирел, простил ее вину. А другие — те вообще не сердились, даже сочувствовали. Та же Клавка-брехунья норовила за нее тяжелую работу сделать. И раненых поднимать ей не давали, если кто крупный. Добрые все же люди. Про Федора-мужа никто и не помянул, да и про Григория мало говорили: поболтали и кончили, и выходило так, будто она, Анфиса, сама по себе в положении сделалась, и что теперь поделаешь — носи, рожай. Так что таблетки она выбросила.

Когда уже порядочно вырос живот и все к ее положению привыкли, Анфису вызвал к себе замполит Василий Сергеевич. Строгий мужчина. Пришла бледная — вот оно, начинается. Сейчас скажет: «Как же так, Громова, от живого мужа... Он кровь проливает, а ты...» Но ничего такого замполит не сказал.

— Так, Громова, вот, значит, какое дело... Кто же тебя, а?

Анфиса молчала, а он свое:

— Ты не стесняйся, Громова, скажи кто. Может, аттестат тебе выправим. Ты женщина солидная, не станешь с кем попало... Ну, говори, кто?

Так и не сказала.

— Не хочешь — не говори. Тебе же добра желают, истукан ты в юбке. Придется тебя домой отправлять. Ты откуда?

— Из Москвы.

— Из столицы мирового пролетариата? Ну что ж, поезжай, пополняй ряды жителей столицы.

Анфиса заплакала.

— Дура, это я шутя. Шуток не понимаешь. Эх, бабы, жидкое вы племя, хоть и геройское. Адрес давай.

Записал Анфисин адрес в книжечку.

— Ну что ж. Всего тебе хорошего. Рожай на здоровье. Только смотри, чтобы сына. Вон сколько нашего брата перебило.

Анфиса улыбнулась, зареванная, неуклюжими губами и пообещала, что родит сына. Она знала, что сына, и имя ему выбрала красивое — Вадим.

Отправили ее с другими пузатыми. Снарядили хорошо: полный сидор наложили продуктов питания и сыну приданое — миткалю и марли. Хорошие люди.

— Пиши, Громова, как будешь жить, — сказал замполит, — если что, обращайся, поможем.

И поцеловал ее по-братски. Хороший человек...

Ехали долго. Дороге конца не было. Эшелон то и дело отцепляли, ставили на запасные пути. Женщины ждали, слушали паровозные гудки, курили и ссорились. Потом опять ехали, становились дружнее, а потом опять стояли и ссорились.

Путь был долгий, тяжелый, но кончился путь, и вот она дома. Какой-никакой, а дом...

Анфиса переставила на полу затекшие, закоченевшие ноги. Посидела, подумала — и хватит. Главное-то, о Федоре, и не обсудила, это потом. Пора за уборку. Грязи выше головы, только разгребай. «Вставай, страна огромная», — сказала себе Анфиса, улыбнулась своей шутке и встала.

6

На кухне было полутемно: окно выходило на заднюю, глухую стену соседнего дома, да и день уже кончался — коротки осенние дни. У плиты стояли две женщины; одна, в попугайном халатике, — Ада Ефимовна; другая, измученная лицом, в темном платье и серой шали, наверно, и была Флерова, новая жиличка. Женщины обернулись на вошедшую Анфису; Ада, кажется, ее не узнала.

— Здравствуйте, Ада Ефимовна. Это я, Анфиса.

Ада всплеснула руками, рукава так и вспыхнули. И рассыпалась картаво, будто в горле катались горошинки:

— Боже, какой сюрприз! Анфиса! Вот не ожидала! Это прекрасно!

— Вот, вернулась, — сказала Анфиса. — Буду жить.

— Давайте познакомимся, — сказала темная женщина. — Я Флерова Ольга Ивановна. А вас зовут Анфиса Максимовна, если не ошибаюсь?

Анфиса кивнула, подала руку. У Флеровой было худое смуглое лицо с желтизной вокруг глаз, как от синяков, когда проходят. Коротко стриженные волосы, полуседые-получерные, небрежно причесанные, махрами падали на лоб. Глаза синие, пристальные, так и пытают. Заметила, что ли?

Ада опять картаво застрекотала:

— Ах, Анфиса, если бы вы знали, как я жалела, что вас убили! И как рада, что не убили! Мне так много надо вам рассказать! Вообще у меня было множество переживаний в области искусства, войны и любви. — Она подошла, поцеловала Анфису мягкими губами, отступила и прищурилась: — Нельзя сказать, чтобы вы похорошели. Что делать! Все мы дурнеем. Такова жизнь.

«Положения-то моего не заметила», — думала Анфиса.

— Я так надеюсь, так надеюсь на вашу поддержку, — частила Ада, — Гущина без вас совсем распустилась, выступает в роли диктатора.

Все такая же егозливая — нет на нее войны! Только вот волосы другие: где желтые, где седые, а местами зеленые, как ярь-медянка. Ада заметила Анфисин взгляд на своих волосах и объяснила:

— Это я экспериментирую. Эрзац-хна. Война войной, а все же надо себя поддерживать. Долго ли опуститься? Покрасилась, высохла, позеленела.

Флерова издала горлом какой-то странный, кашляющий звук.

— Вы со мной не согласны, Ольга Ивановна?

— Нет, отчего же, вполне согласна.

— Если хотите, во время войны женщина особенно должна за собой следить. И по линии внешности и по линии чувства. Любить искусство, природу... Вот вы, Анфиса, вы смотрите на звезды?

Анфиса не знала, что отвечать. Только ей и дела что смотреть на звезды.

— И напрасно. А я смотрю и эмоционально наслаждаюсь. Иногда даже плачу. Такая я уж дурочка, совсем ребенок.

— «Ребенок», — передразнила, входя, Капа Гущина. — Скоро сто лет, а все ребенок!

Ада что-то пискнула, метнулась, как цыпленок от ястреба, — и в дверь.

— Дура яловая, — сказала Капа. — Трень-брень, фик-фок на один бок.

Темная лицом Флерова внимательно на нее поглядела и вышла,

— Видала? — спросила Капа. — Зырит и зырит, и неизвестно, чего зырит. А уж черна, а уж худа — мощь загробная. Правильно люди-то говорят: худому не верь. А полный человек добрый, доверчивый. Вот я...

В кастрюльке, которую Ада оставила на плите, что-то зашипело, поднялось шапкой. Анфиса протянула руку — убавить газ.

— Не тронь! — крикнула Капа. — Сама поставила, сама и следи. Пусть выкипит, пусть выгорит — пальцем не двину!

«Да, не очень-то дружно живут, — подумала Анфиса. — При Федоре лучше было».

И тут же побледнела при мысли о муже. Здесь, стоя в кухне, она вдруг увидела его целиком, и он был страшен.

Распахнулась дверь, и с ветром вошла Панька Зыкова — костлявая, угловатая, ну прямо фашистский знак. Стала перед Анфисой — руки в боки, ноги врозь — и сразу на крик:

— Так и знай, пеленки на плите кипятить не позволю! Здесь я обед готовлю, а она, извиняюсь, пеленки гаженые!

Анфиса еще и пеленок-то не пошила, а уже кипятить запрещают... Вступилась Капа:

— А тебе кто позволил, чтобы не позволять? Все мы тут жильцы, все одинаковые. Я позволяю — пускай кипятит. А ты лучше за газ плати как положено.

— А я и плачу как положено! Все платят поровну, у каждого комната!

— Надо не покомнатно, а почеловечно! Сколько человек — столько и плати! Я одна, и Ада одна, а тебя двое, ты и плати вдвое!

Панька прямо задохнулась:

— За кого же это вдвое?

— Как за кого? За Николая, за твое нещечко!

Панька плюнула и заорала:

— За Николая?! Еще чего! Он здесь и не живет, а я плати?

— Вот уж и не живет! И днюет, и ночует, и сортир занимает, а она: «Не живет»!

Панька перешла на высокий крик, Капа тоже. Анфиса только моргала. Под конец Панька крикнула: «Ни на черный ноготь не уступлю!» — вышла и дверью хлопнула. Капа отпыхивалась после своего ора, отпыхалась и сказала:

— Вред, а не баба. Чирей ходячий. Ты меня, Фиса, против нее поддержи. Все-таки двое нас, а она одна. Тот-то, непрописанный, нос высунуть боится. А пеленки кипяти, не бойся. Ребенок — создание божие. А за свет и газ платить будем почеловечно: вас с реберочком двое — и заплатишь вдвое. По справедливости.

49

Анфиса вдруг громко заплакала и сказала, сморкаясь в фартук:

— Я только за ведром, а у вас... Ведро-то мое где?

— А у нее, у Паньки, в уголку. Коммунальное! Как бы
не так. Бери-бери, не бойся, я поддержу.

Анфиса набрала в ведро воды из-под крана и пошла
убирать. Можно было бы согреть на газе, да отвыкла она
от гретой. Вымыла пол, выскребла ножиком, помыла-
протерла окна, прибралась, почистилась — смотришь,
и день прошел. За работой и не заметила, что ничего не
ела, да и не хотелось. Готовить — значит, на кухню идти,
выйдет Панька, начнет галдеть, и Капа тоже: «Почеловечно!» Лучше хлебушка поесть. Анфиса достала из сидора
початую буханку, поела, запивая водой. Как села, в животе опять заходил-загулял ребенок, куда-то стремился.

— Тихонько, моя деточка, — сказала ему Анфиса. —
Дома мы теперь, скоро родиться будем.

Ожидая родов, Анфиса жила потихоньку, продукты эко-
номила, шинель продала на рынке — так и жила. Да
и много ли ей надо? Ела она теперь помалу, не то что
прежде — тогда у нее аппетит был слава богу, вдвое
против Федора уминала. Чай не варила, чайком угощала ее Ада Ефимовна, добрая душа, хоть и опереточная.
А тараторит-тараторит, прямо в ушах звенит, и все про
любовь, как это не надоест одно и то же? Один год было у нее три любовника, и всё Борисы. Это надо же! Анфиса такого не признавала, чтобы в один год да троих.
Все-таки стыд надо иметь.

С Флеровой Анфиса особенно не знакомилась. Но
вот кончились у нее спички. Где взять? Ады нет дома,
наверно загуляла. Анфиса постучалась к Флеровой:

— Можно, Ольга Ивановна?

— Пожалуйста, Анфиса Максимовна.

Все-таки вежливый человек, культурный. Зря ее Капа хает.

— Спичками у вас хочу позаимствоваться.

— Пожалуйста, берите хоть весь коробок.

— Да мне только газ зажечь.

— Ну пожалуйста. Да вы присядьте, поговорим.

Сели. Ольга Ивановна курила папироску и пепел стряхивала каждую секунду: у нее еще не наросло, а она стряхивает. А так она ничего, не такая уж старая, как показалась вначале, только седая и щека с изъяном. Курит жадно, как пьяница пьет. И чего только в этом куренье находят люди? Анфиса и на фронте-то не привыкла, а была солдат. Комнатенка голая, без всякого уюта, один стул, да стол, да книжная полка. Бедно живет.

Ольга Ивановна спросила Анфису:

— Как вы свою жизнь планируете? Работать будете? Спрашивала она жадно, как курила.

— Да нет, кто меня сейчас возьмет? Потом уж... — Хотела сказать «когда родится» — постеснялась.

— А я про вас все думаю, — сказала Ольга Ивановна. — Я, знаете, в Доме ребенка работаю — это ясли для сирот, знаете? Там очень нужны нянечки, они бы вас взяли. Ребенка в ясли и сами в ясли. А?

Улыбнулась и взяла новую папиросу. Странная какая! Чудная, а милая. Анфисе показалось, что знакомы они давным-давно. Очень было бы с ней хорошо, если б не сверлила так глазами.

Стала она к Ольге Ивановне захаживать. Посидит, побеседует, встанет, уйдет. Чаю предложит — откажется (не за тем ходит). А то и выпьет. Чай пустой. Иногда книжку попросит, прочитает, вернет. Книжки-то были не ахти интересные, больше переводы, про прошлое. Анфису они не очень затрагивали. Одну книгу она, правда, с жадностью прочла, называется «Униженные и оскорбленные». Про жизнь, автор Достоевский. Спросила Ольгу Ивановну, нет ли другой книжки этого автора. Дала ей Ольга Ивановна «Бесов» — не понравилось. Глупости какие-то говорят, да еще убивают. И не надо ей про такие страсти читать: ребеночку повредить может.

Иногда Ольга Ивановна включала радиоточку, слушала она последние известия, а то и музыку. Панька Зыкова от музыки в большой гнев приходила, предметы швыряла, но запретить не в ее было власти. А они аж симфоническую слушали, Анфиса больше из любезности, голова у нее уставала от симфонической. По своей-то душе она песни любила. Иной раз они с Ольгой Ивановной даже пели под радио шепотком, чтобы не услышала Панька. Смешно — пожилые, а как маленькие.

Вот и завязалась между ними дружба. Постепенно Анфиса Ольге Ивановне все про себя рассказала. И как с Федором жила, и как на фронте, и про Григория, и все.

Ада Ефимовна ревновала, что Анфиса ходит к Ольге Ивановне, говорила, что Флерова — холодная, замкнутая натура, без любви и вдохновения. И все неправда, Анфисе лучше знать. Впрочем, Аде ревновать было особенно некогда, потому что завязался у нее роман. «Последняя любовь», как она говорила.

7

С тех пор как вернулась Анфиса, стало у нас в квартире как-то уютнее, для меня по крайней мере. Глаза Анфисины меня радовали: серые, сострадательные, они излучали тепло и разум.

А вообще в квартире было неспокойно, все время на грани кризиса. Кто-то с кем-то всегда ссорился, враждовал: то Капа с Панькой Зыковой, то Панька с Анфисой, то Ада Ефимовна с Капой, да и со мной бывали столкновения, хотя я искренне хотела мира. Нет специально плохих слов — все зависит от тона, от контекста. Когда я говорила Капе: «И не стыдно вам, Капитолина Васильевна?» — я уверена, это ее оскорбляло больше, чем Панькин мат.

В квартирных битвах образовывались группировки, коалиции, заключались союзы. Коалиции менялись, как узоры в калейдоскопе, чаще всего по неизвестным причинам. Иной раз все ополчались против одного. А бывали мрачные периоды войны всех против всех. Периоды мира всех со всеми тоже бывали, но редко, только по случаю особых событий. Коммунальные страсти часто называют мещанскими. Ерунда! Какие же они мещанские? Пусть порожденные малыми причинами, но сами страсти — высокие, благородные, можно даже сказать аристократические. Каждый борется не за себя, а за высшую справедливость. В борьбе за справедливость он готов пожертвовать собой, пострадать, лишь бы покарать зло. Кто виноват, что каждый понимает справедливость по-своему?

Вот и в нашей квартире все были за справедливость, но каждый понимал ее по-своему. И каждый по-своему был прав. Одно из самых тяжелых убеждений, вынесенных мною из жизни: каждый человек внутри себя прав. Даже квартирное пугало Панька Зыкова. Тяжелый человек, спору нет, а ведь по-своему она права.

Мне кажется, Панька Зыкова — человек, одержимый страстью. Эта страсть терзает ее, и корчит, и кричит из нее вслух. Она страстно хочет одного: чтобы все были равны. Каждому, как другому, никто никого не лучше. А так как принцип этот все время нарушается, она бурлит. Почему у Ады комната восемнадцать метров и светлая, а у самой Паньки — одиннадцать и темная? Неправильно! Почему на кухне стол Гущиной у окна и ей светлее, чем другим? Тоже неправильно! Пускай уберут гущинский стол от окна, поставят в угол. Мне от этого будет теснее — пускай! Зато по справедливости.

Панька мечтает, чтобы всем было одинаково. Если нельзя одинаково хорошо, пусть будет одинаково плохо. Возможно, эта идея засела в ней еще со времен военного коммунизма, когда всем было одинаково плохо. Нас, соседей, Панька разнообразно презирает. Аду Ефимовну — за «паразитство», за то, что всю жизнь пела и плясала, как та стрекоза, а наказания-то ей и не было: еще и пенсию выплачивают! Меня — за пустые претензии, за радиоточку, за то, что хожу с палочкой, «бью на жалость», за то, что в свое дежурство не мою полы сама, а нанимаю Капу. Бесполезно было бы ей объяснять, что я инвалид, что у меня спина не гнется, что я попросту не могу мыть пол. «Припечет, так сможешь!» И, возможно, она права. Припекло бы — и смогла бы. Я для Паньки барыня, и бедная барыня, что хуже всего. Умственный труд она за труд не считает и то, что в нашем обществе он в принципе оплачивается выше физического, считает за величайший абсурд.

Капу Гущину Панька презирает за религию — темнота деревенская! — и про себя считает ее нечистой на руку, все мечтает поймать на воровстве, но ни разу в этом не преуспела. Мстит ей за это мелкими скверностями: то к телефону не позовет (так и висит трубка), то чайник пихнет с плиты, только что на пол не сбросит: зачем лишнюю конфорку занимает?

А Анфису Панька презирает за женскую слабость. Чего хотела, того и доспела. Так-то воевать много найдется желающих! Сама Панька сурово добродетельна. Она своему мужику, хоть и непрописанному, вот как верна! А чем плохо? Песен не поют, не скандалят, посидят смирно на своей площади, выпьют водочки, если есть, и спать лягут. А почеловечно она платить не будет, пусть лопнет Капа. Нет такого закона, чтобы за гостя платить.

Думаю, что Панькина злость от дурной жизни. Жила скучно, трудно, рано осиротела. Красотой судьба не наградила, одно дала — большой рост, как у мужика, а зачем это женщине? Ни к чему. Муж был неласковый, попрекал ростом, называл в насмешку Иваном Великим. Детей не было, муж не хотел, три аборта сделала, потом захирела по женской линии. А муж от печени помер: печень у него алкоголем пропиталась. Плохой был муж, а все-таки свой, законный, пришлось ей попереживать, потом кое-как успокоилась. Работа монтера — тяжелая, мужицкая. Зарплата низкая. Панька гордая, самостоятельная, чаевых не берет, считает за взятку. У нас не царизм. И она права...

А может быть, все это и не так. Может быть, даже наверное, Панька гораздо сложнее, чем я ее себе представляю. Ведь она — человек...

Прикидывая в мыслях квартирные ссоры, я всякий раз со скорбью убеждалась, что каждый по-своему прав. Менее всего правой я ощущала себя. С моей назойливой, скорее всего дурной привычкой все время глядеть чьими-то глазами я смотрела на себя со стороны — глазами Паньки, Капы, даже Ады Ефимовны, даже Анфисы, в общем-то любившей меня, и разнообразно раздражалась. Я понимала, как должны раздражать мои неловкие пальцы, согнутая спина, пристальный взгляд, моя манера мыть чашки не просто как люди моют, а с содой и солью... Ясно, они были правы, а я, скорее всего, нет. Впрочем, это сознание всеобщей правоты и моей собственной неправоты ничуть не делало меня обходительней. Когда задевали меня и мою справедливость, я огрызалась по-своему, не хуже других.

8

Вот уже скоро Анфисе родить. Сходила она в консультацию. Там похвалили ее таз, сказали, чтобы не беспокоилась: родит как из пушки. И срок назначили.

— Тридцать семь мне уже, разрожусь ли?

— Разродишься, голубушка, — сказала врач. — Что за упадничество? И думать не смей. Делай физкультуру.

И книгу дала — физкультура для беременных.

Стала Анфиса делать физкультуру, да больно смешно, бросила. Кому делать нечего, пусть физкультурится. Стала ждать срока. И срок прошел, и еще две недели сверх срока, а все никто не родится. Ждет, продукты изводит, а все без толку. И мальчик внутри затих: не умер ли? Боже сохрани!

По Капиному совету Анфиса сходила в баню, жарко попарилась. Утром запросился Вадим наружу. Отвезла Анфису в роддом Ада Ефимовна (Ольга Ивановна была на работе). Попрощались у двери.

— Ну, Христос с вами, как говорит Капа, хотя я в него и не верю, но на всякий случай... Если бы вы знали, Анфиса, как я вам завидую... Материнство — великий акт.

— Спасибо за вашу доброту, — сказала Анфиса и заплакала. — Если что не так, простите.

— Не надо плакать, когда такая радость: человек родится! Может быть, великий...

Анфиса вошла в приемный покой. Там было светло и страшно, на стенах висели плакаты про неправильные роды: лицевое положение, ягодичное... Нашли что повесить! Ее уложили на белый холодный топчан, осмотрели.

— Ну, у этой скоро. Не женщина, слон.

Слон слоном, а вышло не скоро, ох как не скоро! Главное, боли кончились. Лежала мешок мешком, ни родить, ни уйти. Придут слабенькие схватки и сразу же пропадают. Двое суток так продолжалось. И ребенок не шевелился. Анфиса плакала:

— Умер, наверно. Значит, и мне умереть.

— Не умрешь, — говорили ей. — Все нормально, лежи себе.

На третьи сутки врач решил: будем стимулировать. Анфису стимулировали, и еще через сутки родился Вадим — слабенький, полузадохнувшийся, косоголовый.

— Гора родила мышь, — сказал врач.

Анфиса лежала слабая после крика, но легкая, будто с нее гору сняли.

— Мамаша, у вас мальчик.

Мальчик... Она и так знала, что мальчик. Жив ли? Почему не кричит?

— Задохся, оживляют, — сказала женщина на соседнем столе. У нее, видно, был перерыв между схватками, и она облизывала покусанные губы.

Анфиса задвигалась, хотела крикнуть, но голос пропал. В углу что-то делали с ее мальчиком. Послышался ребячий крик, но слабый, какой-то лягушачий.

— Покажите мне, покажите, — хрипела Анфиса.

Ей показали мальчика издали. Он был страшен и мал, висел почему-то вниз головой. Его унесли. Анфиса билась и требовала:

— Дайте мне сына. Я ж его и не разглядела...

Никто не обращал внимания — шмыгали мимо.

— Сына мне дайте! — крикнула она вернувшимся голосом.

На нее прицыкнули:

— Тихо, мамаша. Кормить принесут, вот и увидишь.

Анфиса замолчала. Дисциплину-то она понимала — сама сестра.

Скоро ее перевели в другую палату. Время шло, а мальчика не несли. Так и есть, умер, а ей не говорят. Рядом все матери кормят, а ей не несут. Она не вытерпела, несмотря что дисциплинированная, и начала громко рыдать. Рыдать и кричать:

— Сына моего дайте мне! Дайте моего сына! — И билась головой о железную койку.

— Тише, тут не базар, — сказала строгая не то нянечка, не то сестра. — Сто вас лежит, ни одна не позволяет, только ты, Громова.

Анфиса кричала:

— Сына! Дайте мне сию минуту моего сына!

— Это что же такое? — прикрикнула строгая. — Мы работаем, а ты орешь как порося? Сейчас врача позову.

В дверях она кликнула:

— Владимир Петрович, зайдите-ка, тут мамаша Громова позволяет!

Пришел врач, тот самый, кто у нее принимал. Рукава засучены, очки выше лба, лицо сердитое. Он сурово поглядел на Анфису и сказал:

— Не хулиганить!

Она испугалась, притихла. Чего-чего, а хулиганства за ней никогда не было. Решила молчать.

К вечеру у нее поднялась температура, не очень большая — 37,9, а все-таки.

— Сама виновата, накричала себе, — сказала строгая.

— Сына бы мне, — попросила Анфиса.

— Не положено. Спи, мамаша.

— Умер, верно? Скажи, не томи.

— Умер? Никто не умер. Смертность у нас изжитая. Спи.

Анфиса забылась. В полубреду ей казалось, что белая стенка палаты надвигается, надвигается, а там, за стеной, ее сын. Его к ней не пускают. Вот он уже вырос, встал на ножки и идет к ней ножками: топ, топ... А его не пускают, и он умирает. Где-то рядом копают ему могилу. «Положите меня с моим мальчиком, закопайте меня с моим мальчиком!» — кричит, надрывается Анфиса, но никто не слушает. И опять явь и белая стена, а за стеной мальчик, его закопали.

Когда она проснулась, был белый день в белой палате, за окнами подушками лежал молодой снег, а на потолке играли зайчики. Вокруг женщины кормили детей — белые пакетики на белых подушках. Вошла нянечка, не та, строгая, а другая, веселая, — на каждой руке по свертку, по ребенку, положила к двум женщинам.

— А мой? — спросила Анфиса. — А мой? — И вдруг вспомнила, что его закопали, и крикнула: — Моего закопали?

— Зачем закопали? Орет петухом, — сказала веселая. — Твой-то на всю детскую самый горластый. Генералом будет. Мы его так и зовем: генерал Громов. Несу, несу.

Она вернулась еще с двумя свертками. Один из них орал: это и был Вадим. У него было гневно-красное, напряженное лицо, он ворочал головой туда-сюда, что-то ища слепым разинутым ртом.

— Товарищ генерал, кушать подано.

Нянечка положила ребенка на подушку рядом с Анфисой. Он орал отчаянно, злобно, без слез. Она совала ему грудь, он не брал, злился, крутил головой, тыкался носом. И вдруг поймал сосок, ухватил, зажевал беззубыми деснами. Пошло молоко. Ребенок глотал усердно, отчетливо.

— Хорошо сосет, — одобрила нянечка. — Активист.

Молоко шло обильно, тугой струей. Ребенок морщился, кашлял, сердился, терял сосок, и опять находил, и опять трудился — глотал, глотал.

Анфиса кормила своего сына. Она вся переливалась в него, в своего хозяина. Никто никогда не был ей таким хозяином, ни Федор, ни Григорий, никто. Только Вадим.

9

Через несколько дней Анфису выписали. Приехала за ней опять Ада Ефимовна, верный товарищ. Чирикала, умилялась, что ребенок очень уж мал. Говорила о святости материнства.

— Я никогда не знала этого счастья. Все для искусства и для фигуры, И что? От искусства оторвана. Фигуру, правда, сохранила, а для чего? Фигура есть, а жизни нет.

«И правда, — подумала Анфиса, — на кой она, фигура, когда жизни нет». А вслух сказала с лицемерием:

— Не жалейте, Ада Ефимовна, еще неизвестно, как у кого судьба обернется.

Вадим орал.

— Красивый ребенок, — сказала Ада, заглянув в щель одеяла. — Оригинальная расцветка. Только почему он кричит? У меня в ушах вроде обморока.

Приехали домой. Дома — одна Капа.

— А ну-ка покажи.

Показала.

— А ну-ка разверни.

Развернула. Вадим копошился и орал, криво суча красными ножками.

— Ничего, ребенок справный, цвет свекольный, — похвалила Капа. — Свекла-то, она лучше, чем репа. Репный ребенок плохо живет. А у твоего — руки-ноги, все на месте. Орет зычно, шумовик. Звуку от него много будет. Я-то ничего, Панька задаст тебе жару за шум.

— Ребенок ведь, понимать надо.

— А я говорю: кошка? Ребенок.

Вадим орал.

— Федору радости, — сказала Капа. — Вернется, а ему суприз — кока с маком.

— Не надо, Капа.

— А я что? Я ничего. Мое дело маленькое. Ты блудила, ты рожала, ты и отвечай.

На столе стоял букет. Анфиса удивилась:

— Откуда?

— Психованная принесла. Нет чтобы полезное что: распашонку, чепчик... Цветы...

Капа так и называла Ольгу Ивановну: психованная. Не любила ее, хоть и пользовалась, когда та платила ей за дежурство. А по-Анфисиному: не любишь — не пользуйся.

К вечеру пришла Ольга Ивановна. Молча поцеловала Анфису, молча оглядела Вадима своими синими, пристальными, в желтых тенях глазами. Дергалось что-то у нее в лице.

— Спасибо, Ольга Ивановна, за цветы.

— Не за что, Анфиса Максимовна. Я же вас люблю.

Хорошо стало Анфисе, что ее кто-то любит.

Одна Панька Зыкова к Анфисе не заглянула. Притворялась, будто ей неинтересно.

Вадим и в самом деле оказался самостоятельным, трудным ребенком. Орал днем, орал ночью почти без перерыва. Рот у него, можно сказать, не закрывался. Положишь — кричит, на руки возьмешь — кричит, стоймя поставишь — опять кричит. Покормишь, насосется — и обратно кричит. Да как! Весь синий становится, до того негодует. Носила в консультацию, сказали: здоров, а почему кричит — неизвестно.

— Вы, мамаша, его не балуйте. Покормите — положите в кроватку. Покричит-покричит и уснет.

Нет, Анфиса так не могла. Кричит — значит, плохо ему, значит, она виновата. Сказать-то ведь не может, бедный, где у него болит.

Анфиса его носила, Анфиса его качала — не помогает. Соску-пустышку даже в рот не берет, выплевывает, будто его оскорбили. Беда! Приспособилась она его вниз головой качать — в таком положении иногда Вадим утихал и засыпал на полчасика. Тут-то бы и ей поспать, а не спится! Только и подремлешь, покуда кормишь. Он сосет, а ты спишь. Лежа Анфиса кормить себе не позволяла, чтобы не придушить ребенка. На стуле кормила, на стуле спала.

— Это он потому орет, что некрещеный, — сказала Капа. — Просит его душенька теплой купели. Окрестишь — сразу будет шелковый. Хочешь, окрещу?

«Может, и впрямь окрестить?» — иногда думала Анфиса, когда совсем становилось невмоготу, но тут же гнала эту мысль как недостойную. Пусть растет как все, советским человеком. А то вырастет, в комсомол вступать, и вдруг дознаются: крещеный. Стыда не оберешься.

Панька Зыкова особо ребенком не интересовалась, и то слава богу. Чтобы ее не дразнить, Анфиса часто кипятила пеленки не в кухне, а у себя в комнате на примусе. Сушила на отоплении. Ничего, приспособилась. Только бы сон. А сна-то и не было. Она до того извелась не спавши, что ходила шатаясь, как пьяница. На ходу засыпала. Идет в кухню и спит, пеленки стирает и спит. Просыпается, когда головой падает чуть не в воду. А пора уже было на работу устраиваться: деньги, какие были, проела и молоко стало убывать. Вадим злился, рвал грудь и еще шибче орал, теперь уж от голода, вполне

можно его оправдать. Выписали ему в консультации бутылочки: берис, верис. Он эти берисы-верисы не
очень-то признавал, ему грудь подавай, да побольше.
Анфиса, что было лишнее, все продала, за нелишнее
взялась: туфли, валенки. Оставила самое необходимое,
что на себе. Задолжала всем: Ольге Ивановне, Аде
Ефимовне, Капе, только у Паньки не просила, до того
еще не дошла. Прожила чужие деньги — и опять нет.
Хочешь не хочешь — пора на работу.

Ольга Ивановна, как и обещалась, устроила их с Вадимом в Дом ребенка, ее нянечкой, его воспитанником,
хотя и против правил: он же не сирота. Стали они на работу ходить: Анфиса нянчить, а он — орать. Орал исправно, все уши прокричал персоналу. Анфиса нарочно
от него в другую группу ушла, в ползунковую, чтобы не
слышать, не расстраиваться. А все равно слышно, даже
через стенку. Он на весь дом самый горластый.

Анфиса в ползунковой работала усердно, как всегда,
работала всякую работу, только очень уж изводилась
жалостью: к своему, к чужим. Да какие чужие? Все
свои, обо всех сердце болит, всех жалко: плачут-жалу-
ются, а сказать ничего не могут. На руки взять не смей,
не положено, да и некогда. Накормить, переменить, постирать — только поворачивайся. Анфиса иногда против правил все же брала ребятишек на руки: очень уж
жалко. Прижмется такой, хлюпает, щека мягкая, нос
сопливый, ну просто сил нет, до чего жалко.

Вечером после работы Анфиса брала Вадима, за-
вертывала его в свое, домашнее, нарядное одеяло и
увозила домой. Ехать было далеко, трамваем, автобу-
сом. В транспорте Вадим почему-то спал, а дома при-
нимался орать с новой силой, но все-таки стал поспо-

койнее, иногда часа два проспит без буянства, и на том спасибо.

Одет был Вадим получше других ребят, кофточки мягкие, байковые, распашонки с кружавчиками, сшила на последние деньги. Шапочку — кроличий пух — связала и подарила Ада Ефимовна. Тем-то, сироткам, никто не свяжет, никто не подарит.

Поближе к весне стал Вадим подрастать, развиваться, научился сидеть, играть игрушками, вроде как поменьше стал кричать, вошел в разум. Летом перевели его в ползунковую. Красоты стал необыкновенной — глазки из молочных сделались черными, реснички длинные, на щеках румянец. На всю ползунковую он самый был красавец. Сидят ползунки в манежиках, а он среди них как принц небесный. Глаза как звездочки, волосики кудрявые, во рту два зуба блестят сахарком. Когда Ольга Ивановна играла ползункам на рояле, песенки пела, Вадим больше всех понимал: музыкальный! Он начал уже вставать понемногу, делал «дыбочки», и любо-дорого было смотреть, как он в голубых своих штанишках, со сползшей лямочкой на плече стоит, уцепившись одной рукой за бортик, и с ножки на ножку переминается, будто танцует. Никто в ползунковой группе не умеет так танцовать! По развитию всех впереди, раньше всех лопотать начал «мама» и «дай». Ножки крепкие, столбиками — вот-вот пойдет! И ночью стал спать, слава богу, спокойнее: только раза три-четыре к себе потребует, а это ничего, терпимо. Жизнь вроде уже хорошая получалась. А главное, война подходила к концу. Пушками бахали салюты — то за один город, то за другой, и по всему небу, как цветы, — ракеты, ракеты. Очень Анфиса любила салют. Иной раз даже будила сыночка своего Вадика, выносила его на улицу: «Гляди, салют». Он послушно глядел, на каждый залп махал ручкой, и в глазах у него отражались разноцветные звезды.

И вот — кончилась война! Только подумать: кончилась! Всю ночь с 8-го на 9-е Анфиса с Ольгой Ивановной не отходили от радио. А оно-то наяривало! Целую ночь — веселые песни, марши и танцы. А Победу все не объявляли, и уж невмочь становилось ждать. И вот — объявили! А в квартире никто не спал, дверь на лестницу не запирали: заходи кто хочет. Заходили, поздравляли какие-то незнакомые. Пришел дворник, принес водки, предложил выпить «заслуженному женскому коллективу». Выпили все, даже Ольга Ивановна. Опять не спали. Утром поехали на работу — Ольга Ивановна и Анфиса с Вадимом. Весть о Победе уже гремела по улицам. Весь город — сколько там есть миллионов! — высыпал на улицы, черно было от народу, красно от флагов. И Дом ребенка — тоже. Ребятишки, как клопы кургузенькие, в темных ватничках выстроились на улице, махали флажками и пели — кто в лес, кто по дрова. А обед был прямо как в мирное время: Евлампия Захаровна распорядилась — все, что в кладовой, на стол! Ребятам — конфеты, шоколад. Многие из ребятишек в глаза не видели конфету, не знали, как ее разворачивать...

Вечером после работы попросила Анфиса:

— Ольга Ивановна, вы уж тут, пожалуйста, приглядите за Вадиком, а я побегу!

— Бегите, Анфиса Максимовна.

Побежала Анфиса туда же, куда все, — на Красную площадь. Людей — как воды в половодье. Целуются, обнимаются. Качают офицеров, солдат. И музыка, музыка. Репродукторы словно с ума сошли. И гармоника на каждом углу и пляска. Какой-то солдатик потащил и Анфису плясать. Она, хоть и старая, пошла. Плясала и плакала. Кругом многие плакали. А над площадью красное знамя, как язык огненный, высоко стоит...

Вернулась Анфиса домой — еле ноги волочит. Ольга Ивановна спрашивает:

— Ну, как там?

А щека дергается. Отвечает Анфиса:

— Пляшут, поют, плачут. — И сама в рев.

Пришла Капа с всенощной. Просфору принесла, рассказывала, как батюшка возглашал за Победу русского воинства. Панька Зыкова пирог испекла, всех угощала...

Так вот, значит, кончилась война. Большая радость, а страшная. У кого погибли мужья — ревом ревут, море разливанное. Анфиса, та все сразу — и радовалась, и ревела, и ждала, и боялась: вернется Федор. Нет, не вернулся. Все сроки прошли — нет и нет. Значит, оказалась и она солдатской вдовой.

Что ж теперь делать? Стала жить вдовой с сыночком своим ненаглядным, с красавчиком. И Ольга Ивановна мальчика полюбила, баловала по-всякому: то игрушку принесет, то яблоко, а то и книжку — сама ему вслух читает. В Доме ребенка отдельно с ним занималась, слух развивала. Говорила: способный. В квартире к Вадиму тоже хорошо относились, ценили его красоту. И Ада Ефимовна и Капа — нет-нет да и приласкают, даром что некрещеный. Одна Панька, всегда суровая, проходила мимо него с ветром. Еще сердитее стала, чем прежде.

Да и было с чего: в недавнем времени ушел от нее мужик, тот самый, непрописанный. Вещи собрал и канул. Жил он с ней не так уж долго, но и не коротко — успел облысеть. Вот какая бабе судьба: к кому возвращаются, а от нее ушел. Обсуждали на кухне Панькины дела, спорили. Капа была за то, что законно ушел: деловой мужик на одних костях не улежится. Ада Ефимовна, напротив, жалела Паньку, а мужчин осуждала как класс. Впрочем, Паньку очень-то не пожалеешь. Лицом почернела, как осиновый сруб, а нет чтобы поделиться. Не женщина — комбайн.

10

Не помню, когда и как впервые пришло мне в голову сочинять для детей музыку. Композиции я никогда не училась и не думала, что к ней способна, а тут попробовала — и что-то вышло...

Мы сидели вечером в концертном зальце Дома ребенка — Анфиса дежурила, а я осталась просто так, возле рояля. Робко, сперва потихоньку стала я наигрывать что-то свое. Анфиса и внимания не обратила.

— Анфиса Максимовна, — спросила я с сердцебиением, — как вам кажется эта музыка?

— Ничего, — рассеянно сказала Анфиса. — Музыка мелодичная. А что?

— Это я сочинила.

— Да не может быть!

Анфисины серые глаза раскрылись так широко, в таком изумлении, что я засмеялась.

— Что ж тут особенного? Сочинила, и все.

Анфиса не могла прийти в себя:

— Это надо же! Человек музыку сочиняет. А как он называется, кто музыку сочиняет?

— Композитор.

— Вы, значит, композитор?

— Да нет, какое там.

— Вы же сочинили — значит, композитор.

— Вот смешная! Композиторы бывают разные, большие и маленькие. Я — самый маленький, крохотный композитор. Не стоит об этом говорить.

Анфиса только рукой махнула:

— Крохотный! Да мне дай сто тысяч, я ни за что такого не сочиню.

Уважение ко мне Анфисы с этого дня возросло безмерно. Я просила ее никому не говорить, что сочиняю музыку. Она свято блюла секрет, но ее так и распирало. Бывало, играю, а она наклонится и спрашивает шепотом:

— Это тоже вы сочинили?

— Нет, что вы, Анфиса Максимовна, это Чайковский.

— А я думала, вы.

Однажды я сочинила для ребят торжественный туш, чтобы идти к елке. Я его сделала в стиле полонеза, с припаданием на каждом такте, и они припадали, да как! Серьезные, колченогие, светящиеся усердием. У меня прямо ком в горле стоял. «Похлопайте тетеньке Ольге Ивановне!» — крикнула Анфиса (она-то знала, что туш мой), и дети захлопали слабыми, влажными своими ладошками, этот звук походил на начинающийся дождь... А потом мне попались в каком-то журнальчике забавные стишки про белочку и ежонка, и я положила их на музыку. Не бог весть что, но получилась песенка, ребята пели ее с увлечением. С тех пор я прямо заболела композиторством. По ночам, когда не спалось, я уже не смотрела в окно, а сочиняла музыку, напевая в нос и разыгрывая на одеяле воображаемый аккомпанемент. В то время мне даже хотелось (странное дело!) иметь рояль... Настоящего композиторского дара у меня, разумеется, не было. Была любовь к музыке и некая «наслышанность». Бывает же, что начитанные люди могут писать грамотно, похоже на то, как пишут другие. Так и я. И все-таки одно время я была увлечена. Меня поддерживало простодушное восхищение Анфисы. Тоже нашла знатока...

Смех смехом, а радость творчества, пусть не вполне оригинального, согревала меня. И дети, певшие мои песенки, радовали меня больше, чем когда они пели чужие...

...Самым одаренным в старшей, выпускной группе был Вадим Громов. Красивый, смелый, сообразительный, он пел лучше всех, танцевал лучше всех, лучше всех выговаривал «р», раскатывая его как-то особенно щеголевато. Был ловок, подвижен, в играх всегда коноводил. Знал наизусть множество стихов. Когда приезжала какая-нибудь комиссия, Евлампия Захаровна старалась щегольнуть Вадимом: вот, мол, каких детей мы выращиваем! Он и в самом деле был прелестен со своей светящейся смуглотой, яркими глазами, быстрыми ножками.

Смущало меня только его высокомерие. Маленький король — и его подданные. Они ничего не видели — он видел все. Они ничего не знали — он все знал.

— Дурррак! — говорил он, щеголяя раскатистым «р». — Дурррак, не видел автобуса! А я в автобусе ехал! И на трамвае ехал!

Ребята слушали его как жреца. Он был среди них самый опытный, самый красивый, самый развитый, самый...

Вскорости Дом ребенка постигло горе: умерла наша заведующая Евлампия Захаровна. Умерла она от рака желудка, как-то быстро и деловито, хорошо зная, что у нее рак, что надежды нет и что дело-то это, в общем, житейское. До самых последних недель она ходила на работу, перемогая боль и слабость, куда-то звонила по телефону, на кого то привычно сердилась, но вдруг среди всего этого внезапно и страшно бледнела, закрывая глаза, как бы не в силах взглянуть в лицо собственной смерти. С тех пор как заболела, она стала охотно со мной разговаривать, часто без особого дела вызывала меня в кабинет. Из всех окружающих, кажется, только одна я не врала ей, не уверяла, что она поправится, и она за это особенно меня ценила. Разговаривали мы с ней кратко и деловито; смерть не была главной темой наших бесед, но присутствовала в них наравне с другими. Евлампия Захаровна упоминала о ней бегло, походя, не избегая ее, но и не тяготея к ней как-нибудь особо. Шла, например, речь об огороде. «Это вы уже после меня посадите», — спокойно говорила Евлампия Захаровна, и я не возражала, разговор шел серьезный и деловой.

Однажды она спросила меня:

— Ты смерти боишься, Ольга Ивановна?

— Нет, не боюсь. Я уже умирала, и не было страшно. Но жизнь я люблю и умирать не хочу.

— Вот и я так. Смерти не боюсь, а жизнь люблю. Еще бы годочка два пожить, да не выйдет. Жизни моей осталось месяца три.

— Этого никто не знает... Может быть, долго еще проживете...

Она посмотрела на меня снисходительно, как взрослый на ребенка:

— И ты туда же! А я думала, серьезный человек!

Когда Евлампия Захаровна слегла уже совсем, ее поместили в больницу. Я приехала ее навестить и поразилась быстроте, с какой болезнь делала свое дело. Лежал скелет.

— Что смотришь? — спросила она звучным голосом, странным в устах скелета. — Печать смерти видишь?

Я молчала.

— Спасибо, что не врешь. Все врут. А ты не врешь.

Что я могла сказать? В таких случаях женщины плачут, но у меня не было слез.

— Слушай, Ольга Ивановна, я тебе расскажу, как это — умирать. Ничего не страшно, а кажется, будто очень серьезное дело делаешь, трудное дело и не знаешь, хватит ли сил. Хотя, с другой стороны, если рассудить хорошенько: какие такие силы нужны, чтобы умереть? Она, смерть, все сама сделает: придет, и возьмет, и успокоит, а ты лежи себе полеживай... И еще, Ольга Ивановна, все думаю я: на что этот самый последний момент будет похож? Думаю, на рвоту. Рвать меня будет моей душой.

— Евлампия Захаровна, — сказала я, взяв ее за руку, — смерти нет, вы ее и не почувствуете. Какой-то философ сказал: не бойся смерти — пока ты жив, ее еще нет, когда ты умер, ее уже нет.

— Больно мудрено, — заметила она, бросив на меня критический взгляд из глубоких глазниц. — Какой философ это говорил?

— Не помню...

— Передай ему: все врет.

Евлампия Захаровна закрыла глаза. Я потихоньку вышла.

Через неделю она умерла. Похороны были на удивление многолюдные. Пришли люди, о которых мы и понятия не имели: какие-то военные, один священник с заколотыми под мягкую шляпу длинными волосами, выводок прелестных молодых девушек, похожих друг на друга, как сестры... Многие плакали. Больше всех убивалась Нюра. Она кричала, что из-за покойницы на фронт не пошла, а теперь, как на грех, война кончилась и ее, Нюрина, жизнь вся разбита...

Похоронили, отплакали и отсожалели, и опять жизнь закрутилась своим чередом, только без заведующей. Временно ее замещала старшая сестра Юлия Ивановна, пожилая трепещущая женщина, боявшаяся любого начальства, любой ответственности. Она руководила Домом ребенка, стараясь только ничего не решать, чтобы было все по-старому. И все шло по-старому, по заведенному порядку. Я играла детям свои песенки и рассказывала им про тетю Ланю (так они звали Евлампию Захаровну). В моих рассказах тетя Ланя была похожа на добрую фею; тут же путалась Золушка в кирзовых башмачках, и Золушка эта была ни дать ни взять Анфиса Максимовна...

И вот в один недобрый день из горздравотдела прислали новую заведующую, Инну Петровну. Это была женщина нестарая, полная, с горой светло-золотых крашеных волос, пышно взбитых на гордо закинутой крутолобой голове.

Войдя в Дом ребенка, она сразу сказала: «Беспорядки!» — и все притихли. Она сложила губы, зажав их изнутри, как пинцетом, и мы поняли, что нам придется круто. Так и получилось.

Инна Петровна была неумна, зла и битком набита педагогикой. Страшная была наука! О самом живом говорила самыми мертвыми словами.

На меня она вначале не обращала внимания, наводила порядки на более важных участках. Юлию Ивановну она запугала насмерть, намекнув ей, что за упущения ее арестуют. Та пыталась оправдаться, говоря, что так было заведено еще при покойной Евлампии Захаровне...

— Легче всего валить на мертвых, — замечала заведующая, защемив своим пинцетом губы.

Нюре она наговорила такого, что та не выдержала и подала заявление об уходе.

— Плакать не будем, — сказала Инна Петровна, — незаменимых нет. Но характеристика в наших руках.

И в самом деле, накатала характеристику — хуже нельзя. И индивидуализм, и недисциплинированность, и анархо-синдикалистские настроения. Нюра эту характеристику на пол бросила и плюнула:

— Что я, без характеристики пропаду? Слава богу, не головой — руками работаю.

До меня Инна Петровна добралась месяца через три. Она поинтересовалась, откуда я беру материал для занятий с детьми. В частности, песни. Кем они утверждены?

Пришлось признаться, что мои песенки нигде и никем не утверждены. Заведующая пришла в ужас, закудахтала по-куриному:

— Как же так? Как же так?

Немного успокоившись, она объяснила мне, что я совершила серьезное нарушение. Пользование в работе с детьми неапробированными, непроверенными материалами в наше время приравнивается к идеологической диверсии. В одном детском саду пели дореволюционные песенки... Заведующую сняли. Надо всегда помнить, что дети не просто поют, что в процессе пения они выковывают свое мировоззрение...

И дети, и песни умирали под ее словами.

— Вы меня поняли?

— Я вас поняла.

Она помолчала, чувствуя подвох.

— Вы можете ко мне относиться как вам нравится. Я требую только соблюдения дисциплины. Надеюсь, больше нарушений не будет?

— Не будет, — пообещала я.

И их не было. Кончилась моя композиторская деятельность... Некоторое время, особенно по ночам, меня еще преследовали смешные звуки, легкие синкопы полечек, но это прошло. Собственно, никто не мог запретить мне сочинять. Никто не мог проверить каждую ноту: свое я играю или чужое? Важно было отбить охоту, и этого Инна Петровна добилась. Но не во мне дело и не в моей музыке. Скоро пришлось уволиться из Дома ребенка Анфисе — самой любящей, самой талантливой из нянечек. Талант — это любовь, и он у Анфисы был в полной мере. А у Инны Петровны, как это часто бывает у профессиональных руководителей, был безошибочный нюх на все свежее, нестандартное. Она сразу его вытаскивала на свет и упраздняла. Так произошло и с Анфисой.

11

Вадим к этому времени подрос уже порядочно, ему было почти четыре года, и для Дома ребенка он был переростком. Все правда. Но он был не простой воспитанник, а особый: мать приводила его только на день, а ночевал он дома и был крупнее, развитее и упитаннее других ребят, потому что Анфиса жизни для него не щадила. Сама она работала теперь воспитательницей в старшей группе, у трехлеток, и Вадим там же. «Так и дальше будет, — тешила себя Анфиса, — всегда вдвоем. Он в ясли — и я в ясли. Он в школу — и я в школу. Он в институт — и я в институт, кем-никем, а уборщицей-то возьмут. Нынче эта специальность дефицитная».

Евлампия Захаровна, покойница, против Вадима не возражала. В самом деле, куда девать ребенка, если мать работает? Пускай приводит.

Анфиса не только своего, Анфиса всех детей любила, своего ничем не выделяла, спроси кого хочешь. А в старшей группе были у нее даже любимчики. Кудрявых она особенно любила. Нет-нет да и поцелует. При Евлампии Захаровне все было ничего: целуй сколько хочешь, только не бей. А новая заведующая против:

— Анфиса Максимовна, поцелуи отдельных детей запрещаются.

Поди ж ты, отдельных детей! Вместе их, что ли, всех целовать? Но молчала, не спорила. Понимала, что образования ей не хватает: шесть классов кончила да курсы военного времени, а другие — с законченным средним. Без образования и уволить могут, а этого боялась Анфиса: все-таки прижилась, и сын при ней. Она старалась пополнить образование, подчитать. Записалась в библиотеку, дали ей там книжек по дошкольной педагогике. Читала-читала, а толку нет. Написано много, а все не по делу. Толкуют про особенности возрастной психологии, про формирование личности, да так нудно, словно мешок полощут. А какая личность? Ребенок, и все. Люби его, играй с ним — и он тебя будет любить.

И правда, дети Анфису любили. Все с вопросами обращались. Например:

— Анфиса Максимовна, а зачем гусь?

Гуся ребята в глаза не видели, выросли в городе. Анфиса им объясняла как могла:

— От гуся перо, от пера подушки, от подушек сон сладкий, пуховой. «Ты спи-поспи, моя деточка», — говорит сон. А деточка спит, и в ушах у него колокольчики серебряные так и звонят...

— Звонят... — повторяли дети.

А еще кто-нибудь спросит:

— Почему гусь лучше курицы?

А у нее сразу готов ответ:

— Потому что у гуся шея. С такой шеи далеко видно, до самого края света. Спросит краесветный житель: «Кто это на меня с такой высоты смотрит?» А ему говорят: «Это гусь»...

И довольны дети. А то подерутся — и сразу к ней:

— Анфиса Максимовна, он меня...

— А ты что?

— А я его.

— Оба хороши, — говорила Анфиса, — а ну-ка оба сюда, один под правую руку, другой под левую. Две руки у меня, два домика. В каждом домике печка, в каждом домике свечка, в каждом домике фунтик с укладочкой...

Детям понравилось, сами стали играть в домики. Услышала заведующая:

— Что за фунтик такой? Откуда фунтик? Дореволюционная мера веса.

— Это так Анфиса Максимовна говорит.

Инна Петровна подкуснула губу с ужимкой. Потом:

— Анфиса Максимовна, цитируют вас дети.

— Как цитируют? — всполошилась Анфиса.

— Фунтик какой-то, да еще с укладочкой.

— Ах, это? Пустяк какой-то. Сказала и забыла.

— В воспитании пустяков не существует. Каждым своим шагом, каждым словом воспитатель должен способствовать...

«Дура ты, дура переученная, — тоскуя, думала Анфиса. — Мне бы твое образование».

...Умерла рыбка.

«Мысли о смерти животных не должны омрачать счастливое детство советского ребенка», — говорила себе Анфиса голосом заведующей, а слезы, незаконные, так и текли. Не только о рыбке — о себе, о Федоре, о Вадиме, обо всех сиротках...

Вскоре заведующая добралась и до Вадима. Стала придираться к тому, что он переросток, что мать незаконно уводит его домой каждый вечер и этим способствует распространению инфекции. Требовала, чтобы Вадима убрали из Дома ребенка, перевели в обычный, городской детсад...

Анфиса Максимовна тосковала, отмалчивалась. Уж очень не хотелось ей уходить. Но заведующая нудила, как осенняя муха:

— Любая комиссия, обнаружив такие нарушения, вправе будет отстранить меня от работы...

Ну что ж? Сила солому ломит. Прощай, Дом ребенка! Вот уже в последний раз пришли сюда Анфиса с Вадимом. Анфиса плачет, целует всех, прощается, а Вадим стоит в сторонке, опустив голову, копает каблуком ямку, и лицо у него гневное. Что он думает?

Назавтра Анфиса с Вадимом идут на работу в новый городской детсад. Каково-то будет там? «Ничего, — думает Анфиса. — Главное, вместе — куда ты, туда и я».

Новый детсад, куда устроились Анфиса с Вадимом, оказался большой, просторный, по помещению куда лучше, чем Дом ребенка. Все по последнему слову. В туалетах не горшки, а унитазики, детские, специальные, низенькие, как грибочки. Шкафики новые, сушилка для одежды. Спят на террасе в спальных мешках. А на площадке чего только нет! И тебе качели, и тебе карусели. Ребята в садике — рослые, упитанные, все больше дети научных работников, а у тех пайки хорошие, их к лучшим распределителям прикрепляют. Анфису взяли воспитательницей в среднюю группу — зачли ей опыт за образование, — а Вадима определили в малышовую. Ну да ничего, невелика разлука — она на первом этаже, он на втором.

Анфиса сперва тосковала по Дому ребенка, по ребяткам своим любименьким-кудрявеньким. Здесь дети были резвей, развитей, зато шумные, эгоистичные. Подерутся — беда! Понемногу привыкла, и дети ее полюбили. К интеллигентским тоже подход надо иметь. И заведующая ничего была, только зануда. Говорит как плачет.

А Вадим приживался плохо. Никак не мог привыкнуть, что он не главный. По утрам хныкал:

— Не хочу в садик! Хочу в домик!

Домиком называл Дом ребенка. Анфиса умилялась:

— Какой постоянный! Женится — не изменит.

А Вадим просто искал привычного себе поклонения — и не находил. И ему было плохо. Как-то он подошел к воспитательнице своей, малышовой, группы и тронул ее за локоть, сказавши:

— Эй! Смотри, это я.

Она поглядела равнодушно и весело круглыми черными глазами.

— Ну, и чего мне на тебя смотреть?

— Это я. Вот я.

— Подумаешь, художественный театр!

Так и не восхитилась. Вадиму было больно, горько. Никак он не мог выразить, чего ему не хватает.

Понемногу и он обжился в новом садике, но ходить в него не любил.

12

Вадиму было уже четыре года, когда вдруг нежданно-негаданно вернулся Федор.

Дело было вечером, Анфиса выкупала, уложила сына, пошла в магазин, вернулась домой, а там Федор. Сидит на стуле возле кроватки, смотрит на ребенка и молчит. Анфиса так и онемела — руки-ноги отнялись и душа провалилась.

— Здравствуй, Анфиса, — сказал Федор, а сам не встает.

— Здравствуй, Федя, — чуть слышно ответила Анфиса.

— Значит, вот у тебя какие дела.

Анфиса заторопилась:

— Ты, Федя, здесь оставайся, твоя площадь, ты и живи, а мы уйдем.

— Нет уж, зачем вам уходить. Лучше я уйду. Я мужчина.

Встал, плечи расправил и прошелся по комнате. Тут она заметила, что у него одна нога короче другой. Анфиса от жалости заплакала.

— Цыц, — сказал Федор, — сопли не распускай. Без того тошно. Водка есть?

— Нету, Федя. Я у Капы спрошу. Может, у нее есть.

— Ступай.

Анфиса — к Капе просить водки. У той оказалась бутылочка. Ушлая баба, все-то у нее есть. Говорит:

— Бери, раз такой случай. — И прибавила: — Федор-то небось рад-радехонек. Бил?

— Нет. Не бил покамест.

— А что делает?

— Молчит. Вадика разглядывает. Ой, боюсь я, Капа, чего будет?

— Ну-ну. Сама нашкодила, сама и отвечай. Любишь кататься...

Анфиса принесла водку, поставила на стол, к ней закуску какая была (хлеба черного с луком и сухую рыбину), подала рюмку, полотенце колени накрыть. Федор сел.

— Зачем одну рюмку? Себе налей.

— Не пью я, Федя.

— Ради случая выпьешь.

Налили, выпили в молчании.

— Значит, вот как, — сказал Федор.

— Так уж вышло. Виновата я. Сама не знаю, как случилось.

— Вины твоей передо мной нет, — сказал-отрубил Федор и кулаком пристукнул. — Вины твоей нет, и нечего нам про это разговаривать.

Он показал подбородком на кроватку, где, откинув руки, спал ребенок в своей удивительной красоте, весь в ресницах.

— Сын?

— Сынок.

— Зовут как?

— Вадим.

— А по отчеству?

Анфиса замялась. Федор усмехнулся половиной лица и сказал:

— Если не возражаешь, будет Федорович.

— Феденька!

Анфису так и кинуло Федору в ноги. Себя не помня ткнулась она ему лицом в колени, в заношенные хлопчатобумажные галифе, кричала, просила прощения. Федор брезгливо высвобождал ноги из ее объятий, отталкивал от колен ее мокрое лицо.

— Хватит, Фиса, не ори. Не в кино. Сказал, и все. Вставай да садись за стол праздновать.

Анфиса, вся смятая, присела на краешек стула.

— Пей!

— Не привыкла я...

— Зато я привык.

Федор пил рюмку за рюмкой, хмелел и мрачнел, колотило его горе. Велел принести гитару (хорошо, что не продала!). Бант на гитаре был мятый, вялый, Федор его сорвал, на пол бросил. Попробовал струны. Так и есть, расстроена и одной струны не хватает. Кинул гитару на кровать, она зарыдала, а Федор запел так, без гитары, взвыл диким голосом про московский пожар. Встал, пошатнулся, сжал кулаки (Анфиса втянула голову в плечи), спросил: «Боишься?» — и рассмеялся. Рухнул на колени, голову на стул — так и брякнуло. Плачет, что ли? Нет, молчит. Анфиса, затаив дыхание, слушала: молчит. Скоро раздался слабенький, детский храп. Значит, спит, слава тебе, господи.

Анфиса оттащила бесчувственного, каменно-тяжелого Федора к себе на кровать, стянула с него сапоги, расстегнула гимнастерку, накрыла его одеялом, сама легла на полу.

Утром встала тихонько, чтобы не тревожить Федора, разбудила мальчика, одела его, накормила. Вадим таращил сонные глазки на чужого дядю и привычно хныкал:

— Не хочу в садик, хочу в домик!

— Тихо, моя деточка, — говорила Анфиса шепотом, — мы кроликов поглядим, черепашку... Кролик выспался, ножками стук-стук. Где ты, говорит, черепашка, я по тебе соскучился...

Ушли. Когда вернулись, Федор был пьян и пил четыре дня беспробудно. Он не кричал, не буянил, но как-то падал внезапно и страшно, будто ударенный, и погружался в беспамятство.

«Господи, припадочный, — думала Анфиса. — Моя вина».

На пятый день Федор очнулся и сказал:

— Хватит, попраздновал. Давай теперь жить.

Начали жить. Федор на работу не торопился, были у него деньги, какие — Анфиса не знала, да и не спрашивала: не мое дело, мужчина сам себе хозяин. Получает ли пенсию — тоже не знала, а должно быть, получает как инвалид. Деньги на хозяйство Федор вносил молча, положит на стол, и все. И на сколько времени — не скажет, рассчитывай как хочешь.

Днем, пока Анфиса с Вадимом в садике, Федор сидел дома, мастерил зажигалки, вытачивал портсигары из плексигласа (верно, на продажу, потому что они исчезали). Анфиса опять же не вмешивалась. Вечером молча и скучно обедал, читал газету, покуривал. Какой-то кашель у него появился, отрывистый, недобрый. И не улыбнется. С мальчиком, впрочем, играл. Мальчика он полюбил, называл Вадим Федорович. Анфиса, сознавая свою вину, была с Федором робка, угодлива. Утром накроет стол, завтрак ему подает:

— Кушать будешь, Федя?

— Оставь, я сам возьму.

Всегда «сам». Будто его кто отравит...

Каждый день-то не пил, а пройдет два-три месяца — прямо в запой. Не кричит, не буянит — падает. Один раз Анфису побил. Был в запое, а денег, видно, нет. Сказал ей:

— Дай на чекушку.

— Нет у меня, Федя.

И правда нет.

Тогда он ее ударил. Губу в кровь рассек. Ударил и ушел. Вернулся трезвый.

— Ты, Фиса, меня прости. Не знаю, что со мной делается. Я на работу поступаю.

Анфиса, конечно, заплакала:

— Да разве я... Мало ты меня побил, Феденька. Я еще не такого стою.

Федор отмахнулся с брезгливостью. Вскоре он и в самом деле поступил на работу. Взяли его в ремонтную мастерскую. Хоть и инвалид, а руки еще есть, инструмент не уронят.

13

С тех пор как вернулся Федор Громов, наша квартира как-то переменилась, приосанилась, что ли. Все-таки мужчина в доме, хозяин законный. Женщины уже не ходили растрепами, в затрапезном виде. Что-то милое, почти девичье мелькало в их лицах, когда они уступали ему дорогу, стараясь казаться меньше, моложе, изящнее... Боже мой, думала я, как все это страшно и жалко и как это человечно.

И ссор в квартире поубавилось: стеснялись Федора.

А Федор, как ни странно, подружился со мной. Первый раз он зашел по моей просьбе починить радиоточку. Починил, постоял, посмотрел книги. Разговорился. Стал заходить. Нет-нет да и стукнет в дверь:

— Ольга Ивановна, вы заняты?

— Нет, что вы. Заходите, Федор Савельевич.

Он входил, присаживался на стул бочком, чтобы меньше занимать места (сама я сидела на кровати, может быть, все-таки стоило бы завести второй стул?), начинал разговор:

— Ольга Ивановна, а правду говорят, в Америке такую машину придумали, что сама, без человека, задачи решает?

— Не знаю, Федор Савельевич, может быть, и придумали.

— А как, по-вашему, хорошо это или плохо? В газетах пишут — плохо, идеализм.

— А по-моему, ничего плохого. Я вот в школе задачи не умела решать, так и не выучилась. Дали бы мне машину, пусть бы решала. Разве плохо?

85

Федор смеется. Странный у него смех, словно кашель. А глаза хорошие, голубые.

Многое он у меня спрашивал. Думал, что я образованная. А я — невежда. Очень мне иногда было жаль, что я невежда. На его вопросы чаще всего один ответ: не знаю.

— Как вы думаете, Ольга Ивановна, а Гитлер вправду самоубился? Говорят, враки: кукла это была вместо Гитлера.

— Не знаю, Федор Савельевич.

— А если бы вам привели Гитлера, сказали бы: «Убивай, если хочешь», — вы бы убили?

— Не знаю... Думаю, не убила бы.

— И я не убил бы. Я никакого человека бы не убил.

— Вы же воевали. Приходилось же вам убивать?

— А я их в лицо не видел, кого убивал. Видел бы — не убил бы. Я думаю, все люди так. Покажи ему в лицо, кого убить надо, — испугается, не убьет... Трудное это дело...

Иногда расспрашивал обо мне самой:

— Вот у вас высшее образование. Чему вас учили?

— Музыке.

— Я думал, музыка не ученье. Мы в самодеятельности тоже музыку проходили. Я думал, это так — для удовольствия.

— Федор Савельевич, в любом деле есть любители и профессионалы. Вот я, например, консервную банку открываю как любитель, а вы — как профессионал.

Смеется. Потом:

— А какая у вас профессия?

— Играть на рояле.

— Почему же у вас рояля нет?

— Был. Это дело сложное. Его вместе с моим домом разбило, когда бомба попала...

Помрачнел, помолчал. Потом через силу:

— Я извиняюсь, Ольга Ивановна, что про такое дело спрашиваю. Если не надо — не буду.

— Нет, отчего же, пожалуйста.

— Я хотел спросить... Вот вы все потеряли, а живете. Откуда силы у вас берутся? Если трудно вам, не отвечайте.

— Попробую ответить. Жизнь — это вообще большая сила. Видали, как трава асфальт пробивает?

— Видал...

— Слабая травинка, а сила у нее огромная...

— Понял.

Или совсем уже странные вопросы:

— Как вы думаете, корова чувствует?

— Право, не знаю. Думаю, кое-что чувствует.

— Например, возьмут у нее и зарежут теленка. Она горюет?

— Наверно, горюет. Только не по-нашему, по-своему.

— А я думаю: по-нашему. Только нам ее горя не видно. Оно глубоко в корове спрятано.

Странный человек, а добрый. Посидит и уходит.

— Вы меня, конечно, извините, Ольга Ивановна. Время у вас отнял разговорами.

— Что вы, Федор Савельевич. Я очень рада.

Попривыкли мы друг к другу, и я даже сама стала у него кое-что спрашивать. Например:

— Зачем вы пьете, Федор Савельевич?

— Сам не знаю зачем. Хорошего тут нет, а пью. Разом зарыдает внутри тоска, и ничего не надо, только бы выпить. Выпьешь — и ничего, будто бы лучше.

— Пожалели бы Анфису Максимовну.

— А я не жалею? Очень даже жалею. Оттого и пью.

Разговоров об Анфисе он вообще избегал, но как будто все же стремился к ним. Избегал стремясь. Один раз сказал неохотно, кривя губы:

— Она что? Она думает, виновата, ну и старается, услуживает. А мне это больше всего невыносимо, ее услужение. — Помолчал и прибавил: — Душит она меня.

Про мальчика он говорил охотнее, неизменно называя его «мой наследник Вадим Федорович». Видно было по глазам, по улыбке, что дорог ему Вадим, что гордится он его красотой, смышленостью. Однажды он сказал:

— Вы, конечно, можете надо мной смеяться, что я чужого сына как своего люблю. А я и забыл, что он не мой, можете верить, не верить.

— Очень даже верю.

— Вы бы не могли так полюбить чужого ребенка?

— Очень даже могла бы.

Конечно, Федоровы ко мне визиты не прошли незамеченными. Женщины нашей квартиры — все, кроме Анфисы, — дружно ревновали ко мне Федора. Странная ревность — без любви, без повода, без оснований. Бедный суррогат чувства, появляющийся там, где жизнь недожита, любовь недолюблена. Все эти женщины недожили свое, недолюбили, недоревновали.

Стоило мне выйти в кухню, как я погружалась в ревность. Косой взгляд Паньки Зыковой, мчащейся мимо с утюгом в руке, Капина ехидная улыбочка, взгляд круглых глаз исподлобья, даже Адино усиленное порханье — все это означало одно: ревность.

Любопытно... Я с моей палочкой — предмет ревности? Забавно.

Одна Анфиса не ревновала, напротив, радовалась: слава богу, Федору есть куда пойти, отвести душу.

— Ольга Ивановна, хорошо, что у вас на него влияние. Может, вы его пить отучите? Вот хорошо бы! Он вас ужасно как уважает...

— Я стараюсь, Анфиса Максимовна. Только вряд ли.

— Старайтесь, пожалуйста! А я для вас постараюсь. И полы помою и постираю. Все что хотите!

А у самой глаза в надежде: а вдруг?..

Капа по-соседски хотела было вразумить Анфису, чтоб лучше смотрела за своим мужиком. Но та ее так шуганула, что любо-дорого. Сама мне рассказывала:

— А я кричу: «Не смей! У них с Федором чистая дружба! Не касайся ее грязным своим языком!» Так и сказала, а сама трясусь, как падучая. Дала себе волю. Капка перепугалась — и шасть из кухни! Точная кошка — нашкодила и вон, пока носом не натыкали. Я ей вослед вилку бросила. Целый вечер голосу ее не было слышно.

14

Ко мне пришла Ада Ефимовна. Села на кровать, стройно скрестила подъемистые ножки (каждый подъем выгнут, как лук), сказала решительно:

— Знаете что? Нам надо поговорить. Мне надоели эти афинские ночи.

— Какие ночи?

— Афинские. Ну, загадки, ревность и прочее. Вы меня понимаете? Я говорю о Федоре Савельевиче. Я окончательно решила вам его уступить.

— Как уступить? — Я даже рот раскрыла.

— Только не перебивайте. Дайте закончить мысль. У меня все очень стройно получается. Ситуация такова: ясно, что он жену свою не любит. И было бы странно, если бы любил. Она гораздо ниже его развитием, хотя и он не блещет. К тому же родила от другого. Итак, ее он не любит. Остается выбор: вы или я. Сначала я рассчитывала на него для себя. Конечно, у него есть недостатки, но на этом безмужчинье выбирать не приходится. Обдумала и решила: нет. Здесь я не найду счастья. Во-первых, я не переношу запаха водки. Конечно, можно было бы его перевоспитать, но у меня слабый, женственный характер, я для этого не гожусь. Кто годится? Ясно, вы. И я собрала все свое великодушие и пришла к вам. Берите, перевоспитывайте. Он женится на вас, вы его перевоспитаете, и он будет отличным мужем. Анфиса, благодарная вам за спасение мужа, тоже будет счастлива. И все наладится, все будет прекрасно.

Я слушала ее как обалделая, не находя слов. Все это было идиотично, за пределами понимания.

— Ну как, по рукам? — спросила Ада и засмеялась своим отдающимся смехом. Слушая этот смех, всегда хотелось обернуться: где мужчина?

— Это какой-то бред, — сказала я. — Это нелепость. Уверяю вас, ничего подобного мне и в голову не приходило. Ни мне, ни ему.

— А его любовь? — лукаво спросила Ада.

— Какая любовь? Нет здесь никакой любви и быть не может!

Ада погрозила пальчиком:

— Кого вы думаете провести? Только не меня! Влюблен без памяти, как трубадур. Или Тристан, не помню кто.

Я пожала плечами, встала.

— Ада Ефимовна, вы фантазерка. И, пожалуйста, больше не будем говорить об этом. Хорошо?

Она была разочарована, но смирилась, ушла.

Вот нелепость! Забыть, и все.

Но когда в следующий раз Федор ко мне зашел, между нами что-то стояло. Я приглядывалась к нему внимательнее, чем обычно. Тристан. Трубадур. Неужели Ада права? Не может быть! Ерунда, плод Адиного воспаленного воображения. И все-таки...

С каждым разом становилось яснее: это нелепо, но Ада права. Федор в меня влюблен. Особенный голос, мешканье на пороге, растопленный взгляд голубых глаз с кровавыми прожилками... Однажды он принес мне букет цветов в молочной бутылке, пристукнул им, ставя на стол гордо и скромно, и сомнений у меня не осталось: влюблен. Или, может быть, хуже: любит? Да, любит.

Мысль эта была мне ужасна из-за Анфисы. Но дело было не только в Анфисе. Ну ладно, Федор любит меня, а я? Конечно нет, никого я не могла любить, Федора меньше всех. Почему же тогда мысль о его любви была мне отрадна? Неужели и я, как все те, недожившие, недолюбившие, неужели во мне еще живет женщина и просит на бедность? Я, урод, существо без пола и возраста, с моей хромотой, сединой, палочкой, — я еще женщина и мне нужно, чтобы меня любили?

Я шла на работу, и птицы пели, и клюка моя казалась легкой, я улыбалась, чувствуя себя любимой. Я улыбнулась заведующей, у которой сегодня было несчастное лицо. Я обрадовалась детям и смело пропела им запрещенную песенку. Я была счастлива несколько дней...

91

А потом началось плохое. По лицу Анфисы я поняла, что она знает. Анфиса вообще была на редкость чутка и догадлива: ты еще подумать не успела, а она знает. Однажды утром я увидела ее враждебное лицо... Мне стало ясно, что делать: прекратить. Смешно, ничего не было, но и то, чего не было, следовало прекратить.

Когда Федор зашел ко мне опять с букетом, я сказала ему:

— Федор Савельевич, не надо вам больше сюда ходить.

Он побледнел, все понял.

— Это она вам сказала?

— Нет, я сама.

Федор помолчал, потом сказал «эх!», ударил себя букетом по бедру и вышел, прихрамывая. Я смотрела ему в спину, и, помню, меня поразила мысль, что мы оба хромые — и я, и он. Раньше я как-то не замечала, что он хромой.

После этого Федор больше ко мне не заходил. Встречая меня в коридоре, он кланялся одной головой, но не заговаривал. Через Капу я знала, что пить он стал еще больше. Однажды я подошла к телефону. «Громов ваш? — спросили меня. — Звонят из вытрезвителя, можете его забрать». Погибая от стыда, я позвала Анфису. Какая непримиримость ко мне была на ее лице, когда она говорила по телефону «да, да» и повторяла адрес...

А потом за пьянку и прогулы Федора уволили с работы. Спасибо, что не судили: директор спас, пожалел фронтовика.

Потеряв работу, Федор жил дома, продал костюм, гитару. Требовал у Анфисы денег, она не давала, он бранился, уходил с приятелями, возвращался страшный, рваный. Все это я узнавала через Капу: Анфиса со мной почти не разговаривала. Когда Федор выходил по утрам на кухню, руки у него тряслись, штаны висели... Увидев меня, он отворачивался. И женщины перестали за собой следить. Ада Ефимовна выходила на кухню в бигуди. При виде Федора она встряхивала головой, и бигуди укоризненно звенели. Укоризна относилась не к Федору — ко мне... И в самом деле, разве не была я виновата? Только подумать: человек пришел, цветочек принес, а я, тупица бессердечная, его прогнала... А с другой стороны, что мне было делать? Растолковать Анфисе? Разве тут растолкуешь...

Сколько я понимаю, у Федора одна была радость — Вадим. Мальчик рос красивый, крупный, проворный и обожал отца. К матери он был скорей равнодушен, спокойно принимал ее рабскую преданность, а об отце говорил непрестанно: «Папа сказал», «Папа сделал», «Вот папа придет»... Жили худо, бедно. Анфиса извелась, пожелтела, состарилась.

Все это кончилось страшно: Федор попал под трамвай. Упал лицом вниз прямо на рельсы, вожатый не успел затормозить. Было воскресенье — солнечный, яркий осенний день. Помню отчаянный крик чей-то на лестнице: «Фиска, иди скорей, твоего мужика трамваем зарезало!» Помню, как выскочили мы с Анфисой, как побежали туда, куда нас вела, шумя, густая толпа людей, оживленных и как будто веселых. Я бежала со своей палкой, хромая и задыхаясь. Анфиса выла и рвала на себе волосы. Помню расступившуюся толпу и посредине, на рельсах, желтые кленовые листья («Осторожно, листопад!»), кровь и еще что-то розовое, разрезанностью своей странно и страшно похожее на телятину. Самого Федора я не видела, потому что опустилась на колени рядом с Анфисой — она упала и колотилась головой об асфальт, а я подставляла руку, чтобы оберечь эту голову...

— Через меня зарезало! — кричала Анфиса. — Я виновата! Арестуйте меня, арестуйте!

Ее подняли, повели домой под руки, а она все кричала:

— Арестуйте меня, арестуйте!

Дома оставался один Вадим. Я нашла его в углу кухни перепуганным, плачущим, дрожащим. Ему было уже лет шесть, он кое-что понимал, но не хотел понимать, берег себя, как всегда берегут себя дети от горя. Я его увела в мою комнату. Он цеплялся за меня, прислушивался, вздрагивал:

— Кто это там кричит?

А кричала Анфиса.

— Никто не кричит, — отвечала я, — это тебе кажется.

Наконец крики прекратились, кто-то двигал мебель, но и это кончилось. Я показала Вадиму картинки, спела ему смешную песенку, дала конфетку. И вот он уже смеялся, разглядывая картинки, с шоколадом на губах, с большими слезами на дрожащих ресницах. В квартире была тишина, мальчик смеялся. Скоро он устал и заснул на моей кровати.

Все три дня до похорон Федора я его от себя не отпускала, водила с собой в Дом ребенка, уверив его, что он мой помощник, воспитатель. Он охотно вошел в роль, утирал малышам носы, бранил их за мокрые штанишки.

Заведующая хмурилась, видя такое нарушение правил, но молчала. У нее, как у многих грубых людей, было какое-то суеверное почтение к смерти. Меня не покидала мысль, что она несчастна, а зажатые пинцетом губы — только сопротивление внутреннему горю...

Вечером Вадим засыпал на моей кровати, а я спала рядом, боясь скрипнуть сеткой... Он был дорог мне всем своим маленьким существом.

Что было в эти дни с Анфисой — не знаю. Увидела я ее только после похорон, на поминках. Она постарела на десять лет, не плакала, только жевала платок и дергала головой.

На другой день я к ней зашла. Анфиса стояла лицом к окну, спиной к двери и на мои шаги не оглянулась. Я подошла, мы обнялись, прислонились друг к другу, и я отвела губами с ее лба прядку жестковатых, чуточку влажных волос.

15

После смерти Федора как-то само собой получилось, что мы с Анфисой и Вадимом стали жить вместе, одной семьей. Мальчик ко мне привязался, и я его полюбила, а Анфиса стала мне как сестра.

Иногда мы с нею ссорились, очень уж она стала нервна, просто иногда истерична, да и я не лучше, все вламывалась в какую-то пустую амбицию. А должна была бы сдерживаться: ей было хуже, чем мне. Ссорились из-за пустяков, из-за выеденного яйца.

Вот, например, Анфисино дежурство. Она вымыла пол, прибрала кухню, сходила в баню, попарилась. Возвращается розовая, добрая, помолодевшая. Зовет пить чай, а я на кухне стираю. Не поостереглась, набрызгала на пол.

— Барыню-то сразу видно, — говорит Анфиса, сердито блестя глазами, особенно серыми на розовом чистом лице. — Вам бы все книжки читать, а мы рабочий класс. Дай-ка, думаю, на пол набрызгаю, рабочий класс подотрет.

— Бог с вами, Анфиса Максимовна, какая же я барыня? Такой же рабочий человек, как и вы.

— Такой же, да не такой. Я и за свое дежурство мою и за ваше, а вы с книжкой прохлаждаетесь.

Тут уж я не выдерживаю, взрываюсь:

— И не стыдно вам? Вы же знаете, у меня спина больная. И уж если на то пошло, я вам плачу за дежурство!

Анфиса в слезы:

— Копейки больше у вас не возьму! Можете умолять, в ногах валяться — все! И Вадику больше конфет не носите! Правду про вас Капа говорит: психованная! Барыня на вате!

Мне бы посмеяться, а я обижаюсь. Коплю горечь.

Несколько дней не разговариваем. Ей тяжело, и мне тяжело.

Когда мы с Анфисой в ссоре, Капа ликует:

— Вот я же тебя оберегала про эту психованную. Корчит из себя неизвестно чего.

Капа радуется еще и потому, что, когда мы с Анфисой в ссоре, дежурит за меня она, Капа. Все-таки маленький доход. Анфиса злобно следит, как Капа моет за меня пол, раковину. По ее мнению, плохо моет. Бушует коммунальная ревность — к полу, к раковине, к маленьким моим деньгам. А ведь Анфиса бескорыстна, я-то знаю.

Когда мы с Анфисой в ссоре, у меня такое чувство, будто где-то открыто окно и оттуда дует. Надо пойти повиниться, но гордость не позволяет. Так и живем, дуемся, и, проходя мимо, я всей спиной чувствую, как она меня ненавидит.

Миримся мы трудно и медленно. Испечет Анфиса пирожки и мне несет попробовать. Швырнет на стол молча и вон. Я — за ней:

— Анфиса Максимовна!

Анфиса подожмет губы:

— Я не почему-либо, а по-соседски. Возьмите, мне не жалко.

— Тогда мне не надо.

— Сказано: не жалко. Это вам жалко своего добра.

Беру пирожки, несу на кухню, ставлю к ней на стол, браня себя за мелочность. Анфиса выбрасывает пирожки в мусорное ведро и уже вся трясется:

— А, брезгуешь мной! Я тебе побрезгую! Я тебе покажу!

Через минуту моя дверь отворяется и в комнату летит какой-нибудь мой подарок. За годы совместного житья их накопилось немало, всегда есть что швырнуть. Я тоже распаляюсь, и подарок отправляется в мусорное ведро. Оттуда его извлекает Капа:

— Вот дуры-то бабы! Добро губить! А я не гордая, я возьму.

Итак, торжествует Капа, а я иду к себе, задыхаюсь и злюсь на себя.

Зато какое облегчение, какая радость, когда мы наконец помиримся!

У меня недостаток: я никогда не сделаю первого шага. Умру, но не сделаю. Анфиса лучше меня, великодушнее. Она приходит ко мне — добрая, глаза светятся, на щеке ямочка. Очень она красива в такие минуты.

— Ольга Ивановна, простите меня, глупую.

— Анфиса Максимовна, дорогая, это вы меня простите.

Обнимаемся. Анфиса плачет, а я нет. Чувствую под рукой ее вздрагивающее плечо. Поднимает мокрый сияющий взгляд. Обе смеемся. Так и живем.

Между нами двумя растет Вадим — красивый и избалованный, дерзкий и смелый. Мы немножко ревнуем его друг к другу и обе балуем наперебой, счастье еще, что у нас мало денег, а то бы мы его вконец испортили. Когда мы ссоримся, Вадим это понимает и хитро берет то одну, то другую сторону. Иногда мне кажется, что он не любит ни ее, ни меня. Но что поделаешь, я-то его люблю! Как он хорош, когда, напроказив, вбегает ко мне, чтобы похвастаться, блестя глазами:

— Тетя Ольванна! Какое я болванство сделал!

Растет Вадим, и вот ему уже пора идти в школу. Анфиса плачет:

— Целую жизнь не разлучались. Он в Дом ребенка — и я в Дом ребенка. Он в садик — и я в садик. Мечтала: он в школу — и я в школу. А не выходит. Кем я туда пойду? Нянечкой, сторожихой. Зарплата — почти ноль. А в садике я питаюсь...

Посоветовавшись, мы решаем: Анфиса остается в садике, Вадим идет в школу. Радость подарить мальчику портфель, пенал, азбуку... Вот он уже стоит готовый, необычайно взрослый, в мешковатеньких брючках, с портфелем в руках. Вот мы проводили его в школу. Я целую его в пушистую щечку, он холодно отворачивается. Анфиса, разумеется, плачет. Ему противны женские слезы. Он решительно входит в школьную дверь.

Так они разлучаются в первый раз.

16

Вадим ходил в школу, Анфиса — в детсад, я — в Дом ребенка, трудно вставая по утрам, порой изнемогая от придирок заведующей, которая становилась все мельче, все злее и напористее, словно вымещая на людях свое горе. Про нее ходили слухи, будто муж от нее ушел к молоденькой. Однажды вечером я застала ее в зале. Она сидела нагнувшись, положив голову на спинку стула. Эта голова была как крупный золотой цветок, сломанный ветром. При звуке моих шагов она подняла голову и быстро заперла свое лицо. Но поздно: я успела увидеть ее человеческие глаза.

В Доме ребенка была полоса карантинов: корь, ветряная оспа, потом коклюш. Коклюшных не изолировали. Ребята закатывались протяжным кашлем и плохо пели.

А в квартире шла своим чередом коммунальная жизнь со страстями, разгоравшимися по разным поводам, обычно мелким. Я давно уже научилась не презирать мелкость поводов: ведь страсти-то были подлинные, большие, вровень со знаменитыми «Любовью и голодом». Наряду с ссорами в коммунальном быту цвело трогательное великодушие: люди готовы были друг другу помочь, поддержать, одолжить, может быть потому, что, помогая, они утверждали себя. Каждая была бедна, но горда и щедра, как богачка. Если кому-то случалось испечь пирог, большая его часть шла на угощение соседей — разумеется, не врагов, а союзников по группировке. Эти группировки все время менялись, вчерашний враг сегодня становился союзником, и ему несли щедрый кусок пирога. Даже Панька Зыкова, которая в сатанинской гордости своей никогда ни с кем не объединялась — разве на пару дней с Анфисой против Капы или наоборот, — даже гордая Панька и та иногда стучалась в мою дверь, молча ставила на стол тарелку с куском и удалялась, отринув мою благодарность.

Жизнь шла, медленно происходили перемены. Мы все старели, Ада Ефимовна — меньше всех, она все еще верила в колдовство любви и переходила от одного воображенного романа к другому. Но и она порой впадала в хандру, переставала красить волосы, причесывала их гладко-гладко и говорила загадочно: «Это траур по моей жизни. Я несчастна. "Чайка", Чехов».

Капа Гущина все еще работала ночным сторожем, но не шмыгала весь день, как раньше, а часто и помногу спала. Былая победоносность, присущая ей в ссорах, понемножку отступала, и тише становилось на кухне... А Панька Зыкова сделала себе перманент и ходила еще быстрей, еще пуще поднимая вокруг себя ветер и словно куда-то торопясь на своих жилистых, сильных ногах.

Мне самой в то время жилось неплохо. Жизнь баюкала меня, как езда. Есть люди, которые больше всего любят ехать, все равно куда, все равно как: в поезде так в поезде, в машине так в машине. Мимо них мелькает, и им не скучно. Я дошла в этом деле до крайности. Я могу ехать, не двигаясь с места. Я сижу, а мимо меня течет жизнь, завораживая сменой подробностей. Капля наверху висит, сверкает, наливается, падает. За ней другая. Это захватывающе интересно. На краю дорожки возник воробей. Очень мужественный воробей. Видно, что его душа велика для такого нежного, небольшого тельца. Вот он подрался с товарищем из-за червя, обидно клюнул его в плечо, ускакал. Клюв у него просвечивает по краям, а в клюве чудесный червяк. Благословенна жизнь!

Время от времени встречала я на улице старых своих знакомых, еще по прежнему существованию. Эти встречи всегда были неловкими и тягостными. Им было неловко видеть меня искалеченную, обездоленную, лишенную профессии, они искренне меня жалели, но помочь не могли. А мне была тягостна их жалость, чужды их интересы. Покинутый мною мир казался странным, как дом, в котором жил когда-то, давным-давно, и уже успел забыть, с какой стороны дверь твоего подъезда... Рассказывали мне о человеческих судьбах. Такой-то, подававший в свое время надежды, оказался пустышкой, еле зарабатывает на жизнь, а такой-то, наоборот, процвел, лауреатствует, ездит по заграницам, имеет огромный успех, за месяц три фотографии в газетах, последняя в «Культуре и жизни» — видели? «Нет», — отвечала я. Знакомый прощался, отходил от меня, как от постели тяжело, безнадежно больного. После каждой такой встречи я себя спрашивала: полно, а так ли уж я обездолена? Завидую ли я их жизни — с соперничеством, со счетом заграничных поездок, газетных снимков? Нет, не завидую... Как раз в то время я перечитывала «Английские письма» Карела Чапека и по-новому прочла фразу, поразившую меня щемящей своей музыкальностью: «О родина моя, не имеющая морей, не слишком ли узок твой горизонт, тебе не хватает, пожалуй, шумных далей? Да, да, но могут быть шумные просторы вокруг наших голов, если нельзя плавать, можно по крайней мере мечтать, бороздить широкий и высокий мир в полетах мыслей; на свете хватит места для путешествий и пароходов...»

Мне было за что благодарить судьбу. У меня была работа, был дом, была угловатая и нелепая, но все же семья: Анфиса, Вадим. Впервые за много лет распалась стена, отделявшая мое прошлое от настоящего. Я уже могла вспоминать о прошлом без внутреннего крика.

От этих воспоминаний мне часто не спалось по ночам, но бессонница меня не тяготила. С какой-то отрадой я глядела в окно, где качался фонарь со своей тенью, и чувствовала, как идет, покачиваясь, к неизвестной, но блаженной цели вдовий пароход.

17

Время от времени мой рассказ прорывает тревога, она мешает мне продолжать. Неужели это закон, что человеческие отношения с годами вырождаются и на месте живой ткани вырастает дикое мясо? И возникает гложущий вопрос: когда? Нет, еще не тогда. Тогда еще все было, пожалуй, благополучно. Мы с Анфисой работали, Вадим учился в школе. Учился так себе: ни хорошо, ни плохо, угрюмо. Мне кажется, его крепко ранило сознание, что он не самый лучший. В сущности, весь его путь после Дома ребенка был путем из «самых лучших» в «не самые». Подрастая, он сделался не так уж красив: погрубел, потяжелел, ссутулился, как-то проступила в нем Анфисина крупная кость. Для нее-то он по-прежнему был божеством. Баловала его исступленно. Работала, как она выражалась, «в две смерти» (в две смены). Нанималась стирать белье, мыть окна (третья смерть). Все для него. Одеть, обуть, витамины, фрукты, театр, кино — все ему. Сама обтрепалась, обносилась, глядела почти старухой. А Вадим был неласков, поцелуешь — утрется. Она к нему, он — «отстань». Стал дерзок, появилась у него привычка держать голову вниз, взгляд исподлобья.

— Ты меня не бодай, — говорила Капа, — я тебя не больно-то боюсь.

Вадим усмехался. Он вообще усмехался, что бы ему ни говорили. Обижал кота. Стрелял из рогатки, стекло разбил. Мать за стекло заплатила, плакала, а он усмехался. Шалости для мальчика вообще-то обычные, но необычная усмешка, издевательская.

Сложные какие-то отношения складывались у него во дворе. Кто-то ранил его, видно, жестоким словом «безотцовщина», что-то слышал он от людей, знавших, что не все в его семье было гладко...

Не помню, когда я от него услышала впервые знаменитую формулу: «Все врут». Очень рано он за нее ухватился и решил, что все постиг, все объяснимо. Она стала для него чем-то вроде лейтмотива. Зайдет ко мне полувраждебный, с издевочкой и через каждые две-три фразы: «Все врут». И вы врете, и она, то есть мать, врет, и все врут.

— Как тебе не стыдно, Вадим! Это она-то врет? Она в тебе души не чает, больше жизни любит.

— Все врет. Все по-нарочному. Мне картошку — на сливочном, себе — на постном. Сама бедная, а скрывает, чтобы думали: богатая.

103

— Вадим, откуда у тебя такие слова: «бедная», «богатая»? Нет у нас ни богатых, ни бедных, просто одним немного легче, другим тяжелее, и все.

— А Колька Лохмаков бутерброд с семгой принес, надкусил и выбросил. Скажете, не богатый? И в школе учительница врет. Все врут.

В этом «все врут» он крутился, как заколдованный. Присвоив эту нехитрую идею, он уже считал себя выше других. Об Анфисе говорил с презрением, ничего ей не прощал, все ставил в счет: и ссору с Капой, и слезы, и то, что полы моет за деньги, а главное, что врет. Разубеждать его было вполне бесполезно, он от этого коснел еще больше. Раз он сказал с испугавшей меня интонацией покойного Федора:

— Душит она меня...

Отца он поминал не особенно часто, но видно было, что помнит, любит. И как в зоопарк ходили, и как выточил ему Федор пушечку, заложишь туда горошину — стреляет.

А однажды Вадим сказал слишком уж по-взрослому, по-коммунальному:

— Вы ее защищаете, а я знаю. Отца из-за нее зарезало. Ему жить хотелось, а она не давала. Вот и пил.

— Что за гадость, Вадим? Кто это тебе сказал?

— Никто не сказал. Я сам.

Эх, мне бы не спорить с ним, мне бы постараться его понять...

Никогда не забуду того дня, когда Вадим узнал, что Федор ему не отец. Подслушал разговор между Капой и Адой Ефимовной. Прибежал ко мне бледный, трясущийся, на лбу капельки пота. Вцепился мне в руку, как маленький:

— Что они говорят? Что они там говорят?! Они говорят, что папа мне не отец!

Я молчала. Хотела сказать «врут», но не решилась. Вадим зарыдал на крик:

— А, молчите! Значит, правда!

Я стояла над ним, не зная, чем его успокоить. Вадим рыдал отчаянно, перекидывая голову туда и сюда, при каждом движении на горле вздрагивал тоненький кадычок. Яростность его горя меня поразила. Я для чего-то пыталась открыть ему лицо, отвести в сторону крепко сжатые пальцы. Когда мне это удалось, он укусил меня за руку. Боже мой, я ему не помогла, я к нему не пробилась. Я поднесла укушенную руку к губам... Он вскочил бешеный, кинулся в дверь.

— Никогда к вам не приду, так и знайте!

Поздно вечером пришла Анфиса, плакала:

— Злые какие люди! Зачем надо было ребенка смущать? Жили себе и жили...

— Они не нарочно. Он случайно услышал.

— Нет, нарочно! Капа давно на меня зуб точит. У меня сын, а у нее умер. И ваша Ада — тоже злыдня порядочная. Завидует мне, что у меня сын, вот и сговорились сына отнять...

— Неверно это, Анфиса Максимовна, зачем на людей наговаривать?

— А, так вы за них? Они злодейство сделали, а вы оправдываете? Ладно же! Так и будем знать: они вам дороже меня.

Перестала плакать, ушла. На этот раз замкнулась надолго. Проходя на кухне мимо меня с Капой, отворачивалась. Отказалась за меня дежурить. Теперь в мое дежурство мыла полы Капа, а Анфиса в эти дни становилась как бешеная, ногой толкала ведро... Как-то раз я по привычке повесила белье на ее веревку. Прихожу — сорвано, лежит на столе, а стол грязный.

— Ну уж это, знаете... — сказала я, налила воды и стала стирать дрожащими руками.

— Вешай на мою, не стесняйся, — сказала Капа. — Мне веревки не жаль.

Я и повесила. Что тут было!

Словом, бушевали коммунальные страсти. Я страдала, и Анфиса страдала. Я была права, и она права.

Где-то в этих сложностях я потеряла из виду Вадима. Он ко мне не заходил, а когда встречал меня в коридоре, опускал голову и бычился. Я перед ним не заискивала — из гордости. Проклятая дура! Нашла с кем гордиться — с ребенком! Не прощу этого себе во веки веков! Потому что именно тогда я потеряла Вадима. Анфиса понемногу, не скоро, вернулась, а Вадим — нет.

Бедный, как ему, верно, хотелось отвести душу, если он стал ходить к Аде Ефимовне! Первый раз, когда я это обнаружила, ревность меня так и ударила. Комната Ады рядом с моей. Однажды я услышала ее картавый щебет, русалочий смех. Ясно, у нее кто-то был. Мужчина?.. Нет, я поняла, что у нее Вадим. Он что-то ей говорил горячо, взрывчато, я узнала его голос, слова «все врут»... А она смеялась. Она с ним не спорила, она смеялась. Я ударила кулаком по подоконнику и не заметила, что расшибла руку. Это глупо: руки мне надо беречь.

С тех пор Вадим начал ходить к Аде, а меня стал избегать. Может быть, стыдился своей вспышки, не знал, как ее загладить? А вернее, в это тяжелое время именно Ада была нужна ему, не я. Я была слишком тяжела, серьезна, инстинктом его тянуло к ней. Собака ведь тоже знает, какую ей есть траву...

18

В тот вечер Вадим был у Ады чуть ли не в первый раз. Он постучал в дверь.

— Кто там? Впрочем, входите, я уже одета.

Вадим вошел.

— Можно?

— Конечно, что за вопрос. Все можно. Садись, я сейчас кончу.

Ада Ефимовна перед зеркалом наносила на лицо последние штрихи. Кончила, повернулась к Вадиму:

— Не правда ли, я пикантная?

— Я в этом не понимаю.

— Надо понимать красоту. Красота — это стержень духовной жизни.

Вадиму про стержень понравилось.

А комната у Ады Ефимовны забавная, как игрушка. Занавески смешные, с зайчиками, как в детском садике. В углу на тахте, раскинув руки, огромная кукла.

— Это Алиса, — сказала Ада Ефимовна. — Познакомься с моей дочкой Алисой.

— Зачем у вас кукла? — спросил Вадим.

— Поклонники подарили. Заграничная, глаза закрывает, говорит. Вот попробуй.

Вадим попробовал, и правда: открывает глаза, закрывает и животом говорит вроде «мама», не по-русски. Вадим поиграл куклой не без удовольствия, но быстро опомнился.

— Зачем вам кукла, вы же взрослая?

— Взрослому тоже надо поиграть. Что наша жизнь? Игра.

Последние слова она пропела, закатив глазки.

Вадиму тоже понравилось. Это правильно, что жизнь — игра. Игра — это почти вранье, только весело.

Поговорили о разном: о школе, об отметках, о коте Барсе, которого Вадим опять привязал за хвост к двери уборной. Человек входит, а кот ревет. Ада похохатывала, щурила глаза-луночки:

— Ну Вадим, ну можно ли быть таким жестоким?

С Адой было легко. Выпили чаю с конфетами. Посмотрели фото на стенках — все стены обвешаны. Больше все портреты самой Ады Ефимовны в разных ролях: то с веером, то в цилиндре, то в полосатом купальнике. Висели еще портреты разных мужчин, с усами и без усов, с плащами и без плащей, у всех рты открытые, поют.

— Мои товарищи по сцене, — объяснила Ада Ефимовна. — Сцена — это целый мир. Ты этого пока не понимаешь, после поймешь.

— А это кто, жирный? — спросил Вадим. Жирный ему особенно не понравился — пышным пузом, разинутым ртом.

— Это мой первый муж. Он был не жирный, а полный, представительный. Мужчине полнота не вредит, это женщина должна беречь фигуру.

— Он умер?

— Нет, зачем умер? Поет. Выдающийся артист.

Она назвала фамилию, которая Вадиму ничего не сказала.

— Почему же Капа говорит, что вы вдова?

— Это по третьему мужу. Он, действительно, умер, хотя предварительно меня бросил. От этих переживаний у меня и голос пропал. А какой был голос! Чистое серебро. — Ада Ефимовна слегка припечалилась, но тут же опять рассмеялась. — Ты еще молод, ты не знаешь, что значит тоска по прошлому. Но зачем унывать? Жизнь прекрасна! В ней столько радостей: музыка, любовь, природа, архитектура...

Вадиму было и стыдно слушать ее, и как-то приятно.

— Ну, я пошел. Спасибо за чай, за конфеты.

— Не за что. Приходи опять. Если бы ты знал, как я одинока...

Когда Вадим ушел, Ада Ефимовна начала отходить ко сну. Это серьезное дело занимало у нее ежедневно часа два, не меньше. Постелить постель, взбить подушечку. Разложить аккуратно ночную рубашечку с кружевцами. Потом — омовения, лосьоны, питательный крем трех сортов. На ночной столик — стакан сладкого чая, печеньице. Любила, ночью проснувшись, куснуть сладенького.

Окончив приготовления, легла. Но не спалось: вспоминался Вадим. Хороший мальчик, хотя и озлобленный. Мог бы и у нее быть такой сын, если б не сделать одного из абортов... Жизнь, посвященная себе, ее ужаснула. А что, в сущности, было в этой жизни? Любовь? Настоящей любви не было. Она-то готова была любить по-настоящему, до гроба, но обстоятельства не позволяли: вечно ее бросали, обманывали. Вспоминая о своей жизни, где не было любви, а были только мужчины и аборты, Ада Ефимовна горько заплакала...

А Вадим стал захаживать все чаще и чаще. Сначала дичился, потом привык. Смешная она, а добрая.

Анфиса была против.

— Нашел с кем водиться! Ни ума, ни разума. Одно слово — опереточная. Когда ты к этой, к Флеровой, ходил, разве я возражала? Серьезный человек, композитор.

Вадим ее не слушал, ходил к Аде, а не к Ольге Ивановне. С Адой ему было легко. «Все пройдет, все пройдет», — напевала она.

Иногда она ставила ему давние пластинки с записями своих опереточных арий: «Послушай, не правда ли, чистое серебро?» Пластинка крутилась, поскрипывала, далекий голос молодой Ады пел-заливался, а рядом сидела старая Ада и глухо, почти без голоса сама себе подпевала. Вадим слушал, как пели две Ады, и, странно сказать, ему это нравилось. К Аде он был снисходителен, не то что к другим, к матери. Понемногу он осмелел, развязался, стал говорить с Адой о том, что все врут.

— Да, да, — кивала Ада, — ты прав, в жизни много лжи и обмана. Счастье — обман, любовь — обман.

— Я не про то. Я про то, зачем все врут?

— И я вру? — кокетливо спрашивала Ада Ефимовна, утапливая глазки между щек.

— Конечно врете. Зачем вы волосы красите? Они же у вас седые.

— Ну, знаешь, Вадим, — обижалась Ада Ефимовна, — ты называешь враньем стремление к красоте.

— Ну ладно, у вас стремление, — великодушно соглашался Вадим. — А у нее? Она-то зачем врет?

«Она» означало мать.

Ада Ефимовна в ту пору Анфису недолюбливала, но все же считала нужным вступиться:

— Нельзя так говорить о матери! Она тебе всю жизнь отдала!

— А мне не надо. Зачем она меня родила? Я не просил. Купила мне новые брюки, а самой есть нечего. Я их нарочно папиросой прожег.

— Так ты еще и куришь?!

— У нас все курят. Прячутся в туалете и курят втихаря.

— Значит, и ты врешь? — смеялась Ада Ефимовна.

— Нет, я не вру. Я раз на переменке в открытую закурил. Вобла заметила, раскудахталась: «Ах, ах, мальчик курит!» Тащит к директорше. А я и директорши не боюсь. Что она мне сделает? Сама до смерти боится всяких чепе. Школа на первом месте в районе, ей неохота первое место терять. Она сама меня боится. «Громов, нам с тобой надо серьезно поговорить». А у самой глаза так и бегают. Я ей прямо сказал: «Боитесь вы меня». Она — с катушек долой. Я заржал и пошел. И ничего мне за это не сделали... Все одинаковые, все врут...

— Откуда у тебя такая разочарованность? — говорила Ада Ефимовна. — Ты как Байрон.

Вадим даже немножко гордился, что он как Байрон.

19

Одно лето Вадим жил в пионерском лагере, а Анфиса Максимовна оставалась в городе со своим садиком, откуда многих детей разобрали, увезли на дачу, и она, можно сказать, отдыхала.

И вдруг нсожиданно приехал к ней гость — замполит. Тот самый, который провожал ее с фронта, когда домой уезжала. Изменился, а узнать можно.

— Здравствуй, Громова, — сказал замполит бодрым, военным голосом. — Я к тебе в гости приехал. Не прогонишь?

— Да что вы, Василий Сергеевич, как можно? Да я... Замполит пожилой, но еще твердый, авторитетный. Пришел в комнату, все оглядел.

— Живешь-то как?

— Хорошо.

— Ну, молодчина. Так и живи. Кто у тебя родился? Сын?

— Сынок.

— Молодец, Громова. А я, знаешь, адресок твой сохранил, ну и заехал посмотреть, как живешь, выполняешь ли свои обязательства.

Анфисе было и странно и жутко, что приехал к ней замполит с ревизией. Собрала на стол, за бутылкой сбегала. Приняла честь по чести. Замполит выпил, загрустил, разговорился. Рассказал о себе. Он уже на пенсии. Живет бобылем. Жена умерла. Дочь взрослая, замужем за пограничником, запретная зона. Мог бы, конечно, там притулиться, не прогнали бы, небось, дочка с зятем. Да рано ему словно бы в чистые дедушки выходить. Хочется еще поработать, пользу, как говорится, поприносить. Здесь, в Москве, проездом обратно от дочери. Вот пришел к Анфисе посмотреть, как живет, старое вспомнить.

Навспоминались они в тот вечер досыта и песен напелись — фронтовых, любимых. У него баритон еще крепкий, у Анфисы альт уж не тот, поскрипывает. Помянули боевых товарищей, кто погиб, кто жив. У замполита связи со многими оставались. Главный хирург, тот, который так на Анфису сердился, когда стала она в положении, вышел в большие люди — академик, заведует клиникой, оперирует на сердце, даже из-за границы, из капстран, к нему приезжают. А Клава-санитарка — врач, отоларинголог (сразу и не выговоришь!), успевающая женщина, троих родила, а работы не бросила. Вспомнили госпитальную жизнь, тушенку «второй фронт», и бомбежки, и то, как Анфиса боялась...

— А все-таки героиней была, — сказал замполит. — Ты, Фиса, героиня.

Анфиса смутилась, руки спрятала. Говорила она с оглядкой, кривя рот, чтобы не было видно дырки, где не хватало зуба. Под конец вечера осмелела, стала даже улыбаться, но аккуратно. Замполит сказал:

— А ты, Фиса, еще на уровне как женщина. В тебя еще влюбиться можно. Замуж не собираешься?

— Что вы, Василий Сергеевич, мне да замуж. Я старуха.

— И не такие выходят.

Посидел, пошутил и ушел. На другой день наведался снова. И стал приходить. А там, смотришь, незаметно-незаметно и притулилась к нему Анфиса, а он к ней. Про любовь у них разговору не было, ясное дело, немолодые, а просто хорошо ему было с Анфисой, а ей с ним.

В квартире, конечно, заприметили, что у Анфисы жилец появился. Шила-то в мешке не утаишь. Пересудам конца не было. Уж на что Ольга Ивановна — и та стояла иной раз на кухне, слушая, что про Анфису говорят. А Капа — так прямо в лицо и выразилась:

— Палит тебя грех, Анфиска. В твои-то годы не о мужиках, о душе думать надо.

— Ты-то сама святая, — огрызнулась Анфиса.

— Я не святая, я грешная, я богу молюсь, чтобы простил он мои грехи. Вот и ты молись.

— Религия — опиум для народа, — сказала Анфиса и обрадовалась, как она Капу ловко отбрила.

— А ты дура мухортая. Вякаешь, чего не поймешь. Религия — опиум, а ты — копиум.

Что такое «копиум», Анфиса не знала, но очень было обидно.

Одна Ада Ефимовна Анфисе сочувствовала и все про свое — про любовь:

— Я рада за вас, Анфиса, всей душой рада. Любовь — это сон упоительный... Помню, мы с Борисом...

— Это с которым?

— Не помню. Кажется, с первым. Нет, со вторым...

Панька Зыкова швыряла вещи и требовала, чтобы Анфиса платила за свет и газ почеловечно, то есть втрое. Она забыла, что сама когда-то требовала покомнатно.

А с Ольгой Ивановной у Анфисы была, что называется, полоса отчуждения. За что-то поссорились, да так и не помирились. Сейчас ей казалось, что Ольга Ивановна следит за ней своими строгими глазами, осуждает... А чего осуждать-то? Разве сама не женщина?

Замполит у Анфисы привык, обжился, отогрелся. Все предлагал: распишемся. Она не решалась, тревожил ее Вадим: как отнесется? Однако и не отказывала. Василий Сергеич ее с ответом не торопил, но вел себя уверенно: свет чинил, новый кран поставил на кухне, начал даже работу подыскивать. И в квартире к нему постепенно привыкли: все-таки мужчина в доме...

А Вадим жил в лагере и тосковал. Зачем только его на два срока отправили? Ему и одного выше ушей... Лагерный быт он терпеть не мог — все эти линейки, барабаны, дурацкие эти походы, где все притворяются, что интересно, а ведь врут: скучно до смерти. С товарищами он не сходился, считая их глупыми, а то, что многие из них были куда развитее его, предпочитал не замечать. Часто один ходил по территории. Как ни странно, он думал о матери. Вспоминалось ему, как она еще в Доме ребенка сидела в саду среди ребят вся золотая на солнце, с венком из одуванчиков на голове. Как светились на солнце ее полные, стройные руки. В первый раз за свою жизнь он скучал по матери, хотелось ее увидеть.

Однажды завхоз ехал в город, взял его с собой. Вадим всю дорогу думал: то-то мать обрадуется! Заплачет, просияет, начнет целовать. Он мужчина, ему эти нежности ни к чему. Он просто потреплет ее по плечу. Шел домой с волнением. На лестнице встретилась ему Капа.

— Приехал, ну-ну. Радости!

По лицу Капы, веселому, с хитрецой, было видно, что-то случилось.

— А что такое?

— А ничего. Сам увидишь.

Вадим вошел в комнату и увидел: мать сидит за столом нарядная, а рядом с ней чужой человек, мужчина. Обедают. Мать вскочила:

— Вадик! Вот не ждала! Обрадовал!

А у самой глаза бегают.

— Никаких Вадиков, — сказал Вадим.

— Ты совсем или погостить?

— Погостить.

Мужчина встал, и Вадим увидел его суровое пожилое лицо.

— Познакомься, Вадим. Это Василий Сергеевич, вместе воевали.

Вадим руки не подал, кивнул, буркнул невнятное.

— Садись кушать, — хлопотала Анфиса. — Подогреть тебе? Я мигом.

Вышла. Вадим сел, положив на стол кулаки. Василий Сергеевич тоже сел.

— Не желаю, — сказал Вадим.

— Чего не желаешь?

— Ничего. Сказал: не желаю — и не желаю.

Замполит пристально его разглядывал.

— Ну и фрукт же ты, Вадим.

— Какой есть.

Вадим нагло улыбался. Ему хотелось плакать.

— Что же, по-твоему, мать и права на жизнь не имеет?

— Не имеет.

— Фрукт, — повторил замполит.

Вадим улыбался. Вошла Анфиса.

— Кушай, сынок.

— Не хочу. Кушайте сами. — И к двери.

Анфиса за ним:

— Вадик, Вадик!

Замполит ее удержал:

— За кем гонишься, глупая баба?

— Сын он мне, — билась Анфиса.

В этот вечер они легли молча, а утром Василий Сергеевич сказал:

— Погостил — и довольно. Поеду к себе.

— Вася!

— Сказано: поеду. Не выйдет у нас с тобой жизни. Сразу видно. Не можешь ты своего стервеца обуздать. Или можешь?

Анфиса молчала.

— Не можешь, — сказал замполит. — Дело наше, значит, кончено. Точка.

В тот же день он уехал. Анфиса рыдала, его провожая, но понимала: так надо.

Вадим вернулся осенью загорелый, с чужим лицом.

20

Вот как бывает: растишь-растишь сына, а он чужой. По мере того как взрослел Вадим, все чаще они с матерью ссорились. У него одно слово: «Мне не надо».

— Вадим, я тебе брюки погладила, возьми.

— А мне не надо.

— Я же для тебя стараюсь, сил не жалею тебя обслужить.

— А мне не надо, чтобы ты для меня старалась.

— Тебе не надо, так и мне не надо. Ты так со мной, и я так.

Дня два не разговаривают. Вадим пропадает неизвестно где. Приходит только ночевать. Курит. Анфиса Максимовна взрывается:

— Молод ты еще курить. Сам заработай, тогда и кури.

— А, ты меня своим хлебом попрекаешь? Ладно же! Хватит! Не буду у тебя есть!

И не ест. День не ест, два не ест. На третий день Анфиса Максимовна ползет к нему с повинной:

— Прости меня, Вадик. Виновата. И кури, пожалуйста, только не вредничай.

Буркнет что-то, сядет за стол, ест будто бы равнодушно, а видно, какой голодный. Наестся — и вон из дому:

— Ну, я пошел.

А куда — спросить не смей. То придет ночевать, а то нет. Анфиса Максимовна ходит босая к парадной двери, каждый шаг на лестнице слушает: нет, не он. Не выспится, встанет разбитая, а ей на работу. Вечером вернется Вадим — и сразу дерзить. После какой-нибудь очень уж обидной дерзости трясутся у нее руки, и начинает она, что называется, психовать. Не жалко ей ничего, кидает вещи. Раз целую стопку десертных тарелок на пол бросила. Испугался Вадим, но оправился, усмехнулся презрительно и пошел по осколкам.

Иногда Анфиса Максимовна говорит Вадиму:

— Ну, давай с тобой жить по-человечески, по-хорошему.

— А я что? Я ничего, — отвечает Вадим. — Я по-человечески живу.

Анфиса жалуется Ольге Ивановне (опять между ними дружба):

— Презирает он меня, ох, презирает!

— За что же ему вас презирать?

— А за это самое, за Василия.

— Мерзость это и гадость — его презрение, — говорит Ольга Ивановна и поджимает губы. Наверно, чувствует, что и ее саму Вадим презирает. Ольга Ивановна Вадима теперь разлюбила. Даже Ада-стрекотуха стала его побаиваться: больно жесток.

А ей, Анфисе, сын — всегда сын.

21

...Нет, я не разлюбила Вадима, чем-то он мне был дорог все-таки. Слишком много я в него вложила, чтобы так, без борьбы его уступить.

А вина была моя. После того как он начал ходить к Аде Ефимовне, я на некоторое время из дурацкого своего самолюбия оставила его в покое. Не хочет — не надо. Тут-то я его и упустила. Потом спохватилась, но поздно. Ушел человек. Так и не удалось мне к нему пробиться.

Иногда я его приглашала к себе. Он отказывался, говорил: «Некогда». Если я очень уж настаивала, заходил, садился на краешек кровати и говорил: «Ну?» Значило это: начинайте, так и быть, свои фокусы.

Пыталась я с ним говорить о школе, о жизни, о книгах... На все он усмехался презрительно, отчужденно. Новое словечко у него появилось: «пирамидон». Так назывались у него высокие слова, нежные чувства, понятия «совесть», «долг», «доброта»... Скажешь ему что-нибудь, а он прищурится и этак врастяжечку, отчетливо: «Пи-ра-ми-дон».

Особенно не любил он разговоров о книгах: они ему напоминали школьные уроки литературы, где, с его точки зрения, был сплошной «пирамидон». Литературу у них учили «по образам», и ненавидел он их до зубовного скрежета.

— На кой мне образ Лизы Калитиной из «Дворянского гнезда»? Наплевать мне на это гнездо вонючее... Она «ах», он «ох», она в монастырь — бух, а я учи!

Я пыталась как умела ему растолковать глубину и прелесть русской литературы, говорила сбивчиво, искала слова, все время боясь впасть в «пирамидон» и все-таки в него впадая... Ведь плакала же я в юности, читая Толстого, Тургенева, — неужели нет у меня средств передать другому эти слезы, этот восторг? Вадим глядел с усмешечкой. Когда я замолкала, он спрашивал иронически:

— Можно идти?

— Иди, Вадим.

Разговоров о матери он вообще избегал, а после истории с замполитом и вовсе перестал о ней говорить, как будто не было ее не только в этой квартире — на свете. Однажды я сама осторожно навела разговор на опасную тему, вспомнила Василия Сергеевича. Ненависть на лице Вадима вспыхнула так ярко, что я испугалась.

— Он мне сказал «фрукт».

— Ну и что? Может быть, пошутил? А может быть, ты сам вел себя вызывающе?

— Он мне сказал «фрукт». Человеку не говорят «фрукт»...

22

Вадим был в девятом классе, перешел в десятый, когда рядом с ним появилась Светка. Дело было в совхозе — послали их туда всем классом на прополку овощей. Работать было трудно — земля пересохшая, кирпич кирпичом, и сорняки торчали из нее, как щетинистые, злые волосы. Кое-где среди сорняков попадались слабо-зеленые вееречки моркови; вместе с ними из земли выдергивались тщедушные розовые хвостики. Ребята их обчищали и пытались есть, но они были сухими и вялыми, их тут же выкидывали вместе с ботвой. Видно, все это поле было вспахано и засеяно, а теперь пропалывалось не для того, чтобы что-то выросло, а для отчетности. Вадим чувствовал в этом все то же вранье, которое преследовало его повсюду, но уже не тосковал, как прежде, а злорадствовал: выходило по его — все врут. Товарищи его в разговорах на эту тему не поддерживали, им было скучно говорить и слушать про вранье. Они просто шутили, просто пололи, просто пытались грызть морковные хвостики и выкидывали их вместе с ботвой. Вранье их не тревожило, оно у них не болело... Вадим сознавал себя умнее их, выше, мыслящим более по-государственному. И вместе с тем он завидовал их веселой общности. Он-то всегда был один, пока они наслаждались купаньем, печеной картошкой, песнями у костра. Он тоже купался и ел картошку, только без наслаждения, а с сознанием некой высокой своей миссии. По вечерам становилось прохладно, запевали комары, тонкий месяц выходил на синее небо. Ребята жгли костер, тренькали на гитаре, били комаров, смеялись. «И чего смеются?» — думал Вадим. И все-таки ему было завидно...

Однажды он сидел у самого костра, ощущая жар на лице, и помешивал в огне длинной рогатой хворостиной, уже обугленной на конце, который своими черными рожками напоминал хитроватого черта. Вадим раскалил черта и, постукивая, отбивал у него рога. Тут кто-то тронул его за руку.

— Пойдем прошвырнемся, — сказала Светка.

В первый раз он на нее поглядел. Этакая незаметинка, белая мышка. Остренький нос, острые зубки. Впрочем, хорошенькая, пожалуй.

Сейчас она, полуприсев рядом с Вадимом, согнув детские колени с царапинами, положила свою маленькую руку на его большую и грубую и сказала:

— Давай прошвырнемся.

«Очень нужно», — хотел было ответить Вадим, но вместо того встал, потянулся, и они вместе со Светкой пошли по голубой пыльной тропке в сторону леса. Светлый месяц висел наверху, и какая-то птица кричала, тоскуя.

— Чего это она? — спросил Вадим.

— Наверно, детей своих ищет, — тихо ответила Светка. На ее щеках бродили большие тени от темных ресниц, и вдруг она показалась ему очень красивой. И лес, и месяц, и неизвестная птица, ищущая детей, — все было новым, загадочным, никогда не виданным. А новее всего был сладкий холодок около сердца. Робея, Вадим взял Светку под руку. Тонкий прохладный локоть отдал себя его руке с пугающей готовностью. Холодок у сердца переходил в стеснение, словно его кто-то там давил. Дойдя до леса, тропа круто загибала вправо, в темноту под округлые насупленные деревья. Вадим понял, что там, среди этих деревьев, можно отдохнуть от вранья. На самой опушке они остановились. Она подняла к нему свое неузнаваемое, правдивое лицо.

— Ты чего? — спросил он.

— Я тебя давно уже заметила. Ты интересный.

— Скажешь тоже... — смутился Вадим.

— Не отрицай. Ты всех интереснее в нашем классе. Может быть, даже во всех девятых... Пожалуй, только Вовка Суханов интересней тебя...

Вадим даже зубами скрипнул. Вовку Суханова он терпеть не мог. Этакий бело-розовый красавчик, не парень, а пирожное с кремом. А главное, передовик. Он и отличник учебы, он и спортсмен, он и общественник. Ловко писал сочинения, выступал на собраниях, врал, врал...

— Интересней меня, так с ним и... — сказал он грубо.

Светка вся подалась вперед, закинула руки ему на шею.

— Не обижайся. Это я объективно говорю, а субъективно...

Субъективно она его поцеловала. Холодок возле сердца превратился в мороз. Горький месяц скатился куда-то вбок, в мире осталась только Светка — ее тоненькое, доверчиво вставшее на цыпочки тело.

Потекли-замелькали считаные дни в совхозе. Раньше Вадим их ненавидел, считал по пальцам, скоро ли кончатся. Теперь он тоже считал дни, но наоборот: неужели проходят? Задержать бы, остановить! Каждый вечер Вадим со Светкой, держась за руки, не обращая внимания на подначки ребят, уходили в лес. Там под широко рассевшейся, мохнатолапой елью был их единственный, их правдивый дом. Вадим приносил в кармане клеенку, которую на последние гроши купил в сельмаге; эта клеенка называлась у них «домашний уют». Она великолепно пахла свежей синтетикой, от этого запаха у Вадима даже днем кружилась голова, и он украдкой сцеловывал его со своих пальцев. А вечером этот запах расцветал и мешался с невинным, цыплячьим каким-то запахом светлых волос... Обнимая Светку, вдыхая ее детские волосы, Вадим каждый раз ощущал боль переполненности в сердце. Ему больше не хотелось говорить и думать о том, что все врут. Может быть, они и врали, но это было не важно. А дни, хоть он и заклинал их помедлить, проходили стремительно. Вот уже и месяц из узенького стал широким, круглым и зрелым, а потом похудел с одного бока и быстро стал убывать... «Эх ты, косорылый!» — грозился ему Вадим. Месяц его обкрадывал. А тут еще и Светка стала капризничать. Не к месту опять вспомнила о Вовке Суханове. Вадим ее ударил, Светка заплакала:

— Какой ты грубый, какой некультурный...

Вадим и сам был в ужасе от того, что сделал, но старался держать себя в руках.

— Ты позволил себе ударить женщину... — всхлипывала Светка.

— А что? — сказал Вадим. — Это мораль прошлого века, что женщину ударить нельзя. А ты посмотри итальянские фильмы. Там женщин по морде хлобыщут за милую душу.

Светка подняла глаза с каплями на ресницах.

— Так там бьют, потому что сильно любят. Любят до невозможности, потому и бьют.

— Светка, я тебя люблю, — сказал Вадим, — я тебя люблю до невозможности, потому и бью. Прости меня, прости. Ну, ударь меня куда хочешь. Я с ума сошел.

Слезы на ее щеках были солоны. Опять прижалась — значит, простила. Целует — значит, любит. Он бормотал:

— Прости, прости, я от тебя сумасшедший.

Кто их поймет, женщин? Назавтра она была с ним холодна, отказалась уйти от костра. И послезавтра тоже.

Пела с ребятами под гитару, словно дразнилась. Вадим страдал. Назло ей позвал гулять рыжую Майку-баскетболистку, самую высокую девчонку в классе, похожую на парня с гармошкой. Ничего у него с ней не вышло. Хотел поцеловать — дала в ухо. Пошли назад. «Подумаешь, царевна-несмеяна», — бормотал Вадим. Светка у костра щурилась и улыбалась, как будто ей все равно, что он с Майкой ходил.

А вскоре наступил и день отъезда. Так они со Светкой и не объяснились. С утра шел дождь, мелкий, но прыткий, холодный. Ребята рассаживались по грузовикам. Когда Светка влезала в машину с большого колеса, она показалась ему маленькой и несчастной. Он помог ей и пожал ее холодную детскую ногу. Она отчужденно на него поглядела, а ногу поджала под себя. Ну и пускай, ничего ему не нужно.

У Вадима плаща не было, сейчас пригодился бы «домашний уют», но он его на днях выбросил, чтобы избавиться от запаха. Шел дождь, ему предлагали брезент укрыться, но он не взял, нарочно промок, чтобы простудиться, заболеть, умереть к черту.

В городе все было по-прежнему: та же опостылевшая квартира, та же комната, та же мать...

— Сынок, — сказала она, робко радуясь, — как же ты вырос, похорошел, я бы тебя не узнала...

И, разумеется, заплакала. Он так и знал.

— Опять! Терпеть этого не могу. Бабьи слезы — одно вранье. Плачешь, а не видишь, что промок до нитки. Дай сухое.

Анфиса заахала, запричитала, собирая ему сухое, а он сидел нахохленный, злой, мечтая: хорошо бы умереть. Однако не умер, даже не заболел.

Пошел в школу. И там все было по-прежнему. Светка казалась чужой, да и некрасивой: маленькое лицо озабочено, морщинка у губ. Она ему улыбнулась — Вадим насупился. Пусть повиляет хвостом. Ждет, чтобы сам подошел. Не дождется.

И вот — прошло уже больше месяца — Светка сама назначила ему свидание.

— Приходи завтра в сквер после уроков, скамейка у памятника жертвам.

Вадим кивнул. Сначала он думал, что не придет, чтобы еще больше ее наказать, но пришел. Она уже была там, сидела понурая, шевеля камешки носком босоножки.

— Ну, чего тебе надо? — спросил Вадим. Он опять ее любил.

— Приветик, — сказала Светка. — Надо с тобой побеседовать.

Какая-то она была вся опущенная. И волосы не разбросаны по плечам, а сколоты на затылке так, что видны уши.

— Ну, говори скорее, — хрипло сказал Вадим, — а то мне некогда.

Светка заплакала. Опять, черт, эти бабьи слезы! Что мать, что она... Любовь падала, убывала.

— Не реви. Говори толком, в чем дело.

(«Мужчина должен быть свиреп», — сказано в какой-то книжке.)

— Я не могу так сразу. Мне стыдно.

«Наверно, скажет: "Люблю тебя"», — думал Вадим, и сердце его опять забилось, и любовь прибыла. Эти швырки от любви к нелюбви и обратно были мучительны. Он прямо вспотел. — Скорей, ну, скорей говори: "Люблю тебя"...»

Светка открыла рот, втянула в себя воздух и на этом вдохе сказала:

— Ой, Вадик, кажется, я попалась.

— В каком смысле попалась?

— В обыкновенном, как все попадаются. Ну что я тебе буду объяснять? Как маленький. — Она перестала
плакать и сухо глядела на него. — Маленького стро-
ишь, — сказала она с ненавистью.

— Ничего не строю, только не понимаю...

— Тогда понимал, — сказала она со страшной враж-
дебностью.

Она была страшна со своими волосами, по-бабьи
собранными в пучок, с маленькими сухими глазами. Ни
о какой любви речи быть не могло. Что же теперь от него требуется? Жениться, что ли? Невозможно. В деся-
том классе! И как он матери скажет?

— И что ж теперь делать? — спросил он, избегая ее
глаз.

Она молчала.

— Жениться, что ли?

Светка захохотала.

— Жениться! Вы только на него посмотрите — жених
с соплей!

— А что же делать?

— Что все, когда попадутся. Я уже сговорилась
с одной, сделает дешево. — Она назвала сумму. Вадим
обомлел. — Половина у меня есть, надо еще столько
же. Я думала, ты...

— Нет у меня, Светка.

— У матери возьми.

— Не даст она. Да и нет у нее.

— Ну, достань где-нибудь. Ты же мужчина.

Вадим тосковал смертельно.

— Ладно. Попробую.

— Смотри, только скорей. Мне не позже пятницы надо. Она требует вперед, а сегодня вторник.

— Говорю, постараюсь. Ну, пока.

— So long, — сказала Светка почему-то по-английски и ручкой потрясла по-заграничному, ладонью вперед.

Вадим скрипнул зубами. Целые горы вранья!

Деньги он достал у Ады Ефимовны. Пришлось ей все рассказать — без этого не давала. Ада Ефимовна ужаснулась, но и пришла в восторг:

— Ты ее любил, любил?

— Ну, любил.

— Бедные дети! Но ты мне дай слово, что это в последний раз.

Слово он дал охотно, он и сам был в ужасе от того, во что впутался. В четверг он отнес деньги Светке. В пятницу она в школу не пришла, в субботу тоже. Вадим разрывался тревогой и раскаянием, воображал себе худшее — что Светка умерла или все рассказала матери, и та побежит жаловаться. За субботу и воскресенье он весь изметался, а в понедельник Светка пришла в школу как ни в чем не бывало, даже не бледная и волосы опять по плечам распустила. Все врала. Вадим дал себе слово не любить никогда.

23

Десятый класс прошел быстро, по урокам как по кочкам — и вот уже Вадим окончил школу и принес домой аттестат. Аттестат так себе, ни плохой, ни хороший — с троечками. Анфиса Максимовна прочитала его и заплакала:

— Что ж теперь делать? Куда ты сунешься с таким аттестатом? Моя мечта, чтобы ты учился... Домечталась...

У других ребят дома праздник: все-таки окончили, хотя бы и с тройками. У него одного слезы. Слез этих Вадим прямо-таки видеть не мог.

— А я и не хочу в вуз. Больно нужно — за гроши инженером вкалывать! Пойду работать, и все.

Анфиса Максимовна зарыдала в полный голос. У нее даже началась истерика, как в дореволюционной литературе. Вадим плюнул и ушел на кухню.

У плиты хозяйничала Ада Ефимовна в микропередничке, мастерила какой-то соус. Готовить она вообще не умела, но время от времени затевала что-нибудь необыкновенное. Соус булькал в судочке.

— Что это у вас? — мрачно спросил Вадим.

— Соус прентаньер с белым вином. Старинный рецепт. Должно быть нечто изумительное, если не подгорит.

Вадим выразил на лице глубочайшее презрение ко всему дореволюционному, в том числе и к соусу прентаньер. Ада Ефимовна засмеялась:

— А ты отчего такой мрачный? Что случилось?

— Школу кончил.

Ада Ефимовна всплеснула руками:

— Ах, что ты говоришь? Поздравляю, поздравляю! Соус немедленно убежал.

— Так я и знала, — спокойно сказала Ада Ефимовна. — Домашнее хозяйство не для меня. Я создана для высшей нервной деятельности. На чем мы остановились? Да, я тебя поздравляю. Целый большой этап твоей жизни кончился, начался новый.

— Ну их на́ фиг, эти этапы, — сказал Вадим.

— Господи, как ты циничен! Неужели вся молодежь такая?

— Еще хуже.

— Не верю, не верю.

В кухню донесся рыдающий голос Анфисы Максимовны.

— Что это? — удивилась Ада.

— Празднует мой большой этап. Радуется успехам сына.

— А что, плохие успехи?

— Хреновые.

— Опять цинизм?

— Извиняюсь. Я хотел сказать: средние. По успеваемости я на двадцатом месте, а в классе тридцать человек.

— Так это же хорошо — на двадцатом месте! С конца или с начала?

— К сожалению, с начала.

— Все равно хорошо.

— А она думает, что плохо. Говорит: всю жизнь мечтала дать сыну высшее образование.

— Мечта есть мечта, — сказала Ада Ефимовна неизвестно в каком смысле.

Вечером пришла Ольга Ивановна, принесла подарок — готовальню. Вадим сухо поблагодарил.

— Спасибо, но теперь не те времена. Тушью никто не работает, только в карандаше.

На выпускной вечер Вадим не пошел. Надо было вносить деньги, а он у матери брать не хотел. Да и не надо ему никаких вечеров. Пролежал, прокурил дома. Мать теперь против курения возражать не смела, только открывала форточки.

Потом начались опять разговоры о вузе, об образовании — сплошная нуда. Вадим сдался, не выдержал характера. Он подал-таки бумаги в один из институтов, где конкурс поменьше, и стал готовиться к приемным экзаменам.

Лето было жаркое, тягучее, с необлегчающими грозами. Вадим готовился к экзаменам и злился. Кто это придумал такое хамство, чтобы из одних экзаменов — в другие? Кончал школу — экзаменовался, теперь надо поступать — снова экзаменуйся. И, главное, по той же программе! Никакого смысла, кроме мрачного издевательства, в этом порядке не было. Что-нибудь одно: или верить аттестату, или не верить. А так серединка на половинку, аттестат предъявляй и все-таки экзаменуйся...

А главное, никуда ему не хотелось поступать. Хотелось жить как живется, не надрываться, работать понемногу и чтобы жилы из тебя не тянули. Есть же счастливчики, которых никто никуда не тянет: хочешь работать — работай, хочешь учиться — учись. В мыслях Вадима вообще постоянно присутствовали какие-то «счастливчики», какие-то «другие», которым он мрачно завидовал. Не то чтобы он считал их лучше себя, скорее наоборот, а вот их приспособленности, незатейливости завидовал. В вопросе об учебе он уступил матери и за это злился и на нее, и на себя, и на «счастливчиков».

Анфиса Максимовна, с робкой благодарностью встретившая согласие сына учиться дальше, из кожи лезла, чтобы создать для него все условия. Детский сад уезжал на дачу — она не поехала, поступила временно уборщицей на одну ставку, потеряла в зарплате, но разве до этого, когда такое дело решается: вся жизнь, судьба сына? Она ухаживала за ним, как за тяжко больным, ходила на цыпочках: учись, сынок, только учись. Учиться-то он учился, только не очень усердно. Часто отходил от стола, ложился на спину и курил. Она робко за ним следила: опять лег?

— Как бы не заболела головка у тебя от лежанья! Открыть окно?

— Не надо.

— Отчего ты все лежишь?

— Думаю.

— А... Думай, думай.

Экзаменов Анфиса ждала, как Страшного суда. Когда они наступили, каждый день для нее был как год. Она дрожала, надеялась, чуть ли не молилась. А тут еще Капа сбоку вертится:

— Одна вот такая же, как ты, страданная мать три года сына в институт пихала. Пихает-пихает, и все без толку. И надоумил ее батюшка поп: «Ты, говорит, молебен справь святой Софии-премудрости». Она и справила. Приняли. А не справила бы — нипочем бы не приняли...

Анфиса от Капы наружно отмахивалась, а в душе так и шептала: «Дай бог! Дай бог!» Молебен, однако, не справила.

Так или иначе, потому или по-другому, с экзаменами получилась осечка: Вадим недобрал каких-то там баллов, не то двух, не то трех, и по конкурсу не прошел. Ну а это было крушение.

После экзаменов Вадим залег. Целыми днями лежал, курил, с матерью не разговаривал, на все только одно: «Оставь меня!» Не дай бог шизофрения!

Мучилась Анфиса: как помочь ему? Думала-думала и надумала. Была в их садике девочка средней группы, Люся Наволочкина, кудрявенькая. Кто-то сказал Анфисе, что у Люси дедушка работает деканом в том самом институте, куда поступал Вадим. А декан — это вроде большой начальник. И решила Анфиса тайком от Вадима к тому декану съездить. Узнала адрес, поехала. Страшно, но для сына чего не сделаешь.

24

Дом, где жил декан, оказался старинный, важный, с завитушками и колоннами. В подъезде черные мраморные женщины держали на головах пузатые вазы. Анфиса Максимовна шла и боялась: а ну как декан прогонит ее прямо вниз по лестнице? На беду, лифт не работал. Она едва взобралась на пятый этаж. Тучность на нее напала последние годы, совсем трудно стало одолевать лестницы да и мыть полы. Чуть нагнешься — в глазах темно, в голове больно.

Отдышалась, позвонила. Дверь отворил сам декан — старик высоченный, нос рулем, брови пышные — и сказал по-старинному:

— Милости просим.

— Вы меня простите, я к вам по делу, я воспитательница в садике, где Люся ваша.

Декан побледнел:

— Что-то случилось? Говорите сразу.

Он втащил ее за руку в прихожую, осторожно прикрыв дверь во внутреннюю комнату.

— Говорите, только тихо. Жена, знаете, сердце...

— Нет-нет, — заторопилась Анфиса Максимовна, — с Люсенькой ничего, на даче она, я в городе, а садик на даче. Но там все в порядке, если бы что, я первая знала бы...

— Правду говорите?

— Истинную правду. Провалиться, если вру.

— Как же я испугался! Глупый старик. Только и жизни что в ней, в этой кудрявой гусыне. Вы меня извините.

— Да что вы! Это я виновата. Надо было позвонить, а я такое нахальство позволила...

Анфиса Максимовна заплакала. Очень она теперь стала слаба насчет слез.

— Батюшки-святы! — сказал декан. — Плач на реках вавилонских. Плачьте, не стесняйтесь, вам легче будет. Пройдемте, я вам валерьянки накапаю.

В кабинете — тяжелая мебель, тяжелые занавески, множество книг. Декан захлопотал у шкафчика, суетливо пританцовывая, бормоча про себя что-то вроде стихов, где рифмовались «валерьяночка», «баночка», «бодряночка» и еще невесть что. Накапал себе и ей, чокнулся. Выпили.

— За компанию как не выпить? Вот так и спиваются... Я тут за компанию с вами чуть не заревел... Хороша была бы картина! А?

Он смотрел на нее по-приятельски, чуть поводя из стороны в сторону рулевитым носом. Брови у него такие пышные и кудрявые, что прямо лезут в глаза. Кудрявые книзу, а не кверху.

— Милости прошу, — сказал декан, жестом приглашая ее садиться.

Она села, и он сел.

— Я вас слушаю.

«Как в суде», — подумала Анфиса и заволновалась.

— Не знаю, как и начать. Сын у меня, Вадим, единственный, с сорок четвертого года. Нынче десятилетку кончил, подал документы в ваш институт...

— Ну и что?

— Недобрал на экзаменах.

Декан помрачнел.

— Что ж я тут могу сделать? У нас не лавочка, и я не сиделец...

— Не знаю... Я к вам за советом.

— Вы понимаете, что от меня ничего не зависит? — закричал декан. — Я даже не имею отношения к приемной комиссии! А если б и имел...

— Понимаю, — сказала Анфиса Максимовна и встала.

— Нет, ничего вы не понимаете! Сядьте, балда вы этакая! — Он насильно ее усадил, больно дернув за руку. — Вы небось думаете: бессердечный старик, может помочь, а не хочет! Думаете, а?

Анфиса Максимовна испугалась. Она, действительно, в эту минуту именно так и думала. Декан захохотал:

— Я, знаете, умею читать мысли.

— Лучше я пойду, — сказала Анфиса.

Она стала приподниматься с кресла. Кресло было глубокое, вставать трудно.

— Сидеть! — цыкнул декан. — Раз уж пришли, так пришли, придется сидеть. Расскажите мне все по порядку. Что за сын, почему недобрал, может быть, недоразумение, выясним...

Приоткрылась дверь, и мягкая, полная, белая старушка просунулась и спросила:

— А, у тебя гости, Сережа? Я не помешаю?

— Помешаешь, — свирепо сказал декан.

Старушка засмеялась и исчезла. И так почему-то завидно стало Анфисе... Вот и она могла бы, сложись все иначе, стучаться к мужу и спрашивать: «Не помешаю?» Молодости она никогда не завидовала — только спокойной старости.

— Слушаю вас, — повторил декан, сложил руки, неподвижно установил нос и почти прикрыл глаза загнутыми бровями. — И, пожалуйста, как можно подробнее.

Часа через два успокоенная, повеселевшая Анфиса Максимовна, стоя у остановки, ждала автобуса, чтобы ехать домой. Автобус долго не шел, и хорошо, что не шел — в кои-то веки подышишь воздухом. И небо розовое было такое красивое, с кудрявыми тучками. Давно не видела неба, все некогда было взглянуть, вот жизнь-то какая... А какие хорошие Сергей Петрович и Софья Владимировна! Есть же люди — хорошо живут. Не в книгах счастье и не в мебели, а в любовном покое. Чаем напоили, к чаю крендельки пухлые, нежные, во рту тают. Верно, сама пекла. Хотела спросить рецепт — постеснялась. А у Софьи Владимировны ручки-то, ручки — маленькие, нежные, как те крендельки.

Сергей Петрович ничего определенного не обещал, но она ехала домой радостная, и даже в автобусе какой-то дядька ей сказал:

— Счастливая у вас улыбка, девушка!

Наверно, пьяный. А все приятно...

Приехала домой. В комнате темно: верно, Вадим куда-нибудь ушел. Она зажгла свет и увидела, что он не ушел, а лежит на кровати, закинув длинные ноги на спинку, а глаза с ненавистью смотрят в потолок. В руке — погасшая папироса.

— Вадик, что с тобой? Болен?

— Здоров.

— А лежишь почему?

— Хочу и лежу. А что? Нельзя полежать человеку?

— Отчего нельзя? Устал — раздевайся и спи.

— А я хочу так.

— Кто ж это лежит одетый? С ногами на покрывале, а мать стирай. У меня руки тоже не казенные. Утром с ведром, вечером с корытом...

— А кто тебя просит? Сам постираю.

— Знаю я, как ты стираешь. Папироску в зубы, пых-пых — и пошел. А мать надрывайся.

Вадим сел на кровати и закричал:

— Не надо мне твоего надрыванья! Понятно? Прекрати свое надрыванье!

Он вскочил и стал на нее надвигаться с таким безумным лицом, что Анфиса Максимовна перепугалась. Она взвизгнула и начала отступать, заслоняясь руками, словно от удара. Но Вадим не ударил.

— Все ты врешь, вот и сейчас врешь, будто я тебя хотел бить! Очень мне нужно руки об тебя марать!

Он одевался судорожно, не попадая в рукава, наконец попал, свирепо застегнулся и выскочил за дверь.

— Вадим, куда ты? Вадим, вернись!

Но его и след простыл. Только хлопнула дверь на лестницу.

— Скандалисты, — громко сказала Зыкова в соседней комнате. — Терпеть не буду, выселю через суд.

Анфиса Максимовна рухнула на кровать. Ей было все равно, что за стеной Панька Зыкова. Пусть себе злыдничает. Анфиса Максимовна ударила кулаком в стенку, окровавила кулак, поглядела на него с удивлением. Боль была приятна. Тогда она с размаху ударила головой в ту же стенку. В горстях у нее были собственные волосы, она с наслаждением их рвала и уже не плакала, рычала. Она слышала, как отрывается каждая прядь с головой вместе, и думала, что это хорошо — без головы. Во рту у нее оказалось одеяло — она закусила его зубами и рвала на части, рвала. Потом она почувствовала на голове легкий идущий дождик, что-то холодное и замерла с одеялом в зубах. Струйки дождя текли ей за шиворот.

— Анфиса Максимовна, милая, что с вами? — спросил голосок с жаворонковой трелью. Над ней стояла Ада Ефимовна в своем попугайчатом халатике, волосы накручены на бигуди, и поливала ей голову водой из дрожащего стакана.

— Ну, успокойтесь, это просто у вас истерический припадок, это бывает, у меня самой было. Это от переживаний. Валерьянки выпить, и все пройдет.

Анфиса Максимовна выпустила из зубов одеяло, подняла взлохмаченную голову и сказала:

— Спасибо. Я уже пила.

— Что?

— Валерьянку.

— Ну, тогда что-нибудь другое выпейте. Важно, чтобы выпить. У меня в аптечке салол с беладонной. Хотите?

— Давайте, — махнула рукой Анфиса Максимовна. Сейчас ей было уже стыдно, что она так кричала. Зря себе волю дала.

Ада Ефимовна побежала за лекарством. В дверях появилась Ольга Ивановна, худая, большеглазая, на ходу запахивая халат.

— Анфиса Максимовна, разденьтесь, давайте я вас уложу.

Она стала разувать Анфису, та поджимала ногу, не давалась.

Впорхнула с лекарством Ада Ефимовна:

— Глотайте, запивайте.

«Экая я, всех переполошила», — думала Анфиса. В голове у нее что-то звенело, как комар. Она сматывала с пальцев длинные, русые, мало поседевшие пряди.

25

В эту ночь Вадим домой не приходил, а на другой день явился — тише воды, ниже травы, сам спросил: не надо ли сходить за хлебом (ответила: «Нет»), и целую неделю его не было ни слышно, ни видно, только окурков целые горы. За эту неделю в институте должны были вывесить списки. Анфиса Максимовна ходила туда каждый день, но ей говорили: «Рано». Наконец вывесили. Она прочитала все листы — Громова В.Ф. не было. «Так я и знала, так и знала», — приговаривала она озябшими губами, но все не верилось. «Справки в приемной комиссии», — сказал кто-то за ее спиной. Каким-то ветром понесло ее в приемную комиссию. Там толкались озабоченные парни и девушки, расстроенные родители. Какая-то мамаша, крашеная-перекрашеная, громко рыдала, требуя «уважения к отцам». Бледный, истощенный и, видимо, уже раздраженный до крайности председатель махнул на нее рукой и вышел. Очередь загудела. Секретарша старалась навести порядок, разослать кого куда.

— Вы поймите, Владимир Александрович уже ушел, сегодня приема не будет, понятно? — Глаза у секретарши были выпуклые, как у трески. Такая убьет — не поморщится. — А вы по какому делу, мамаша? — спросила она Анфису. Из тресковых глаз смотрела канцелярская враждебность. Где, в каких кабинетах, в каких приемных не приходится ее видеть?

— Сын у меня, Громов Вадим. Вадим Федорович.

— Смотрите внизу в списках.

— Там нету.

— Нет — значит, нет. Значит, не принят, мамаша. Ясно?

— Ясно. — Анфиса продолжала стоять.

— А что, ваш сын больной, сам не может прийти? Или он из детского садика?

— А вы не переживайте, — сказала другая девушка, собой незаметненькая. — Этот год не попал, на будущий примут.

— Беда с этими мамашами, — вздохнула первая. — Никакой дисциплины. Ходят и ходят. Все равно бесполезно.

— Постой, Алка, — сказала незаметненькая, — может, он в дополнительном списке... — И прикусила губу, видя по лицу другой, что зря сболтнула.

— А есть дополнительный? — затрепетала Анфиса.

— Еще не утвержден, — сказала Алла. — А тебя кто за язык тянул? — обернулась она к незаметной.

— Девушки, милые, — взмолилась Анфиса Максимовна, — дайте хоть глазком взглянуть...

И выпросила-таки. И там собственными глазами увидела, буковка в буковку: «Громов В.Ф.».

Ну, теперь можно и умирать. В крайнем случае Вадим сам пробьется.

Исходя благодарностями, себя не помня от счастья, Анфиса вышла. Ноги несли ее как пушинку. Куда полнота девалась, одышка? У подъезда института — телефон-автомат. Она зашла в кабину и набрала номер декана Сергея Петровича.

— Вы меня извините, Громова беспокоит, Анфиса Максимовна. Помните, у вас была?

— Припоминаю, — сказал голос Сергея Петровича с некоторым сомнением. — Чем могу служить?

— Приняли Вадима.

— А, очень рад.

— Я вас поблагодарить хотела. Уж так благодарна, так...

— Это за что же? Я тут, моя милая, ни при чем и благодарить меня не за что.

Анфиса Максимовна молчала, сжимая в руках тяжелую, надышанную трубку.

— Вы меня слушаете? — строго спросил декан.

— Слушаю.

— Запомните, вы мне ничем не обязаны. Так и знайте. Поняли?

— Поняла.

— А за вас я рад, рад. Привет отпрыску. Как-нибудь заходите, мы с Софьей Владимировной рады будем.

— Спасибо.

Анфиса повесила трубку. Нет, не зайдет она больше к ним никогда.

141

От разговора с деканом радость ее попритухла, но все еще была жива. Окончательно добил ее Вадим.

— Поздравляю студентов, — сказала она не без игривости.

Вадим равнодушно поднял голову.

— Я же не принят. В списках нет. Я смотрел.

— Ты в дополнительном. Сама видела: Громов В.Ф.

— А кто тебя просил ходить? — крикнул Вадим. — Оставишь ты меня когда-нибудь в покое?

— Я — мать. Всякая мать за сына переживает.

— Нечего было переживать. Подумаешь, институтишко занюханный. Я и не хотел туда идти вовсе. Я хотел работать. И зачем только поддался на уговоры? Эх...

Анфиса Максимовна часто-часто заморгала.

— Опять реветь? — злобно спросил Вадим. — Надоели мне твои кинофильмы. Раз уходил и опять уйду. Навсегда уйду, учти.

Вот тебе и радость...

Заснула она в ту ночь поздно и плохо спала, снились какие-то пустяки, глупости, шкафы с книгами, они двигались и старались ее задавить. Она от них, а они за ней. Еще крендельки снились и руки Софьи Владимировны, тоже как крендельки. Она, Анфиса, пыталась те крендельки целовать, а Софья Владимировна не давала, смеялась мелко, как изюм сыпала. Совсем измучилась с этими снами. А под утро приснилось другое: пришел Федор покойный, стал перед ней грозно и спрашивает: «Что ты сделала с моим сыном?» И выходило во сне, что Вадим Федору сын, а она, Анфиса, перед ним виновата, что его от другого отца родила. И так она мучи-

142

лась, так плакала, что проснулась. Все было полно слезами, а в ушах звенело — тонкий звон, комариный, так, бывает, звенит лампочка, перед тем как перегореть. Утром у нее отнялась щека, стала как мертвая. Анфиса ее массировала — не помогает, ущипнула — боли не слышно. Смешно даже, одной щекой умерла! Потом прошло.

26

Осенью Вадим пошел учиться. Институт с первого же дня ему не понравился. Как собрались они на первую лекцию по высшей математике в большом двусветном зале со скамейками амфитеатром, Вадим посмотрел вокруг себя: нет, не нравится! Чего он хотел, он сам определенно не знал, но, во всяком случае, не этого. Началась лекция. Профессор, сухой и щетинистый, похожий сразу на воблу и зубную щетку, вызвал у Вадима решительное отвращение. Он начал с латинского изречения, которое тут же перевел на русский. «Хвастает», — решил Вадим.

Самую лекцию он не понял. Профессор говорил текуче, гладко, сложносочиненными предложениями, такими длинными, что, пока дело доходило до конца, можно было забыть начало. Среди причастий и деепричастий полностью терялся смысл. Вадим сперва пытался записывать, потом бросил, устал. Кроме того, он не знал, как пишутся некоторые слова, и боялся, что кто-нибудь из соседей заглянет к нему в тетрадь. Он начал разглядывать аудиторию; то, что он увидел, тоже ему сильно не понравилось, особенно обилие и некрасота девчонок, — это обилие досадно подтверждало его мнение, что институт второсортный, заштатный, куда не пойдет по призванию ни один уважающий себя парень, а идут потому, что здесь конкурс поменьше. Девчонки, многие в очках, старательно записывали, вскидывая на профессора молящиеся глаза. Вадим был убежден, что все они пришли сюда, чтобы выйти замуж. И в самом деле, что они еще могли делать? Баба-инженер — курам на смех. Но и парни тоже Вадиму не понравились, особенно один с гривой, которой он как-то залихватски встряхивал, и другой, белый, как альбинос, настолько белый и бледный, будто он прожил несколько лет в подземелье. Эти двое были к Вадиму ближе всех, он осмотрел их особенно тщательно и с омерзением. Больше всего его раздражало внимание, с которым они пялились на доску и судорожно записывали слова профессора — в общем-то, пустые слова, если разобраться. В ушах Вадима эти слова стучали, как горошины в погремушке. Стараясь не слушать, он начал думать о чем-то своем — хорошего не получалось. Уже с давних пор в Вадиме укрепилось сознание, что ему чего-то недодали, чем-то обделили. Вот и сейчас на лекции, облокотившись на узенький пюпитр, подпершись кулаком, он не столько думал, сколько с чувством перебирал все свои обиды и еще сильнее ополчался на мир. Вспомнилась ему ироническая улыбка учительницы еще в первом классе, когда он никак не мог прочитать сложное слово «башмачок» и ребята смеялись, а он и не знал, что за штука этот «башмачок»? После ему Ольга Ивановна объяснила, что в старое время говорили не «ботинки», «башмаки». Почему они смеялись? Спросить каждого, что такое «башмачок», — наверное, никто бы не ответил.

После этого случая он долго отказывался читать вслух, может быть, из-за этого так по-настоящему и не выучился... Вспомнил, как мальчики с его двора выходили в День Победы нарядные, некоторые даже с отцами за руку, и одному отец дал поносить свои ордена. А он, Вадим, тоже нашел у себя дома медаль, нацепил ее и пошел во двор. А Петька Гаврилов сказал ему: «У тебя и отца-то не было»... Потом вспомнил, как Светка обозвала его женихом с соплей, и внутренне закипел от ненависти. Нет уж, больше они его не обведут! Потом подумал о матери с тем сложным чувством обиды и задыхания, которое всегда сопровождало его мысли о ней, его встречи с нею, его ссоры с нею и всю его жизнь с матерью в опрятной комнате с зелеными обоями (на них чередовались какие-то нудные квадраты с нудными ромбами), и вообще жизнь была нудна... В эту минуту профессор, видимо, произнес какую-то шутку, какую — Вадим, конечно, не слышал, но услышал смех студентов, как ему показалось, угодливый, и с отвращением увидел, как профессор засмеялся вместе со всеми, крупно скаля желтые зубы. С этой первой лекции все было решено для Вадима: институт ему противен, он сделал ошибку, когда пошел сюда ради матери, но больше его не обманут, не на такого напали... Что именно он будет делать — он пока не знал. Одно было ясно: он должен непременно кому-то что-то доказать...

27

Когда Анфису спрашивали, как дела, она неизменно отвечала: «Все слава богу». Сын устроен, учится в институте, теперь можно и передохнуть. И мне она тоже говорила: «Слава богу». Но я ей не верила: слишком тревожно блестели ее глаза. Мне кажется, она и тогда уже была тяжко больна, но виду не подавала. Внешне она изменилась к худшему: потучнела, потяжелела, ходила с одышкой, словно преодолевая каждым шагом какой-то рубеж. А больше всего меня пугали припадки, которые время от времени на нее находили: приступы гнева, отчаяния, когда она билась, кричала, царапала себе лицо и руки, находя в своей несдержанности дикое удовольствие. Я упросила ее сходить к невропатологу. Тот нашел признаки истерии, прописал порошки, капли, режим, обтирания. Порошки и капли Анфиса сперва принимала, но от брома у нее делался насморк, она неделями жестоко чихала, и в садике на нее посматривали косо. Она бросила принимать бром; насморк прошел, а возбуждение нет. Насчет режима и обтираний даже и речи не было... Мне кажется, наши врачи мало представляют себе женскую трудовую жизнь, когда прописывают режим, диету... Какой тут режим, только бы не рухнуть. Анфиса работала на полутора ставках, да дом, да хозяйство — все за счет сна. По возрасту она могла бы уйти на пенсию, но об этом и думать было нечего — из-за Вадима. А Вадим не очень-то радовал — учился неохотно, часто прогуливал, в первую же сессию нахватал двоек, стипендию не получал, на материны попреки только отмалчивался и курил, курил... Анфиса из кожи лезла, чтобы его накормить, одеть, обуть, — Вадим ничего не замечал, не ценил. «Всю себя, — говорила Анфиса, — как в яму бросаешь».

В чем тут было дело? И только ли Вадимова была в том вина? Наверно, нет. В любом конфликте всегда две стороны, две правды. Наверно, не только Вадим был виноват перед нами, но и мы с Анфисой были перед ним виноваты. Особенно я. Мне-то надо было быть умнее: ведь я не была, как Анфиса, жертвой рабьей материнской любви...

Порой я ее едва узнавала. Прежде она была жизнерадостна, любила шутку, музыку, книги. Книг она прочла не так-то много, но то, что прочла, помнила отлично, до мельчайших подробностей (мы, много читающие, никогда так не помним) и часто поражала меня тонкостью своих замечаний. Так, она, например, заметила один и тот же характер у Нехлюдова и Левина и сказала: «Наверно, сам с себя написал...» Внимательно читала газеты. Больше всего любила «Из зала суда», но и политические статьи тоже просматривала. «А где это — Куба?» — и охотно отыскивала с моей помощью маленький остров на Вадимовом школьном глобусе. Видела животных, птиц, деревья, цветы. Радовалась солнцу. Теперь ее словно заслонило от всего. Радио слушать она перестала, почти ни с кем не разговаривала, все куда-то торопилась со странным наклоном вперед и немного вбок. Это торопление разительно не вязалось с ее неуклюжей, медленной походкой на отечных ногах. Жизнь стала преследовать ее мелкими несчастьями: она роняла вещи, теряла деньги, в магазинах ее обсчитывали. На все это она реагировала бурно, даже театрально, с закатыванием глаз, дрожью рук и ног, рваньем волос. Грешным делом, я ее осуждала за эти спектакли. Мне было ее жаль, но не очень-то верилось в подлинность ее горя: слишком оно было крикливое. Тогда мне казалось, что подлинному горю пристало быть молчаливым. Я была не права. Теперь-то я знаю: всякое горе — горе.

147

Очень чуткая, Анфиса угадывала мое неодобрение и замыкалась. Ко мне она заходила не часто, остерегалась при мне плакать. Уже не было прежней близости между нами, жадной общительности прежних лет. От книг она отказывалась: «Некогда, у меня своя жизнь — книга с картинками». Это тоже казалось мне фальшивым. Время от времени мы с нею ссорились, без прежних скандалов, без бросания подарков, но с суровой, грубой горечью. Сладких, радостных примирений тоже не было. Мне тогда казалось, что я кругом права. Какое жестокое заблуждение! Упаси меня боже от правоты. Правый человек слеп, правый человек глух, правый человек — убийца.

Время от времени ее посещали какие-то маленькие, летучие параличи: то палец отнимется, то щека, то пятка на ноге перестает чувствовать, и она ходит с каким-то неуверенным приплясом. Это быстро проходило, но все же меня беспокоило. Опять я уговорила ее пойти к врачу. Сходила, вернулась разочарованная:

— Обратно все то же: нервы, истерика, кали бромати. Ничего не понимают врачи. По-ихнему — истерика, а по-моему — просто жизнь. Жизни не знаете, вот и прописываете.

Последнее относилось, конечно, ко мне. Анфиса любила меня попрекать тем, что я, мол, не знаю жизни.

В это сложное время Вадим стал мне почти врагом: еле кланялся, никогда не заходил, на мои попытки общения отвечал ухмылкой. Дела его в институте шли неважно. Разговоров об этом он не любил, но гордость позволяла ему врать. Он все признавал. Хвосты по математике — да. По языку — тоже да. Подумаешь, пересдам. А нет — тоже не страшно.

Однажды он сказал:

— Ничего вы не понимаете, хоть и старая. Ах, высшее образование! А какой толк? Вот у вас высшее, а жизни не знаете...

Оба ссылались на жизнь — и Анфиса, и он. Может быть, я и в самом деле не знала жизни? Мне было горько, очень.

28

А Вадим ходил в институт, опьяняясь своим пренебрежением к нему. Все в институте было ему противно: и золотые памятные доски, напоминавшие о тех, кто когда-то здесь учился (подумаешь, наука!), и портреты ученых в коридорах (среди них был и тот самый, с желтыми зубами, высший математик, читавший первую лекцию, а после с наслаждением поставивший ему две двойки), и стенные газеты, полные какими-то сплетнями о нарушителях дисциплины, об отстающих. Вадим сам был в числе отстающих, но отставал не по глупости, а по гордости: этого никто не хотел понять. Топили в институте неистово, несмотря на теплую погоду; от раскаленных батарей несло банным жаром, и Вадим задыхался. Лекций он, в общем-то, не слушал, посещал их через две на третью, только бы отстали контролеры. А контролеров кругом было достаточно: староста, комсорг, профорг. Их Вадим ненавидел, помимо всего и за то, что все они были бабы. Особенно он не терпел профорга Люду Никитину с ее молочной полнотой, белокуростью, золотыми сережками в маленьких чистых ушах. Проводя с ним воспитательную беседу, она краснела малиновым пятнистым румянцем и покусывала кончик карандаша беленькими стройными зубами. Вадим был убежден, что и беседы и перевоспитание — вранье, а на самом деле она просто в него влюблена. Вадим был красив и знал, что красив; это сообщало его повадке с женщинами какое-то тяжсловатое хамство. Правда, сейчас он был далеко не так красив, как в детстве, когда мимо него нельзя было пройти, не обернувшись на его черные глаза и великолепную улыбку... Но он себя в детстве не помнил и сравнивать не мог.

На одной лекции по теормеху (теоретической механике) рядом с Вадимом оказался мало знакомый ему толстый студент в очках по фамилии Савельев, со странным бабьим именем Клавочка. У него была неопрятная челка почти до самых очков, на жирной груди рубаха с оторванными пуговицами и в одном ухе — серьга. Он что-то усердно рисовал в своей тетради. Вадим заглянул ему через плечо: что он там рисует? Оказалось, голых женщин. Вадим вообще таких рисунков не любил, но эти показались ему выполненными довольно искусно. После лекции они вышли вместе. Вадим спросил:

— Ты что, художник?

И ожидал в ответ что-нибудь вроде избитого: «Да, от слова "худо"». Но Клавочка сказал другое:

— Я никто. — И подмигнул круглым карим глазом из-под треснувшего стекла.

— Ты бабами увлекаешься?

— Ничем я не увлекаюсь. Просто существую.

Это Вадиму понравилось. Он тоже хотел бы просто существовать, но у него не получалось. Всегда выходило, что он кому-то что-то должен.

Так они познакомились. Поругали профессора теормеха и заодно сам теормех, который неизвестно зачем нужен, потому что в жизни такие абстракции не встречаются. Клавочка сказал, что вообще науки не нужны, а главное — иметь инженерный нюх. Это тоже Вадиму понравилось, выходило, что не так уж он плох со своим небрежением к наукам, а нюх у него был, он чувствовал его в груди. Впрочем, он на симпатию плохо поддавался (если человек ему нравился, он прежде всего подозревал его в корысти). Он спросил у Савельева с подковыркой:

— А почему тебя зовут Клавочкой, как бабу?

— Умные родители, интеллигенты в первом поколении, искали мне редкое, красивое имя и нашли: Клавдий. Удружили. Я сначала переживал, хотел официально менять, через газеты: мол, такой-то Клавдий Савельев меняет имя и фамилию на Гений Ветошкин. Но раздумал. Игра не стоит свеч.

— Я вообще ненавижу красивые имена, — сказал Вадим, у которого тоже было красивое имя, и вся горечь против матери в нем всколыхнулась, пошла кругами.

Вскоре у Вадима с Клавочкой завелась дружба — не то чтобы настоящая дружба, а нечто вроде солидарности отверженных. Роднило их острое отвращение к математике и критическое отношение ко всему вообще. Оба презирали институт, науки, передовиков и карьеристов, всех и всяких воспитателей и перевоспитателей. Только выражалось это у них по-разному: у Клавочки весело, а у Вадима трагично. Клавочка паясничал, передразнивал профессоров, произносил длинные речи за комсомольских руководителей, бичуя лень и разгильдяйство, строил рожи за спиной своих воспитателей (воспитывать Клавочку считалось на курсе самой тяжелой общественной нагрузкой), и все это беспечно, порхающе. Вадим так не мог. Он весь кипел изнутри, когда его воспитывали. Главное, в чем-то он все-таки им завидовал. Опять перед ним маячила завидная чья-то общность, умение войти, слиться. Клавочка никому не завидовал. Он был сибарит. Он говорил:

— Я бы хотел быть на колесиках, и чтобы всегда было под гору.

К концу года оба они обросли хвостами. Где-то впереди маячило отчисление.

Клавочка не унывал:

— Помнишь, как говорил Ходжа Насреддин, когда по приказанию шаха учил осла читать? Что-нибудь случится: либо шах сдохнет, либо осел, либо я сам. А до тех пор...

А до тех пор была молодость, была Москва со своими коленчатыми переулками, с прямыми проспектами, со светлыми витринами, полными дорогих, недоступных вещей. Были здоровые ноги, вечное безденежье, надежды на что-то неопределенное, которое вот-вот придет. Были вечеринки в каких-то малознакомых компаниях, где Клавочка, мастерски игравший на зубах и легкий на слово, неизменно был душой общества. Были, наконец, короткие прислонения к чужим нежным плечам, поцелуи в коленчатых переулках, затем редкие, всегда ошеломляющие встречи — крадучись, где-то в дебрях коммунальных квартир, за чьей-то дверью, за чьей-то спиной, может быть — мужа. Ни одной из этих женщин Вадим не любил, но порой ходил целую неделю как пьяный от пережитой близости.

Институт окончательно отошел, выродился. Где-то там текла веселая и общая студенческая жизнь. Готовились к экзаменам, писали шпаргалки, зубрили сопромат и теормех, сдавали и пересдавали, делали доклады, пели в самодеятельном хоре... Интересовались спортивными, шахматными рекордами... Сколько шуму было, когда один из студентов взял первенство страны по прыжкам в воду! Ребята гордились и радовались, хотя отлично знали, что чемпион числился уже четвертый год на первом курсе и только «зарабатывал очки». Все это знали, но никого это не трогало, не хватало за душу так, как Вадима. Способность страдать от вранья он себе ставил в заслугу, в доблесть: значит, он был чем-то выше других, чутче, совестливее. Только почему-то никто, кроме него самого, этого не замечал...

Пришла весна — с запахом распускающихся листьев, с горячими ладонями в коленчатых переулках... Разумеется, ни Вадим, ни Клавочка весенней сессии не сдали. Надежды на то, что кто-нибудь сдохнет — либо шах, либо осел, либо сам Насреддин, — не оправдались, никто не сдох, и Вадима с Клавочкой представили к отчислению. Клавочка, верный себе, не унывал:

— Кто знает, может быть, это к лучшему... Всю жизнь заниматься делом, которое тебе не по душе... Это все равно как жить с женщиной, у которой изо рта пахнет.

— А какое дело тебе по душе? — спросил Вадим.

Клавочка подумал и ответил:

— В сущности, я бы хотел эксплуатировать чужой труд. Поскольку в наших условиях это невозможно, придется ехать на целину.

Экое трепло! Клавочке было хорошо трепаться: у него не было матери. Старенький отец, отставной учитель, жил где-то в провинции пенсионером, он вряд ли даже знал, где учится его сынок. Другое дело — у Вадима. От одной мысли, что придется обо всем сказать матери, у него сводило челюсти. Как можно скорее, как можно грубее, лишь бы это было кончено! Он пришел домой и сказал:

— Хватит с меня, наплясался по твоей дудке. Ухожу из института, еду на целину.

Анфиса Максимовна так и застыла. Не веря смотрела на него серыми светлыми глазами.

— Шутишь, сынок?

— Какие шутки! Вот, уже путевка в кармане.

Анфиса Максимовна сползла со стула на пол и стала пытаться обнять Вадимовы ноги. Она была тучна и смехотворна. Вадим содрогнулся от пронзительной жалости, но тут же ее подавил.

— Не ломай комедию. Довольно я на них насмотрелся.

Анфиса Максимовна лежала как в обмороке, бледная, почти зеленая. Вадим выбежал, стукнул в дверь к Ольге Ивановне:

— Идите к ней, играйте с ней ваши комедии, а с меня довольно, наигрался.

Ольга Ивановна, встревоженная, встала, кутая платком угловатые плечи:

— В чем дело, Вадим?

— Ухожу из института, еду на целину. Мать лежит в обмороке. Это вы ее, вы научили...

Выражение ненависти на его лице было ужасно.

29

Когда Вадим уехал на целину, Анфиса Максимовна сразу погасла, осела, обмякла. И что хуже всего: работа ее больше не увлекала. Лепечут ребята, а ей все равно.

Понемногу возникла и укрепилась в ней мысль: на пенсию. Напоследок пожить на свободе. Хочешь — спи, хочешь — гуляй, хочешь — книжки читай.

— Я же для своей радости ни минутки не прожила, — говорила она, ощипывая на себе одежду и нехорошо блестя глазами. — Вот на пенсии поживу в свою сласть.

Я ее отговаривала:

— Ох, не делайте этого, Анфиса Максимовна! Без работы вы жить не сможете. Я вот постарше вас годом, к тому же инвалид. Вполне могла бы уйти на пенсию, а работаю...

— Не равняйте с собой. У вас жизнь хорошая была.

— Это у меня-то хорошая жизнь? Ну уж... Ведь вы мою жизнь знаете. Мало у меня было горя?

— Есть горе и горе. У вас горе было тяжелое, а благородное, без стыда. А стыдное горе старит, гнетет. Вы стыдного горя не знали.

— Не завидуйте мне, Анфиса Максимовна.

— Вы образование получили. Вот выйду на пенсию, время будет, я тоже образование получу.

Ну что с ней поделаешь? Пусть идет на пенсию, может быть, и в самом деле лучше ей будет.

30

Ушла Анфиса Максимовна на пенсию. Проводили ее торжественно, заведующая даже речь произнесла о скромных героях труда. Выделили ценный подарок — наручные часики под золото. Анфиса Максимовна плакала: жалко было ребят, жалко товарок, даже заведующую и ту жалко, хотя, если правду сказать, придира она и слишком пунктуальная.

Первые дни миновали быстро. Больше всего ее поражало, что не надо рано вставать, спи себе хоть до полудня. Поздний сон всегда представлялся ей каким-то бесчинством, вроде воровства. Ну что же, уговаривала она себя, заслуженный отдых. Отдыхай. Делай что хочешь.

Потом оказалось, что делать-то и нечего. Маленькое хозяйство на одну себя много времени не отнимало: чай, да каша, да щи на три дня. Чайник маленький, кастрюлька маленькая, вроде как дети стряпают в садике. А кончишь, чашки перемоешь, — и вроде скука берет. Возьмешь книгу — скучно, все не о том. Ей бы про жизнь, а там про соревнование. Радио включишь — опять скучно, частушки приелись, серьезная музыка утомляет. Кот подойдет, выгнет спину, почешется. Все-таки живая душа.

— Ну что, котька? Остались мы с тобой одни.

Мурлычет кот. Мягкий, а тоже скучный.

— Гулять, — сказал врач. — Как можно больше гулять. Она и гуляла. Старалась как нанятая. Ходила к своему бывшему садику, глядела из-за забора, как ребята играют, и так ей жалко их, так жалко, будто своих. Воспитательница новая, молодая, книжку читает, на ребят и не смотрит, а Миша Пантюхов весь в луже изгваздался, да и воду оттуда пьет. Куда ж она смотрит? Анфиса Максимовна как закричит:

— Миша, сию минуту от воды!

156

Миша послушался, узнал ее, за ним и другие. Кричат: «Анфиса Максимовна!» — подбежали к забору, тянутся. Воспитательница книжку бросила, тоже к забору:

— Гражданка, обращаться к детям на территории воспрещается.

Гражданка! Дожила, что в своем родном садике стала гражданкой...

Больше она к садику не ходила. Только себя растравлять.

Очень тосковала она по Вадиму. Он писал редко и сухо, неласково. О себе сообщал мало: здоров, работает, получает неплохо. На один праздник прислал перевод, не особо много, но все-таки. Перевод без слов, одни деньги. Наплакалась от радости, да и от тоски. Жалко сына. Живет, бедный, где-нибудь в бараке, а кругом ветры свистят. Она раз видела картину про целину, там все были ветры, ветры и бараки, бараки... Больше всего она боялась, чтобы он там, на целине, не женился. Мало ли какая попадется — ленивая или злыдня. Привезет ее сюда: «Мама, познакомься, это моя жена». Жена хихикает, палец оттопыривает, работой брезгует... Анфиса Максимовна целые спектакли разыгрывала, как обижает ее сноха, не кормит: «Вы, мама, старенькая, вам есть не надо».

Всегда щедрая, Анфиса Максимовна стала теперь скуповата, все боялась, что не хватит пенсии. Полюбила сладкое, съедала потихоньку, у себя в комнате, чтобы не угощать. Увидят — ест, растреплет Капа по всему дому: «Громова на пенсии, а ест пирожные. Откуда у нее такие деньги?» Начнут проверять и — чего не бывает? — отнимут пенсию. С Капой теперь ссоры были

157

тяжелые, страшные, на досуге-то. Капа попрекала ее Вадимом: «Съела ты судьбу человека, ненасытная утроба твоя. Одного погубила, мало тебе, за другого взялась». А с Ольгой Ивановной прежней дружбы не было. Зайдешь к ней поделиться, а она книжку сует, будто лекарство какое. В книжке, моя матушка, про других написано, а ты мне такую дай, чтобы про меня. А сама все губы поджимает, брезгует. Слезами ее брезгает. Нет, правильно люди говорят: замкнутая она, гордая. А чем гордиться-то? Что работает, не пошла на пенсию? Нет, голубушка моя, старость, она старость и есть. Крепись, не крепись — она свое возьмет. Годом раньше, годом позже, а всем на пенсию.

Спала теперь Анфиса Максимовна слабо, некрепко. Просыпается среди ночи и все думает, думает. А в ушах у нее звенит, звенит.

31

Вадим жил на целине уже второй год, работал, и злился, и все еще хотел кому-то что-то показать, но не показывалось, и выходило, что он самый что ни на есть обыкновенный парень, в чем-то даже похуже других. Жили они в бараке вместе с Клавочкой Савельевым. Клавочка на целине быстро пооблинял, оброс бородой, челка у него свалялась, шуточки успеха не имели, и выходило, что он при всем своем свободном уме тоже самый что ни на есть обыкновенный парень. Выпендриваться-то особенно было некогда. Работа тяжелая, злая. Вадим выучился водить грузовик, техника была хреновая, запчастей не хватало. В горячую пору спать не ложились — ездка за ездкой, день и ночь. Ветры дули в степи, и солнце жгло, а зимою мели бураны, снег двигался сплошной бедой, ничего не было видно — ни жилья, ни дороги.

Однажды Вадим выехал в буран, заблудился в степи, потерял направление, а тут и мотор заглох, и встали они с машиной намертво. Ковырялся-ковырялся — не выходит ни черта. Вадим забился в угол кабины, накутал на себя все тряпье, которое было в машине. Мороз наступал неумолимо, ему стало страшно. Вспомнились рассказы про водителей, которые в степи замерзали. Один, говорят, подлез под машину, подпер ее домкратом, да неудачно: машина рухнула, придавила ему руку. Бился-бился, кричал-кричал — так и замерз. Утром нашли его — весь оледенелый, а рука до самой кости изгрызена — пытался спастись, отъев себе руку, а кости не одолел... Вадим всегда хвастал, что жизнь ему вовсе не дорога, а тут струсил, проклинал судьбу и ревел со слезами.

Утром его нашли товарищи, отвезли в больничку. Оказалось, что отморожены пальцы на ногах, ничего больше. Однако пришлось полежать. Врач жаловался, что пациент ленивый, выздоравливать не хочет.

Пока Вадим лежал в больничке, влюбилась в него медсестра Женя — невзрачная женщинка лет тридцати. Глаза светлые-светлые, волосы венчиком, фигуры никакой. Уход ему был от нее по первому классу точности: мытье-бритье с одеколоном, шоколад, витамины. Вадим любить себя и обхаживать снисходительно позволял, думал: много их таких еще будет. Берег он себя мысленно для чего-то другого, а для чего — и сам не знал. Для чего-то высшего. От нечего делать читал книги, тоже Женя ему приносила. Читал невнимательно, заранее решив, что все там вранье, разве что про шпионов ему нравилось — там и не требуется, чтобы правда. Один раз как-то попалась ему книжка без начала, без конца — то и другое оторвано, ни автора, ни названия. Вот эта книжка ему понравилась. Какой-то вор, каторжник, пришел обокрасть епископа, а тот ему подсвечники подарил и так далее... Очень Вадим этой книжкой увлекся, зубами скрипел, когда дошел до последней страницы, а конца-то и нет.

Навещали его товарищи, ребята из автохозяйства, похлопывали по плечу, чему-то своему радовались, гоготали, говорили про запчасти, про заработки — это все было ему скучно. Считал себя выше таких мелких интересов. Лежал и слушал их разговоры с таким выражением на лице, как у лорда Байрона. Как на грех, ребята этого выражения не замечали. «Ну, бывай здоров, поскорей выписывайся, у нас там сплошная запарка». Пришел однажды его навестить Клавочка Савельев, изменившийся и чистый: челка подстрижена, бороды нет, свитер с оленями. Не паясничал, смущенно сказал: «А я, брат, женился». Вадим усмехнулся, на ком — не спрашивал, ясно, на ком тот мог жениться. Спросил только, где жить собираются, оказалось — у жены. «Ты из общежития-то не выписывайся, — сказал Вадим, — мало ли что. Оставь за собой койку». Клавочка пообещал.

Отлежался Вадим — и опять на работу. В комнате теперь жил он один, Клавочкина койка пока пустовала. Женя приходила раза два в неделю — постирать, починить, постряпать. Оставалась и на ночь, конечно. Утром уходила, цепляясь за него глазами как репейниками, верно ждала, что скажет: «Распишемся». Ну нет, не на такого напала. А Клавочка ходил женатый, смирный, тихий — куда что девалось. Работал нормировщиком. Жена его оказалась объемная, хозяйственная, злая. Эх, Клавочка, Клавочка, продешевил ты себя...

А Вадим жил один на один со своей голодной, неустроенной душой, все перебирая в ней, перетряхивая, все стараясь найти, что там неправильно и в чем он ошибся. Главное, скучно ему было с самим собой. Даже разлюбил он свои любимые мысли о том, что все врут... Ну и что? Куда-то тянуло его, а куда — неизвестно. Стал он почему-то обращать внимание на то, что раньше презрительно называл явлениями природы. Когда шел по утрам на работу, смотрел на небо, где гуляли розовые босые тучки, или на круглую большую степь, ровно расчесанную бороздками пахоты, или на грачей, оравших в земляных выемках, и что-то у него ныло в душе, переворачивалось. Всего страннее, что стал он подолгу думать о матери, и эта мысль уже не душила его, как раньше, а трогала. Словно бы он тосковал по ее слезам, по ее смирению, по ее скользящему слову «сынок».

32

После того как уехал Вадим, а Анфиса стала угрюмой и необщительной, у меня как-то ослабело чувство коммунальной семьи. Как ни странно, причиной тому отчасти стал телевизор. Панька Зыкова купила его в кредит, очень гордилась покупкой и из гордости пускала смотреть всех желающих. Теперь квартирные жильцы почти все вечера просиживали перед экраном с одинаково голубыми лицами, впившись глазами в мерцающее, чуть рябое изображение. Даже Капа Гущина, церковница, не могла устоять против соблазна. Анфиса ходила не каждый день (у нее уставали глаза), а я по-старомодному предпочитала коротать вечер с книжкой. «Отстаете, Ольга Ивановна», — сказала мне однажды Панька (с покупкой телевизора она стала общительнее и даже как будто добрее). Что поделаешь? Я была для телевизора, наверно, слишком стара. Зато чем старше я становилась, тем нежнее и ревнивее любила свою работу. Боялась, что придется когда-нибудь с нею расстаться — упразднят, например, должность или заставят выйти на пенсию.

Какое это чудо — работа с детьми! Дети окружали меня, как живая, текучая вода. Они все время менялись — уходили одни, приходили другие, и в этом тоже была своя грустная прелесть... Страшно подумать, что было бы, если бы в свое время я попала, скажем, делопроизводителем в какую-нибудь канцелярию. Да я бы там умерла...

Шло время, и наши дети, питомцы Дома ребенка, становились сытее, наряднее, красивее, развитее. Я уже научилась находить среди них одаренных — просто по выражению глаз. Знаю, что учительнице не положено различать детей, заводить среди них любимцев. Что поделаешь, у меня были любимцы... Особенно любила я двух девочек: черненькую и беленькую, Аню Ложкину и Маню Веткину. Аня — пряменькая, высоконькая для своих лет, с личиком фарфоровой смуглоты, с такими черными глазами, что в них даже просвечивал оттенок голубизны. «У Ани Ложкиной глаза темно-черные», — говорили ребята. Аня была музыкальна, с отличным слухом, но стеснительна до болезненности. Когда я просила ее спеть, она утыкалась лицом мне в живот и туда выпевала мотив верным-верным, тоненьким-тоненьким голосом. Маня Веткина, напротив, была очень бойка, речиста, и голос у нее был низкий — ребячий бас. Крохотное тельце на тонких, паучьих ножках, голова большая, светлокудрявая, огромные серые глаза, плутовская улыбка... Маня могла говорить не умолкая в течение часа, да так умно, резонно, бойко, что все диву давались. Прочитанную накануне книжку могла повторить почти дословно. Одна беда: не признавала стихов, пересказывала их прозой... Когда мне удавалось оторвать Аню Ложкину от своего живота, они с Маней Веткиной пели дуэтом — флейта-пикколо и виолончель...

Все чаще к нам в Дом приходили люди, желавшие усыновить ребенка. Какая-нибудь бездетная пара, а то и одинокая женщина, жаждавшая материнства. Один раз даже приходил одинокий мужчина. Устраивались смотрины, будущие родители выбирали себе сына или дочь. Какая, в сущности, жестокая процедура! По правилам дети не должны были знать, что их осматривают, «выбирают». Но какими-то судьбами они всегда знали. Даже обсуждали заранее: кого выберут? Быть выбранным считалось большой удачей. Ребята знали, что выбирают охотнее красивых, крепких, кудрявых. Маня Веткина была убеждена, что ее выберут: «Кудрявые всем нужны». — «А ноги?» — возражали другие. Ноги у Мани и в самом деле были тонковаты...

На смотринах в музыкальном зале дети вели себя скромно, тише воды, ниже травы, но всей повадкой, глазами, руками, спинами умоляли: «Выбери меня, выбери!» И выбирали лучших. И уводили. Так однажды выбрали Маню Веткину. День, когда ее увели, был одним из самых грустных... Хотя за нее я должна была радоваться. Ее удочерила женщина с тонким лицом, с такими же, как у Мани, серыми глазами, недавно потерявшая дочку. Уходя, Маня Веткина уже называла ее мамой...

Однажды я пришла домой с работы и увидела, что у двери стоит Ада Ефимовна с ключом в руках и вид у нее озабоченный.

— Здравствуйте, Ольга Ивановна. Хорошо, что вы пришли. Пытаюсь отпереть — не выходит. Вы знаете, я не в ладах с техникой. Звоню-звоню — никакого результата.

— А там кто-нибудь есть?

— Анфиса Максимовна. Когда я уходила, она была дома. Попробуйте своим ключом.

Я попробовала — дверь оказалась запертой на цепочку. Позвонила раз, другой, третий — никто не шел.

Ада была бледна, я тоже встревожилась.

— Что-то случилось, — сказала она. — У меня такое предчувствие.

— Спит? — предположила я.

— Нет, так не спят, она особенно, у нее сон плохой, все жалуется.

— Позовем дворника?

Дворника на месте не оказалось, один топор. Мы стояли во дворе. Дом ремонтировался, весь в лесах. Окно в комнату Громовых было распахнуто.

— Я влезу в окно и изнутри вам открою, — сказала Ада.

— Как же вы влезете? Третий этаж...

— А я по лесам, по лесам...

Живо, как обезьянка, Ада стала карабкаться вверх. Ее юбочка развевалась колоколом. Снизу мальчишки кричали: «Глядите, бабка лезет!» Все это было как в дурном сне. Добравшись до третьего этажа, Ада помахала мне ручкой и скрылась в оконном проеме. Я поднялась по лестнице — лифт опять не ходил. Я позвонила — никто не отзывался. Вдруг шум какой-то в коридоре. Бежала Ада, кричала Ада:

— Ужас какой! Она умерла, умерла!

— Впустите меня.

Ада, крича, путалась с цепочкой.

— Какой кошмар! А тут еще цепочка...

Наконец она меня впустила. Мы кинулись в Анфисину комнату. Она лежала на полу вниз лицом, ноги были неуклюже вывернуты внутрь носками. Я попыталась ее повернуть вверх лицом — тяжелая, грузная, она была мне не по силам. Мне показалось, она дышит, жива.

— Ада, звоните скорей в неотложную!

— Звоню, звоню.

Ада кричала по телефону:

— Вы понимаете, человек умирает! Оставьте меня с вашими подробностями!

А я все пыталась перевернуть Анфису, как будто от этого зависела ее жизнь. Кое-как мне удалось повернуть ее на бок, но она сразу же опять завалилась ничком. В горле ее что-то булькало: жива.

Приехала неотложная. «Инсульт», — сказал врач. Анфису погрузили на носилки, вынесли, увезли. Я побежала посылать телеграмму Вадиму.

Вся квартира притихла. Вечером ко мне пришла Капа.

— Ольга Ивановна, я у Анфисы-то в комнате прибрала. Я по-христиански. Тоже был человек.

— Не говорите «был», Капитолина Васильевна, она ведь еще жива.

— Жива, а помрет обязательно. Перст божий. Дуло ее как на дрожжах. Спрашиваю: и куда ты толстеешь? Обижается. Вот и вышло по-моему.

Капа была сурова, но потрясена и этим располагала к себе. Я ее угостила чаем. Она не отказывалась, выпила. К чаю ничего не было.

— Тебя, Ольга Ивановна, удар не тронет, ты сладкого не любишь, вот и худая. Меня вполне может тронуть через мою полноту. Для глаза-то оно хорошо, а для удара плохо.

После чая она сказала:

— Ольга Ивановна, позволь у тебя посидеть вечерок. Моя комната рядом с Анфисиной, боюсь чего-то. Смерти своей боюсь.

— Пожалуйста, сидите, я очень рада.

Капа просидела у меня вечер и говорила, говорила... Жалела Анфису, упрекала себя:

— Грех на моей душе. В соблазн я ее вводила, покойницу. Мне бы помолчать, а я спорить. Будто дьявол меня за язык дергает.

Она упорно называла больную покойницей, и я перестала уже возражать. Там, где-то вдалеке, Анфиса лежала без чувств, без речи, недоступная для нашего понимания. Тьма, отделявшая ее от нас, была так густа, что мало чем отличалась от смерти...

За этот вечер Капа рассказала мне всю свою жизнь. Родилась она в селе близ Сергиевского Посада, по-теперешнему Загорск. С малых лет любила в церковь ходить. У Троице-Сергия больно хороши соборы, один другого лучше, один другого краше, как в раю.

Маковки голубые, звездочки золотые, а уж внутри...
Долго описывала она церковную службу, старалась
пробиться сквозь косную свою речь, чтобы я все это
увидела: и огоньки свечей желтенькие, и дым от кадила
синий, летучий, и пение ангельское. Досадовала сама
на себя, что не так у нее получается, вздыхала и все повторяла с молитвенным вздохом:

— Умиление, райский крин.

Потом стала про себя рассказывать, про свою
жизнь:

— Шла замуж не по воле. Выдали меня рано, за старика. Вредный был, колючий, из ушей волосы. Требовал, чтобы любила, а я молодая была, не знала, как это
любят. Родился, однако, у меня мальчик, хорошенький-
расхорошенький, вылитый херувим, ну как на иконах
рисуют. Я на него радуюсь, я на него любуюсь, просто
молюсь, а грех на человеческое молиться. Вот и наказал меня Бог. Третий год было Коленьке, и помер.
Скарлатина задушила. Я его таскаю, я его таскаю. Умо-
ляю, чтобы жил. А он глазки раскрыл, обхватил меня за
шею, прижался, рыднул один раз и кончился.

Капа помолчала, откашлялась и продолжала другим
голосом:

— Ну вот. Детей больше у меня не было. Муж-то помер вскоре после Коленьки. Схоронила старого, а меня
уже за другого сватают. Хоть и не старик, а больно не-
хорош. Собой ничего, крупный — как говорится, об дорогу не убьешь, — но косоротый. Щека у него порубле-
на сабельным ударом и все будто бы оскаляется. Это
уже после гражданской было. Началась у всех новая
жизнь, а для меня все старая. Деревня наша бедная-
разбедная. У отца с матерью ребятишек копна, рот на

рте, пить-есть каждый просит. Куда подеваешься? Вышла за косоротого. Потом обтерпелась, оказался мужик ничего, не первый сорт, но все же. Привыкла. Не пьет, не курит, по бабам не ходит — мужик как мужик, бываст хуже. Убили его в коллективизацию, он колхозы насаждал, а в него из-за темного угла кулачье пульнуло. Повыла я тогда, ничего не скажешь. Выть-то я хорошо умею, на все село первая артистка. Потом мне тетка Анисья: «Капа, хочешь, грит, в Москву?» А я тогда ничего не понимала, дура дурой. Трамвая в лицо не видела. Грю: «Хочу». Отвезла она меня в Москву и устроила прислугой, по-нынешнему — домработницей. А прислугой известно как — ни чести, ни позору. Все ничего, живу, только полюбила одного страшной любовью. А он был женатый. Грех любить женатого, а я любила, несмотря что грех. Такая это была любовь, что если в книжке ее описать, никто не поверит. Люблю, а живу в прислугах. Думаю, стыдиться будет он меня, и ушла на фабрику. Дали мне общежитие. Подружки меня жалеют за мою сильную любовь, занавеской отгородили и не возражают, когда женатый ходит ко мне ночевать. Несколько лет я в грехе прожила, как свинья в навозе. Только приходит раз в общежитие этого, женатого, жена — и мне в волоса. Подрались мы с ней до скандала, до коменданта. Из общежития выперли. Куда деваться? Опять в прислуги. Девочку нянчила, сильно ее любила, а женатый с того времени отстал. Вырастила девочку, в школу ей идти, и грят мне хозяева: «Прости-прощай, больше ты нам не нужна». Это как же? Растила-растила — и не нужна? Вот когда пореветь-то пришлось. Вся отсырела... Однако устроилась в ночные сторожа. Комнату дали, эту самую, где теперь живу.

Сторожем хорошая работа, много времени для души остается. Сторожи себе, только не спи. Сижу, тулуп глубокий, теплый, и звездочки на небе считаю. Стала я по ночам-то о Боге думать, по ночам сподручнее думать, чем днем. Наверно, думаю, за грехи мои Бог от меня отступился. Ан врешь, горят-мигают звездочки, — Бог, он ласковый, всему отец. Пришла я к батюшке посоветоваться. Он грит: «Бог все прощает, любые грехи, только молись». Стала молиться, церковь посещать. Теперь, как на пенсии живу, ни одной службы, можно сказать, не пропускаю. Слава богу, дала мне советская власть пенсию. Я советской власти против ничего не имею, заботится о простом человеке. Только думаю: зачем они церкви позакрывали? В селе у нас был храм, теперь склад. Большая радость от церкви человеку, красота большая... Я об Анфисе-то молиться буду, много я с ней нагрешила. Господь все прощает, только молись. Я за Анфису-то свечку поставлю в пятьдесят копеек, не пожалею.

Капа замолчала, снова откашлялась и спросила:

— А что, Ольга Ивановна, если я у тебя ночевать останусь? Крепко я себя разбередила, страшно одной ночевать, покойники придут.

— Пожалуйста, Капитолина Васильевна. Ложитесь на кровати, я на полу лягу.

— Нешто я допущу, чтобы хозяйка — да на полу? У меня раскладушка есть, слава богу, не нищая.

Капа принесла раскладушку, мы постелили, легли. Комната моя узенькая, раскладушку пришлось поставить почти вплотную к кровати. Капа долго ворочалась со скрипом и звоном, потом сказала:

— Жизнь — это срам.

169

Я не отвечала.

— Ольга Ивановна, ты спишь?

— Нет, не сплю.

— А по-твоему, бога нет?

— Думаю, нет.

— А какая же спадчая?

— Какая спадчая?

— А лампа. Слушай, что со мной было. Хотела я свечку Николаю Угоднику поставить, большую, за рубль. И вдруг обуяла меня жадность, выбрала другую, за пятьдесят копеек. Поставила, думаю: «Угоднику все равно, а я женщина бедная». И что же ты думаешь? В тот же день вечером сижу вяжу чулок, а лампа над моей головой как взорвется да как упадет, и осколок от абажура прямо так на меня и спал. Бог-то видит, что пожалела я денег на свечку, вот меня и наказал. А абажур-то, он не рубль — он целых два пятьдесят стоит. А ты говоришь: Бога нет.

— Спите, Капитолина Васильевна, ничего я не говорю. Спите спокойно.

Она еще поворочалась и затихла, заснула. А я не спала до утра.

33

Вадим приехал через несколько дней черным-черный, с каким-то усохшим лицом — и сразу в больницу. Анфиса его не узнала. Лежала она в палате на десять человек. Голова обритая, взгляд бессмысленный. Кругом стонали, хрипели, жаловались другие больные. Анфиса лежала молча, с глазами, затянутыми тусклотой.

Вадим целые дни проводил в больнице, всех врачей поднял на ноги. Врачи отвечали: что мы можем? Тяжелый инсульт, вся правая сторона парализована, речевые центры тоже.

— Она поправится? Будет ходить? — спрашивал Вадим у врачей как у нерадивых слуг.

Ему отвечали неопределенно, скорей отрицательно:

— Пока неизвестно. Поражения глубокие, но, может быть, постепенно некоторые функции восстановятся. Организм в основе своей здоровый... Сердце работает неплохо.

Скоро в больнице привыкли к его присутствию. Он приезжал каждый день, ставил цветы к изголовью Анфисы Максимовны и садился рядом на шаткий стул. Сидел он так часами, стиснув на коленях большие смуглые руки. На запястье левой шли часы, стрелки двигались быстро, он не замечал, как проходило время. Он смотрел в лицо, искаженное болезнью. Один глаз был открыт, но бессмыслен, другой прищурен и словно подмигивал.

— Мама, — окликал он ее время от времени, — мама, ты меня слышишь?

Мать глядела на него насмешливо, словно говоря: «Ага! Добился своего?»

Когда приносили еду, Вадим брался за ложечку и пытался кормить больную. Неизвестно, глотала она или нет; иногда в горле у нее булькало, и что-то вроде глотательной судороги проходило по шее. Жидкость выливалась из бесчувственных губ, пачкала наволочку. Вадим приподнимал тяжелую щетинистую голову, подсовывал под нее полотенце, снова подносил ложку к свинцовым губам.

В уход за матерью он ринулся очертя голову — ожесточённо и самозабвенно. Он не только кормил и мыл её, он выполнял и другие процедуры, от которых мужчины обычно уклоняются, оставляя женщинам все нечистое, отвратительное. Вадим ни от чего не уклонялся, все делал с непроницаемым, гневным, темным лицом.

Когда Анфисе Максимовне стало хуже, он добился разрешения оставаться в палате на ночь. Женщины поздоровее роптали: «Зачем в палате мужчина?» Парализованным было все равно. Вадим сидел истукан истуканом, послушно отворачивался, когда предлагали ему отвернуться, но как-то удивлялся тому, что это важно. Труднее всего ему было, когда он ловил чей-то шепот: «Вот это сын! Всякой бы матери такого сына!» Тогда он стонал себе в нос. С врачами был строптив и требователен, раздражал их ироническими замечаниями, не скрывая, что считает их лодырями, неучами, даром жрущими свой хлеб. Врачи отвечали ему дружной неприязнью.

— Поймите, мы не боги, — сказал ему молодой ординатор с розовым благополучным лицом. — Мы делаем все возможное, уверяю вас, но случай практически инкурабельный. Прибавьте возраст, тучность... Каждая жизнь имеет предел.

Вадим чуть его не прибил. Он боролся за мать, он знать не хотел ни о каких пределах. Он хотел, чтобы она жила, чтобы еще хоть раз сказала ему «сынок».

Проводя в больнице дни и ночи, он урывками ел в соседней забегаловке, а спал тут же в палате на скрипучем стуле, ронял голову и просыпался. Глаза у него провалились, нос обвелся резкой чертой, даже горбина какая-то прорезалась хищно, что-то страшноватое появилось во взгляде.

Других посетителей он к матери не допускал: «Нечего вам тут делать». Так он выставил Капу, явившуюся было с бутылочкой святой воды, и Аду Ефимовну, которая пришла с коробкой шоколадных конфет. Коробку он с презрением отверг: «Эх вы...» Исключение делал для Ольги Ивановны, которую иногда допускал постоять на пороге палаты, говорил: «Насмотрелись? Довольны?» — и тоже гнал.

34

Однажды я решила объясниться с Вадимом. Я подкараулила его в коридоре. Он нес судно, и лицо у него было такое гневное, взрослое, незнакомое, что я невольно обратилась к нему на «вы».

— Вадим, постойте, поговорите со мной. Почему вы меня не допускаете к Анфисе Максимовне?

Он прямо заклокотал.

— Потому что вам это не нужно. Вам же на нее наплевать.

— Не буду вам возражать, вы сами знаете, что это неправда. Поймите, нельзя так отгораживаться от людей. Я вас бесконечно уважаю за все, что вы для нее делаете...

— Чихать мне на ваше бесконечное уважение. Если я что и делаю, так не для вашего уважения.

— Дайте мне возможность хоть чем-то вам помочь...

— Зачем это? Почему вы сюда ходите?

— Странный вы человек. Хожу потому, что люблю ее, жалею, хочу помочь.

— Все это ложь.

Я вздрогнула, впервые услышав взрослое «ложь» вместо ребяческого «вранье».

— Я не лгу. Мне жаль ее и жаль вас. У вас такой ужас внутри.

— Все это ложь, — исступленно повторил Вадим. — Вот вы говорите: жалеете ее. А согласны вы, как я, дежурить здесь целые сутки? Все за ней убирать, выносить, как я выношу? Если согласны — ладно, я тоже согласен; оставайтесь тут вместо меня.

Он захохотал; нянечка, подтиравшая пол, поглядела на него с ужасом.

— Я этого не могу. У меня работа.

— Вот-вот! Работа! Значит, все лжете насчет любви и жалости. Если человек любит, жалеет, ему на все наплевать: на работу, на дом, на родных, знакомых. Ведь вы свою работу для нее не бросите? Нет. Значит, и говорить не о чем.

Повернулся, ушел в палату.

35

Ночью он опять дремал на стуле возле койки Анфисы Максимовны. Мать лежала перед ним как гора. Эта гора мучительно дышала. Появлялся отец, Федор, брал его на руки, ласкал, подбрасывал. На руках отца светились рыжие волоски. Вадим пламенно любил эти волоски, эти руки. Между матерью и отцом что-то стояло, а он это что-то разрывал, разрушал. Раздавался треск, что-то рушилось, он почти падал со стула, опоминался, опять слушал дыхание матери — хриплое, переламывающееся на каждом вдохе. И опять: руки отца, руки отца...

Месяца через два Анфисе Максимовне стало получше. Она открыла оба глаза, пропал иронический прищур. Стала глотать, есть. Вадим был счастлив. Он поднимал ее, сажал, обкладывая подушками. Она была бледна, худа, на себя не похожа с этой остриженной головой, зарастающей седой короткой щетинкой, но глаза были уже осмысленные, смоченные разумной слезой. Одна рука все еще была неподвижна, но другая — худая, исколотая — поднималась к голове, хотела поправить волосы, их не было, и глаза недоумевали. Она пыталась даже говорить, но речи не получалось. На губах лопались какие-то заикающиеся, размытые звуки: ти-ти-ти или ка́ра-ка́ра-ка́ра... Она явно хотела ему что-то сказать, Вадим из себя выходил, чтобы понять, приближал ухо к ее губам, упрашивал: «Мама, говори же, говори», — но получалось все то же: ка́ра-ти-ти-ка́ра или наоборот — ти-ти-ка́ра-ка́ра-ка́ра, и без конца...

Когда врачам стало ясно, что состояние больной стабилизировалось и ждать больше нечего, ее решили выписать. Главврач сам говорил с Вадимом.

— Конечно, вы человек молодой, мы понимаем, что вам тяжело взять на себя такую обузу. Но поймите и нас, мы не можем держать у себя хроников. У нас каждое место на счету, сами видите — лежат в коридорах. Вы где работаете?

— Сейчас нигде. Работал на целине.

— Вы можете хлопотать, чтобы ее взяли в дом хроников. Вам как целиннику пойдут навстречу. Возьмите необходимые справки...

— Нет уж, спасибо. Милостей мне не надо. Я свою мать как-нибудь сам прокормлю.

— Как хотите, — сказал главный врач. Этот молодой человек вызывал в нем какое-то враждебное уважение. — Во вторник мы ее выписываем.

...Во вторник Вадим привез Анфису Максимовну домой. Она радовалась, как ребенок, лепетала свое «кара-ти-ти-кара», а Вадим глядел на нее мрачно и ласково, подтыкал одеяло, подвесил ей к уху будильник, говорил «тик-так».

Возвращение Анфисы Максимовны обсуждалось квартирой на все лады. Снова в кухне кипели горячие пересуды.

— Он человек молодой, — сказала Капа, — жениться захочет, а куда жену привести? В комнате тело лежачее.

— Как можно так рассуждать? — чирикала Ада Ефимовна. — А если бы такое с вами случилось, что бы вы сказали?

— То бы и сказала: бог ушиб — и лежи. Чем чужой-то век заедать, лучше помру по-хорошему. Смерть одна — что в больнице, что дома.

Панька, обычно в таких случаях молчавшая, неожиданно произнесла свое мнение:

— Всем помирать. Мне помирать. Тебе помирать.

Неясно, что это значило, но, кажется, она была согласна с Капой.

— Зачем вы ее-то обвиняете? — сказала Ольга Ивановна. — Она больной человек, ее привезли, и все.

— Больной-то больной, а все ж понимать надо, — сказала Панька.

36

Я купила кое-каких гостинцев — яблоки, шоколад, печенье — и постучалась к Громовым.

— Войдите, — сказал Вадим.

Анфиса Максимовна лежала в широкой, нарядно убранной постели. Казалось, женские руки готовили эту постель. Строченый пододеяльник, пышные, высоко взбитые подушки, нарядное, атласное одеяло. На подушках — бледное, худое лицо, до странности измененное ежиком седых волос. Анфиса, всегда такая женственная, в этом виде была похожа на старика.В глубине лица словно плавали ставшие огромными серые глаза. Она меня узнала, оживилась, заговорила горячо и быстро:

— Кара-ти-ти-кара! Ти-ти-кара-кара-кара. Кара-ти-ти-кара!

В этом потоке звуков были какая-то безумная выразительность, беглость, ритм.

— Содержательная речь, — сказал Вадим. Он сидел у стола полуспиной к нам.

Анфиса Максимовна взглянула на него с негодованием («Боже мой, она все понимает!» — подумала я) и опять заговорила теми же звуками, но в другом порядке, в другом тоне:

— Кара-кара-кара-ти-ти-кара! Ти-ти-кара-кара-кара-кара!

Казалось, она говорит вполне осмысленно, но на чужом языке... Я положила гостинцы на стул у кровати (он был щегольски застлан белой салфеткой). Она закивала мне и опять заговорила по-своему. На этот раз все было понятно: она благодарила меня...

— Ну, довольно, — сказал Вадим и подошел к постели. — Посмотрели, и хватит. Нам пора спать. Правда, мама?

Он погладил ее по седой щетинистой голове. Она умоляюще, нежно и косо взглянула на него снизу вверх. Я ушла.

37

Шли дни, недели, месяцы. Состояние Анфисы Максимовны было все то же. Вадим по-прежнему за ней ухаживал. Его изводило, сбивало с ног обилие стирки. Только что все переменит, вымоет, положит чистое — опять двадцать пять.

Целыми днями он стирал и кипятил простыни. На кухне постоянно можно было видеть его мрачную фигуру, согнутую над корытом. Всякую помощь он отвергал.

— Дай постираю, мне дело привычное, — предлагала Капа.

— Не надо, — отвечал Вадим.

Белье он развешивал тут же на кухне, для чего проткнул над плитой ряд рыболовных лесок, и даже грозная Панька не смела ему ничего сказать. Стряпал он тоже сам, неумело и гордо, не терпел, чтобы ему советовали. Сварив обед, шел кормить с ложечки Анфису Максимовну. Он кормил ее, как сердитая нянька опостылевшего ей ребенка:

— Ам-ам, открой рот. Открой, тебе говорят. Ам-ам, не отлынивай.

Потом кое-как обедал сам, ел остывшее, невкусное, без интереса. Мыл посуду и снова стирал.

Он втянулся в такую жизнь, он уже забыл, что бывает другая. Деньги у него пока были, заработанные на целине, а на будущее он не загадывал. Как говорил Клавочка: либо шах...

Иногда он сердился на мать, ссорился с ней — это когда ему казалось, что она косноязычит нарочно. Учил ее разговаривать:

— Ну, мать, полно лодырничать, давай заниматься. Открой рот, говори «а». Понимаешь? «А-а».

— Кара-ти-ти-кара, — отвечала Анфиса Максимовна.

— Брось ты свою титикару, — сердился Вадим. — Говори «а».

Она очень старалась, мычала, трясла головой, но ничего не выходило.

— Глупая! Я же для тебя стараюсь. Вот научишься говорить — все сможешь сказать, все попросить. Захочешь чаю — попросишь чаю. Другого захочешь — тоже. А сейчас ты как зверь бессловесный. Будешь учиться, а?

Нет, ничего не получалось. Вадим сходил даже на консультацию к логопеду, но тот ничего путного не посоветовал, говорил о торможении, о нервных центрах, о лечении заик гипнозом, спросил, сколько пациентке лет, а когда узнал — умолк и перестал советовать.

Вадим решил учить мать уже не разговору, а грамоте. Купил разрезную азбуку.

— Смотри, вот буква «а». А вот «м». Вот я сложил «мама». Понимаешь? «Мама» — это ты.

Он тыкал ей в грудь пальцем. Она тараторила, кивала и тоже тыкала в грудь пальцем здоровой руки.

— Молодец! Все поняла. Теперь сама сложи — «мама».

Он брал ее руку в свою, направлял холодные, вялые пальцы, складывал их щепотью...

— Ну, ну!

Ничего не выходило. И чем больше старался Вадим, тем хуже. Анфиса Максимовна кивала, соглашалась, все понимала, но слова́ из букв у нее не складывались. Он сердился, а она плакала. Лицо у нее при этом не морщилось, не менялось, только глаза становились страдальческими, и из них текли большие прозрачные слезы. Этот беззвучный плач всегда потрясал Вадима.

— Ну вот, опять ты меня берешь за горло! Ну зачем ты меня терзаешь? Я же для тебя стараюсь, пень ты несчастный! Ну хочешь, я сам с тобой заплачу? Смотри, до чего ты меня доводишь!

И он плакал сам лающим плачем, давясь и захлебываясь.

Когда стало ясно, что с чтением не получается, Вадим забросил буквы, но не отступил. Ему надо было, необходимо пробить стену, отделявшую его от матери, вступить с нею в общение. Для чего ему это надо было, он сам не знал, но очень, смертельно надо. Он взялся за цветные карандаши. Рисовал ей, как ребенку.

— Вот это солнце. Оно красное. А вот это лист. Он зеленый. Поняла? Теперь возьми красный карандаш. Не зеленый, а красный. Красного цвета не знаешь! Говорят тебе русским языком: красный! Вот хорошо. Молодец.

Похвала Вадима была для матери счастьем. Она расцветала.

Он возился с нею терпеливо, как дрессировщик, и за три месяца научил ее различать и брать в руку красный карандаш, зеленый, синий...

А потом у Вадима кончились деньги. Надо было поступать на работу. Шофером он идти не захотел, хоть и хорошо оплачивается. Жизнь шоферская — в разъездах, а ему надо было поближе к дому. По протекции дворника он устроился в будке на ближайшем углу чистить ботинки и продавать шнурки.

Будка была стеклянная, Вадим сидел в ней как экспонат. Через каждые два-три часа он запирал ее и шел домой; там он кормил мать, менял ей простыни и снова шел на угол. Работа ему была ненавистна. Отпуская покупателям шнурки, он щурился, гримасничал, нарочно старался выбрать пару похуже, помахристее; просили у него черные — подавал коричневые словно по ошибке. Ботинки чистил, впрочем, на совесть, щеголяя скользящими движениями потертой бархотки. Чаевые отвергал с негодованием, один раз бросил гривенником в клиента, тот обиделся, привел милиционера. Милиционер выслушал обе стороны и решил в пользу Вадима:

— Это не он, это вы, гражданин, советского человека гривенником оскорбили. Дали бы в крайности пятьдесят копеек...

А потом на Вадима подали заявление. Какие-то пенсионеры жаловались, что его часто нет на месте: хочешь почистить обувь — и не можешь. Пришлось работать строго по часам, бегать домой только в обеденный перерыв. Ни в какие объяснения по этому поводу он не вступал.

Один раз чистил Вадим чьи-то ботинки, солидные, черные, с рантом, случайно поднял глаза и увидел, что перед ним сидит, поставив ногу на скамеечку, не кто иной, как его бывший декан Сергей Петрович Наволочкин. Вадим чуть не умер от унижения. Сергей Петрович его, как ни странно, помнил.

— А, Громов! Вот как пришлось встретиться.

Вадим молчал, усердно полируя ботинок.

— Ну что же, дело хорошее. Вы, помнится, математику не любили. Нашли себе дело без математики, а?

Крупные брови декана по-прежнему воинственно загибались к самым глазам. Снизу, в ракурсе, лицо казалось злорадным.

— Зачем издеваетесь? — сказал Вадим.

— Что вы, я и не думал издеваться. Как здоровье вашей матушки?

— Она больна, — коротко ответил Вадим.

— Надеюсь, ничего опасного?

Вадим мотнул головой.

— Ну, кланяйтесь матушке, кланяйтесь. Скажите ей, что Люся, ее воспитанница, уже в школу ходит, во второй класс.

Вадим уже кончил с ботинками. Сергей Петрович встал, уплатил ему за работу копейка в копейку, поправил кашне, прикоснулся к шляпе.

— Ну-с, будьте здоровы. Если новая работа вам не по душе и надумаете опять в институт — заходите, поговорим. Только на этот раз без дураков. А?

Вадим кивнул. Институт, ученье — все это было как на другой планете.

Днем он работал, а вечером и ночью стирал. Анфиса Максимовна лежала все в том же состоянии, говорила «кара-ти-ти-кара» на разные лады, но голос ее звучал тише и оживления было меньше.

Однажды, придя домой, он застал ее на полу, почти у самой двери, в обнимку со стулом. Видно, она пыталась встать, выйти, куда-то выбраться, хватаясь за стул, но не справилась, упала. После этого он стал, уходя из дому, привязывать ее к кровати и запирать на ключ.

38

Я стирала на кухне и услышала какие-то звуки из комнаты Громовых. Кто-то стонал, плакал, почти выл. Я стукнула в дверь:

— Анфиса Максимовна, это я. Можно к вам?

Звуки усилились. Я толкнула дверь — заперта. Я поискала ключ везде, где обычно кладут ключи, — нет. Звуки становились глуше, хриплее, потом затихли. Жива ли?

Я кинулась к дворнику, умоляя взломать дверь.

— Понимаете, там больная, заперта одна, может быть, умерла...

— Не имею права взламывать частное помещение. Не позволено по конституции.

— Оставьте конституцию, там же больная, ее надо спасать.

— А сын где? На работе? Так это же близко. Сбегайте за сыном.

Я побежала к Вадимову киоску. Его там не оказалось. «На базу поехал», — сказал милиционер. А Анфиса, возможно, умирала...

Я притащилась обратно к дворнику:

— Сына нет. Если вы сейчас же не взломаете дверь, вы ответите по статье сто сорок шестой.

Что это за статья, я и понятия не имела. Но помогло. Он пошел ломать дверь, досадуя, что его оторвали от занятий.

Дверь распахнулась с треском. Анфиса Максимовна лежала без сознания, свесив голову. Я не сразу поняла, что она привязана.

— Зверь, — сказала Капа, вся любопытство. — Привязал мать, как козу на выпасе.

Анфиса была жива, но в глубоком обмороке. Глаз тускло светился сквозь маленькую щель. Врач сделал укол, привел ее в чувство. Она хрипло дышала и смотрела бессмысленно. Что с нею было? Чего она испугалась? С ужасом она смотрела в окно. Там было что-то, там... Я сидела у ее кровати. Время шло, за окнами становилось темнее, она заснула.

Вечером пришел Вадим. Увидев, что дверь взломана, а я сижу у кровати, он пришел в ярость. Он надвинулся на меня с опущенной головой, с низкими, тяжелыми кулаками:

— Кто дал вам право? Я этого так не оставлю! Вы за это ответите!

Я не испугалась. Я вообще не боюсь стихийных бедствий: грозы, бомбежки, разгневанных мужчин.

— Это вы не имеете права запирать ее, привязывать, как животное. И почему? Только потому, что не хотите ни от кого принять помощи.

— Молчите! — крикнул Вадим. — Много вы понимаете, мерзкая женщина!

Я спокойно прошла к себе в комнату. Тяжелые шаги приблизились к моей двери. Вадим приоткрыл ее и крикнул:

— Вам запрещаю туда ходить! Слышите, вы, интеллигентка?

— А вы дурак, — сказала я.

Тоже, умна...

С этого дня Вадим перестал со мной здороваться. Взломанную дверь починили, поставили новый замок. Уходя, Вадим по-прежнему запирал дверь, но Капа подсмотрела, куда он прячет ключ. Иногда в его отсутствие я по-воровски проникала в комнату. Анфиса Максимовна лежала непривязанная, тихая, старая, отросшие волосы плоско липли к подушке. Время от времени она начинала бормотать «кара-ти-ти-кара», но без прежнего оживления. К гостинцам была равнодушна. В глазах у нее был страх, она с ужасом глядела в окно, протягивала туда руку, как будто оттуда, именно из-за окна, ожидала неминучей беды. Посидев, я уходила на цыпочках. Она провожала меня глазами. Я опять запирала дверь.

Самое худшее, что Вадим несколько раз приходил пьяный. Из-за двери слышны были дикие звуки, Вадим двигал мебель, хохотал. Иногда он плакал лающим, собачьим голосом. Один раз он привел с собой женщину...

Может ли быть предел человеческим мучениям? Я понимала, что Анфиса Максимовна умирает, но уже не желала ей жизни, думала: хоть бы скорей. Все мы так думаем, когда умирает тяжелый больной, измучивший себя и других. Мы оправдываем себя тем, что желаем конца мучений ему. Это ложь, на самом деле мы желаем конца мучений себе...

И вот в одно утро Вадим пришел на кухню и сказал, ни на кого не глядя:

— Мать умерла.

Дверь стояла незапертая, пришли все. Анфиса Максимовна лежала плоско и тяжко, не отдохновенно, а словно трудясь на своем смертном ложе. Лицо ее было зеленоватым и строгим, осуждающим.

— Слава богу, отмучилась, — сказала Капа. — Упокой, Господи, душу новопреставленной рабы...

— Все там будем, — буркнула Панька.

Ада плакала куриным, квохчущим голосом.

Капа вымыла, прибрала покойницу. Мы положили тело на стол.

— Кожа да кости, а тяжела, — говорила Капа. — Покойник, он всегда тяжелый. Живого душа держит.

Насчет смерти и похорон Капа все знала:

— Слава богу, не первого хороню! Я и обмою, я и обвою, я и в гроб уложу. Зеркала завесить, а не то душа в них смотреться будет, ей, душе, тяжело, страшно увидеть себя в зеркале. Покров ни в коем разе не подшивать, не то пришьешь вечную жизнь.

На лоб покойнице Капа положила бумажную полоску с молитвой — все же крещеный человек, хоть и неверующий. Пришел Вадим, сказал: «Это — убрать».

Хоронить он решил в крематории. Капа возражала, говорила о Страшном суде. Ангел трубит, все по трубе встают, каждый в свое тело вселяется, а у кого сожгли — нет тела, куда хочешь вселяйся... Он не слушал. А вообще в эти дни до похорон он был почти кроток, вежлив со всеми, задумчив. Мне принес стул. Часто встряхивал головой, как бы сгоняя мысли.

39

Хоронили Анфису Максимовну накануне Октябрьских праздников. На работе в этот день было сложно, готовились к завтрашнему утреннику, спешно дошивали костюмы, гладили, галдели. Мой первый солист Васючок Шишкин внезапно потерял голос, сипел и кашлял, пришлось вместо него срочно вводить другого, а он не хотел, плакал. Назавтра, кажется, ожидалась комиссия. Заведующая нервничала, по десять раз заставляла повторять кантату, и, как всегда в спешке, ничего не получалось. Рояль звучал отвратительно, одна клавиша западала, настройщик уже включился во встречу праздника и был невменяем. Одним словом, бред.

Кремация была назначена на семь часов. Я решила ехать в крематорий прямо с работы, не заходя домой, но репетиция не ладилась, и я боялась, что не успею. В начале шестого я сказала заведующей, что больше не могу, она с уксусным лицом меня отпустила, заметив, что времени еще вагон и нельзя ставить личное выше общественного. Я промолчала. Для меня времени было в обрез, одной езды больше часу, да еще пересадки. Такси в такой день достать было немыслимо... Я вышла на улицу. Подмерзшая земля звенела под ногой, воздух был сух и холоден, наверху катился полный месяц, с налету ныряя в безумные светлые облака и снова выпрыгивая. Яркий месячный свет заливал переулок. Вдруг неподалеку засветился зеленый огонек. Чудо — такси! Я подняла руку, машина подкатила, виляя по мерзлым колдобинам.

— В крематорий, — сказала я, и мы покатили.

— Хороните кого? — спросил шофер.

Я кивнула. Он пощелкал языком.

— Родственника?

— Нет, подругу.

— Ну, это еще ничего.

Мы ехали через всю Москву, оживленную, праздничную, иллюминированную, с гирляндами цветных лампочек, с ярко освещенными портретами на фасадах домов. На ветру хлопал кумач, город куда-то летел, приосанившись, охваченный веселым волнением. Толпы людей стремились в магазины, из громкоговорителей лилась музыка, кое-где пошатывались успевшие досрочно встретить праздник. Машина мчалась сквозь летящий, хлопочущий, огнями сияющий город. Я старалась не смотреть на счетчик, где угрожающе нащелкивались цифры. Денег могло не хватить. Мы приехали. К счастью, денег хватило, даже с избытком. «Счастливо вам похоронить», — сказал шофер, принимая чаевые. Я вошла в зал, сопровождаемая его напутствием. Оказалось, я приехала за час до срока. Было шесть.

В зале стоял горький, сырой и странный запах осенних цветов, они были в руках и в гробах — легкоперистые хризантемы и крохотные астры, похожие на судорожно сжатые лиловые кулачки. Я не купила цветов, не успела. Я ничего не успела.

Я оглядывалась кругом с какой-то болезненно обостренной наблюдательностью, видя и фиксируя все происходящее, несмотря на душевную боль, а может быть, именно из-за нее... Ждать было еще долго. За это время успело состояться несколько похорон, все ужасно похожие друг на друга. Приносили, ставили на боковой постамент очередной гроб (во всех почему-то лежали одинаковые желтые старики), люди плакали, тихонько переговаривались. Потом администраторша, нестарая женщина в ярко-зеленой вязаной кофте, с молотком в руке и накрашенными губами, говорила: «Можете переносить». Зажигалась центральная люстра над главным, огороженным постаментом. Мужчины несли гроб к центру, зажимая под мышкой шапки или передавая их женщинам; как-то теснясь и стесняясь, ставили гроб на подмостки, обитые черным бархатом, причем путались, и администраторша покрикивала: «Головой, головой вперед!» К стене прислоняли крышку (два раза она падала), затем все становились у балюстрады, окружавшей гроб, и начиналась музыка. Вступал орга́н. Одинокий скрипач с равнодушным лицом подыгрывал органу. Разнообразия не было: играли либо «Похоронный марш» Шопена, либо «Элегию» Массне. Женщины плакали, некоторые пытались голосить, но как-то тихо и на редкость прилично. Потом администраторша в зеленой кофте говорила: «Родные, прощайтесь». Новый взрыв плача; люди подходили к гробу вплотную, становились на колени или, склоняясь, тянулись губами ко лбу покойника, раздавались тихие вопли. Администраторша объявляла: «Прощание кончено», гроб заколачивали (несколько очень сухих ударов, традиционно обозначающих конец), снова вступала музыка, и гроб вместе с подставкой опускался под пол; над ним постепенно смыкались створки черного бархата с подрагивающим на них цветочком — остатком чьих-то похорон. Сразу же тушили люстру. Родные, поддерживая под руки какую-нибудь женскую фигуру (вероятно, жену или дочь старика), выходили с центральной площадки и из зала. Не проходило и трех минут, как начинались следующие похороны. Снова «можете переносить», путаница мужчин, установка гроба, музыка, заколачивание, опускание под пол, подрагивание цветочка на бархатных створках. Все это было страшно, но не обычным страхом смерти, а мертвой стандартностью, оптовостью процедуры... И еще меня поразила одна странная подробность. В публике все время находился один и тот же человек — довольно молодой, черноволосый, скорее красивый. Он подходил к каждому гробу, вмешивался в группу провожающих, пристально

глядел в лицо старика, затем нес гроб вместе с другими, становился у балюстрады, а когда начиналась музыка — плакал. Кто он был такой и почему плакал над
каждым покойником — ума не приложу. Может быть,
сумасшедший, может быть, актер, обучавшийся плакать, а может быть, и человек, похоронивший здесь
что-то для себя безмерно дорогое...

Уже дело шло к семи, и сердце у меня ныло нестер-
пимо, и вот внесли новый гроб, и этот оказался наш,
мой. И сразу же казенные стены зала осветились для
меня подлинным, собственным горем. Я увидела
в гробу лицо Анфисы. До чего изменили ее последние
десять — двенадцать часов!.. Голова лежала на подушке с грубыми, вероятно бумажными, кружевцами. Это
не я положила ее в гроб, не я причесала. Она была
скромно и скупо обложена цветами. Кругом стояла,
тоже скромная и скупая, кучка людей — впереди Вадим, твердо расставивший ноги, бледный и очень красивый, за ним все квартирные жильцы — коммунальная наша семья, — все воспитательницы из детского
сада, дворник с нашего двора, трагически мявший
в руках шапку. Гроб несли Вадим, дворник и шофер по-
хоронной машины. Мужчин было мало, и гроб кре-
нился. Ада Ефимовна подскочила, уцепилась жидень-
кими пальчиками за гроб. Вадим перекошенным ртом
сказал ей: «Не надо». Гроб установили. Опять, уже
в который раз, орган заиграл «Элегию» Массне, но на
этот раз музыка меня захлестнула. Что-то укусило меня в глаза, и я почувствовала, что из них текут слезы.
Ощущение, забытое за много лет, было раздирающе
отрадным. С восторгом идя навстречу слезам, я плакала — широко, вольно, обильно, с благодарностью Ан-

фисе за то, что она жила. Орган умолк, я перестала плакать. «Родные, прощайтесь». Родная моя. Я поцеловала Анфису в каменный лоб. Лица Вадима в последний момент я не видела, только его горько ссутуленные плечи. На одно из них я невольно положила руку. Он обернулся с выражением загнанной собаки и прикосновением щеки столкнул мою руку со своего плеча — это было так, будто он ее поцеловал. Опять заиграла музыка, гроб стал погружаться, сомкнулись черные бархатные створки, на которых подрагивал все тот же цветок.

Потушили люстру. Мы стали расходиться. В стороне уже поставили новый гроб.

40

После похорон Вадим вернулся домой. Все было чисто прибрано, кровать вынесена вон, комната казалась большой и гулкой. Жизнь была пуста. «Кара-ти-ти-кара», — сказал Вадим и рассмеялся, но тут же схватился за голову и застонал.

Позже, на поминках, он много и молча пил. За столом хозяйничала Капа. Никто не плакал.

На другой день он проснулся и не сразу понял, что с ним. Солнце бочком, робко освещало стенку, скользя по зеленым обоям, по их квадратам и ромбам. Там, где прежде стояла кровать, квадраты и ромбы были ярче, а кругом выцвели...

Однажды ночью Вадиму приснился сон. Ему приснились сразу все его вины перед матерью. Их было много, так много, что он изнемог и плакал. Он проснулся, и подушка его была мокра.

С этой проплаканной горько-соленой подушки началась для него новая жизнь.

41

По ночам по-прежнему идет снег или дождь, и фонарь качается. А вдовий пароход плывет дальше...

1979

МАЛЕНЬКИЙ ГАРУСОВ

1

Гарусов был ленинградец, сирота и воспитывался в детском доме. Отца своего он совсем не знал, а мать пропала во время блокады: ушла за хлебом, да так и не вернулась. Было ему тогда лет шесть или семь, сколько именно, он толком не знал, не до того было: голод. Довоенное время он помнил урывками. Как будто бы жили они с матерью хорошо. Мать работала дворником в большом, красивом доме. Лучше всего в доме была парадная лестница — лепные потолки, узорчатые перила, а главное, огнистые разноцветные окна, сплошь в красных цветах и зеленых листьях. Гарусов запомнил цветное стекло, не гладкое, а пупырчатое, как лягушачья спинка, и свой маленький черный ноготь, прижатый к стеклу для ощупывания, с приятным треском перескакивающий с одного бугорка на другой.

Иногда по лестнице спускалась красавица девочка с желтыми косами, в красной шубке, красных чулках и белых ботинках. Девочка шла степенно, за руку с няней, одолевая каждую ступеньку не в один, а в два шага, и, пока она шла, яркий блик от цветного стекла двигался по ней снизу вверх. На этой девочке Гарусов порешил, когда вырастет, жениться.

Дворницкая, где Гарусов с матерью жили вдвоем, стояла во дворе особым домиком. Летом вокруг домика цвели маргаритки, а зимой по сугробам прыгали красные снегири. В мороз деревянная дверь забухала, и Гарусову трудно было ее отворить. Приходила мать, дергала за ручку, дверь сразу распахивалась, и ветер ударял Гарусову в щеку. Мать была сильная, большая, красивая, зубы во рту — как фонари.

Вообще Гарусов больше помнил зиму, чем лето. Помнил один конек, который он ремнями привязывал к валенку. Помнил блестящие исцарапанные дорожки, прокатанные мальчишками на тротуарах. Хорошо было с разбегу проехаться по такой дорожке, а потом упасть и ехать дальше уже на штанах.

В углу дворницкой стояла железная печка на четырех ногах с коленчатой черной трубой. Этой печки Гарусов боялся, потому что походила она на присевшего черного зверя. При матери страх проходил. Печку топили сосновыми чурками. Они были желтые, занозистые, пахучие, с капелькой смолы на каждом конце. От смолы на пальцах оставались липкие пятна.

Пока печка топилась, в дворницкой было тепло, а когда прогорала, быстро становилось холодно. Особенно холодно было по ночам. Гарусов спал под тулупом, всем телом ощущая на себе его защитную тяжесть. Спасали от холода и крепкий бараний запах, и самое слово «тулуп». Иногда среди ночи Гарусов просыпался, чувствуя надобность пойти по своим делам, но не отваживался, так и лежал до утра.

Тулуп был старинный, крепко выношенный, еще отцовский. Про отца Гарусов знал, что раньше он тоже был дворником, только не в этом доме, а в соседнем. С матерью они познакомились на дежурстве. Об этом мать рассказывала, правда, не Гарусову, а тете Шуре — управдомше, своей приятельнице: «И пришла к нам судьба». Гарусов так это себе и представлял: сидят рядышком два красивых дворника в больших тулупах, а судьба к ним, вроде голубя, не то входит, не то прилетает.

По рассказам матери, отец в дворниках не ужился из-за своей большой культуры: любил книжки читать и вопросы решать. Бросил он свою работу и уехал на Север строить новую жизнь. Гарусов так это понимал, что построит отец новую жизнь, решит все вопросы и тогда уже возьмет их с матерью к себе.

Матери фамилия была Делянкина, а его — Гарусов, по отцу. Мать так и звала его по фамилии — Гарусов, а по имени редко, разве когда рассердится. Он и сам не любил своего имени «Толька», полагал, по наивности своей, что это значит «только», то есть слишком мало. Мало у них было денег — только двести пятьдесят. Особые деньги стояли на комоде в коробке из-под чая, так и назывались «чаевые». Из чаевых мать иногда давала Гарусову на леденцы. Он покупал петуха на палочке и медленно, до самой щепки его обсасывал. Добрая мать: никогда себе петуха не купит, только ему, Гарусову. Ласкать-то она его особенно не ласкала. Разве что иногда сложит руки лодочкой, ладонями кверху, а Гарусов туда, в эту лодочку, с любовью сунет свое лицо.

Помнить все подряд Гарусов начал с того дня, как мать получила письмо. Принял его он сам (матери не было дома) и даже расписался каракулей в разносной книге, хотя писать не умел. Письмо ему понравилось: гладкое, тяжеленькое, и марка с самолетом. Пришла мать, увидела письмо, вся побелела, перекосилась и давай рвать конверт, по самой марке. Гарусов заревел. А она вынула письмо, стала читать и, пока читала, все садилась и не могла сесть на стул. Платок у нее съехал с головы, упал на пол. Потом мать ударила по столу кулаками и головой и давай перекатывать голову туда-сюда. Гарусов испугался, даже реветь перестал. Он тронул ее за локоть и окликнул. Она ничего, как глухая. Тогда он сказал про марку. Мать рассердилась, подскочила, порвала письмо, конверт и марку на мелкие клочья, бросила все это на пол и ногой затоптала. Потом, не глядя на Гарусова, покрылась платком по самые брови, завязала его крест-накрест через обе щеки, взяла метлу и пошла во двор.

Этот день Гарусов запомнил потому, что с тех пор стало у них все по-другому. Мать не плакала, не дралась, но совсем перестала его замечать. Обед на стол поставит и не посмотрит — ел ли? И все молчит. Гарусов обижался и тоже молчал. С тетей Шурой управдомшей она небось не молчала, очень даже разговаривала. По вечерам, когда они думали, что Гарусов спит. А он и не спал, все слышал. «Нет в них, паразитах, благодарности», — говорила мать. «Уж как есть, нету, — отвечала тетя Шура управдомша, — а ты его не жди, сама живи, своим разумом». Из этих разговоров Гарусов понял, что отец его паразит, на местной расписался, а значит, не приедет за своим тулупом и не возьмет его с матерью в новую жизнь. И еще мать говорила: «Кому я теперь нужна? Кто меня возьмет с довеском?» — «Полюбит — возьмет и с довеском», — утешала тетя Шура. Гарусов хорошо понял, что «довесок» — это он сам.

С этого же времени стала мать приходить домой пьяная — не каждый день, а раза два в неделю. Придет, глаза стеклянные, как у козы, подопрется локтями и давай петь. Пела она тонко, грустно и зло; Гарусов слушал, точно нитку разматывал. Приходила тетя Шура управдомша: «Опомнись, Настя, парнишку-то пожалей». — «Чего его жалеть, все равно безотцовщина, — отвечала мать, — а ты меня не попрекай, не на свои пью, на чужие». И еще говорила: «Вы, тетя Шура, старенькие, вы этого не понимаете, а я от молодости жить хочу». Гарусов слушал и чувствовал себя виноватым, что он не дает матери жить, только не знал, как это исправить.

А тут вскорости и война пришла. Гарусов не очень понимал, что это такое — война. Сначала только изменились ребячьи игры: мальчишки стали играть не в Испанию и Халхин-Гол, а в войну с фашистами. Одного мальчика с соседнего двора так и прозвали «Гитлер» — очень на него был похож, и сильно ему за это доставалось. Потом пошло затемнение, окна заклеили бумажными крестами. Гарусов тоже клеил в дворницкой: сначала выходило криво, а потом ничего. На лестницах появились бочки с песком, чтобы тушить зажигательные бомбы. Песок растаскивали ребята, мать на них сердилась и гоняла от бочек, а Гарусов ей помогал: раз большого мальчишку так стукнул, что тот отлетел мячиком. Матери выдали противогаз и брезентовые рукавицы, чтобы тушить зажигалки. Гарусов тоже примерял рукавицы — ему были велики. Это было сначала, а потом обрушилось как-то сразу все: тревоги, бомбежки, пожары, а главное, голод и холод. Прямо вместе так они и пришли, парочкой: голод и холод.

Гарусов мало жил и еще меньше помнил. Он не знал, какой должна быть нормальная жизнь. Каждую перемену он воспринимал как должное и сразу в нее врастал. Скоро он до того укрепился в блокаде, будто ничего другого никогда не было. Все это было от века: роняющее бомбы черное небо, карточки с крохотными талонами, маленький кусок сырого хлеба на целый день. И все же голодать ему было трудно: он был мал, надо было расти, а расти не с чего. Дни и ночи он разговаривал со своим беспокойным телом. Оно требовало расти. Мать со времени войны больше стала жалеть Гарусова, понимала, как ему трудно. Она уж и так отрывала ему половину своего пайка, а больше отрывать не могла: надо было есть, чтобы держать метлу. Метла — значит, рабочая карточка.

Еще хуже голода был холод. Голод был только внутри, а холод — и внутри, и снаружи. Чурок для топки не было. Топили чем попало, больше мусором, он совсем не давал тепла. По утрам мать разжигала примус, ставила его на окно. Гарусов лежал под своим тулупом, который за ночь у рта обрастал инеем, и смотрел, как от огня начинали плакать и таять на стеклах толстые наледи. Холод был огромен и занимал весь мир, а огонь примуса был маленьким и ненадежным.

В эту блокадную зиму Гарусов так был занят своим голодом и холодом, что почти не заметил, как в дворницкую попала бомба. Они с матерью пришли из убежища. Оказалось, что зажигалка пробила потолок, упала на кровать, сожгла одеяло и сама собой потухла. Спасибо, тулуп не сгорел. Мать по одеялу не плакала, шевелила сухими пальцами около рта. Гарусов был равнодушен, сидел на стуле, и на него шел снег. Прибежала тетя Шура управдомша, ахать не стала, поглядела на потолок, сказала: «Ремонтировать бесполезно», — и тут же, сама от себя, решила выделить погорельцам квартиру из тех, где жильцы померли. Пошли искать квартиру, и Гарусов с ними. Квартиры были все как одна — без стекол, в густом инее, с холмиками снега по углам. В одной из них посреди пола лежала мертвая кукла — наверно, погибла при бомбежке. Гарусов куклу пожалел и выбрал для себя с матерью эту квартиру. Переехали вместе с печкой. Трубу вывели в форточку, окна забили фанерой и стали жить. В новой квартире было еще холоднее, чем в дворницкой, — ветер из незанятых комнат ходил по ногам. Печку топили книгами. Прежний хозяин квартиры, говорила тетя Шура, очень интеллигентный был, пока не помер. В мирное время каждый день новую книгу покупал. От книг огонь был яркий и шумный, но не горячий, без углей. На один чайник уходила почти целая полка. После топки оставался черный слоистый пепел. Мать от голода скоро совсем ослабела, у нее выпали зубы через один и опухли ноги, и ей все труднее было работать.

Хлеб они получали пораньше с утра и тут же его съедали. Днем терпели, варили суп из кипятка с перцем и солью. Когда по карточкам давали сахар или конфеты, у матери с Гарусовым был праздник. Книг было еще много, а на будущее они не загадывали. Спички кололи — каждую на четыре части. В общем, ничего, жили. Только Гарусов осип и почти перестал разговаривать, и мать тоже больше молчала, только шевелила пальцами у губ — такая у нее стала привычка.

Иногда заходила к ним тетя Шура управдомша. Та совсем высохла, отеков у нее не было, ходила она легко и прямо, в штанах и ватнике на солдата стала похожа, танкиста. Лицо черное, а веселое. Гарусов любил, когда она приходила.

Тетя Шура садилась на стул посреди комнаты, расставив прямые ноги в валенках и толстых ваточных штанах, и закуривала. Веселый голубой дымок вился над самокруткой и как будто согревал комнату.

— Пухнешь, Настя, — говорила тетя Шура. — И с чего это тебя разносит, а?

— Пухну, тетя Шура, — отвечала мать. — А что делать?

— Пустой воды меньше пей, — учила ее тетя Шура. — С пустой воды в брюхе лягушки заводятся. А главное, о себе поменьше думай. Сейчас каждый не о себе должен думать, а о государстве.

Это Гарусов понимал. Он тоже думал о государстве.

— Да разве я о себе? — тоскливо спрашивала мать. — Парень у меня... Помру я — что с ним будет?

— Ну и что — помрешь? Подумаешь, свет удивила! Многие помирают, не ты первая, не ты последняя. И парня твоего не бросят люди, спасут. Жива буду — я спасу, помру — другой спасет. Так что, Настя, не переживай, порхай чижиком! А сейчас чего легла? Встань, чайник согрей, чаем меня напои по-хорошему. Гостья я у тебя, понимаешь?

— Нет у меня, тетя Шура, заварочки... — отговаривалась мать.

— Ни у кого теперь заварочки нет. А и лучше, говорят, от чаю цвет лица портится. То ли дело — кипяточек, да с хлебцем, да с сахаром...

— Нету хлеба ни полкусочка... Сахару нет...

— Что ж ты за хозяйка — хлеба нет, сахару нет? Хлеб всегда в доме должен быть, для гостя, если зайдет. Ну ладно, свой принесу, а ты вставай, не разлеживайся.

Мать, вздыхая, разжигала печку, ставила чайник, и скоро он начинал щебетать. А тетя Шура возвращалась и впрямь со своим хлебом и сахаром. Хлеба — кусочек, как спичечная коробка, а сахару совсем немножко, с чайную ложечку, в газетном фунтике. Хлеб делили на троих, всем поровну, а сахару мать с тетей Шурой только клюнут самую крошечку, почти все доставалось Гарусову. Он закрывал глаза и дочиста вылизывал фунтик — вылижет, а потом еще обсосет: сначала как будто сладко, а под конец уже горько.

Один раз Гарусову посчастливилось: он поймал на заднем дворе хромую ворону. Мать сварила из нее настоящий суп, и был у них пир, и тетю Шуру пригласили, и все наелись. Гарусов и не знал, как это вкусно — вороний суп. «Наступит мирное время, — решил он, — каждый день буду есть такой суп». И мать была довольна, сказала Гарусову: «Добытчик ты мой», — и вдруг взяла и сложила руки лодочкой. Давно она этого не делала. Гарусов погрузил туда лицо, и сердце у него зашлось от любви. На другой день он сделал рогатку и пошел на охоту, чтобы убить много ворон. Но больше ни одна ему не попадалась.

А мать становилась все желтее, и ноги у нее — все толще. Ходила она на них, как на мешках. Да и ходила-то мало, больше лежала. Один раз даже для тети Шуры не встала, чайник поставить.

2

Однажды утром Гарусов лежал под тулупом. Мать, как всегда, пошла за хлебом, но очень долго не возвращалась. Он ждал-ждал, терпел-терпел и решил встать. Пол был морозный. Гарусов сам затопил печку: где у матери спички, он знал. Когда ходил за книгами, испугался, что их осталось уже немного. Печка горела бойко, светлые пятна и темные тени прыгали по стене, но Гарусову все было холодно. Матери не было, а желудок просил привычной утренней порции хлеба. К тому же он захотел пить, но воды в ведре не оказалось, только брякнула ручка. Темные тени казались воронами, от них делалось страшно. Гарусов решил пойти за матерью в булочную. Он обмотал голову поверх шапки старым платком (голова всего больше зябнет), запер дверь на задвижку снаружи и вышел. Был уже вечер, небо синее, снег тоже, мороз не особенный, можно терпеть. Булочная была закрыта, очереди возле нее не было. Он сунулся в два-три подъезда, там было темно и никакой матери. Гарусов заплакал и побежал обратно. Бежал он очень медленно, но сердце билось, будто бежал быстро. Одна нога в худом валенке у него застыла, и он бежал и топал, топал и плакал. Дома было темно, печка погасла, матери не было. Он пошел ее искать к тете Шуре управдомше, но и там никого не было — одна запертая дверь. Он вернулся к себе, ждал мать целую ночь и целую ночь топил печку, сжег все книги до последней, но так и не согрелся. Черный пепел кучами лез из печки и шелестел на полу. Когда последняя книга сгорела, Гарусов снова пошел на поиски. Платка в темноте он не мог отыскать, вышел так, без платка. На улице было уже светло, наверно, было утро, а может быть, уже день. Косо летел мелкий снег. Булочная была открыта, у дверей стояла очередь. Гарусов пошел вдоль очереди, заглядывая в каждое лицо, но материного среди них не было. Вдруг ему показалось: вот она, уходит по улице с кошелкой, а в кошелке хлеб. Верно, уносит его, чтобы съесть самой, не делиться. Гарусов загорелся огнем, бросился за матерью, очень трудно было бежать, но он догнал. Оказалось, что это совсем не мать, а чужая женщина, с длинными от голода, высунувшимися изо рта зубами. Она остановилась и спросила:

— Мальчик, ты чей?

— Дворников, — ответил Гарусов своим сиплым голосом.

— А чего тебе надо?

«Хлеба», — сказал Гарусов глазами, а ртом ответил совсем другое:

— Знаете, тетя, мы раз пошли с матерью за водой, приходим обратно, а наш дом не разрушен.

— Это бывает, — сказала женщина, — а ты иди себе, детка, холодно, иди домой.

Гарусов отстал от нее, пошел один и заблудился. Домá все были какие-то не те, и бочки не те. Он ткнулся туда-сюда, как потерявшаяся собака, и пошел наугад. Шел-шел и дошел до набережной. Что такое набережная, Гарусов знал. Где набережная, там вода, а он хотел пить. За толстыми каменными перилами лежали большие плоские льды, неровно припорошенные снегом. Он помнил, что за водой надо спускаться вниз по ступеням. И в самом деле, ступени вели вниз, и на них стояла очередь из стариков и старух. В проруби качалась черная, маслянистая, тяжелая вода. Люди спускались к ней и черпали воду чайниками, ведрами и бидонами. Глядя на воду, он еще больше захотел пить, и какая-то молодая бабушка дала ему напиться из обмерзшего, бородатого чайника. Вода заболталась у него в пустом животе, он шел и ёкал селезенкой, как усталая лошадь.

Тем временем стемнело, на горизонте в разных местах занялись зарева. Где-то стреляли. Выстрелов он не боялся, его смущало, что от него падает не одна, а две тени, и обе — голубые. Он обернулся, увидел позади себя еще одну тень, испугался и побежал, припадая на онемевшую ногу, медленно, но задыхаясь. Бежал он долго, пока совсем не устал. Вечер совсем почернел. Гарусов то шел, то опять бежал, или ему казалось, что бежал, по какой-то странной улице без домов, где стояли одни заборы, сплошь покрытые белым бархатом. Когда шел, он тихо кричал: «Мама», — а когда бежал — умолкал. Улице не было конца. Гарусов выбился из сил и прикорнул в снегу под одним из бархатных заборов. Ноги у него были уже горячие, и скоро он согрелся весь. Его начало крутить и укачивать. Он заснул и видел во сне, как вокруг него летает множество ворон, а он за ними гоняется, но ни одной не может поймать. Мать тут же, она просит поймать ворону, а он, Гарусов, не может и плачет. А тут еще вороны бросаются на него целыми толпами, кричат на него и рвут ему уши. Он проснулся и увидел, что ворон нет, а мать в ватнике сидит рядом, кричит на него и трет ему уши чем-то горячим.

— Мама, — сказал Гарусов своим сиплым голосом.

— Насилу-то очнулся, — сказала мать, постепенно превращаясь не в мать, а в другую женщину. — А я тебя снегом тру-тру, совсем было уши отморозил. Вставай, стахановец.

Да, это была не мать, а другая женщина, хотя зубы у нее были такие же и прямо светились во рту. Она была большая от ватника, на голове — незавязанная ушанка, и одно ухо торчало вверх, как у щенка. Женщина была молодая, моложе матери. Может быть, даже девочка, подумал Гарусов.

— Как тебя звать? — спросила она, стоя на коленях и заправляя его огненные уши под старую шапку.

— Гарусов.

Она засмеялась.

— Ишь ты, важный какой! Депутат, наверно?

— Депутат, — согласился Гарусов.

— А с какого района депутат?

Гарусов молчал.

— Живешь-то где? Адрес знаешь?

Гарусов адреса не знал.

Она встала с колен и его подняла за собой. В общем-то она была небольшая — вся, кроме ватника. Она вынула из кармана сухарь и дала Гарусову. Сухарь был весь в табачных крошках и каменный от холода. Гарусов грыз его, дрожа от восторга.

— А вы, тетя, из кино? — спросил он.

— Нет, я дружинница. Таких, как ты, на улице подбираю. Кто обмерз, кто ранен, кто с голоду помирает, кто уже помер. Ну, этих-то не беру, кто уже помер. Пускай себе лежит, есть не просит.

Она засмеялась и сразу прикрыла рот рукой.

— Чего я смеюсь-то? Ничего смешного нету, а меня разбирает.

Гарусов молчал.

— Давай, что ли, руку, пойдем, депутат.

Гарусов послушно затрусил с нею рядом. От ее жесткого рукава пахло сухарем. На ногах у нее были большие солдатские валенки, жесткие еще, необмятые. Несмотря на эти валенки, она шла быстро, Гарусов прямо запыхался. На площади она остановилась, дала ему передохнуть.

— Какая красивая ночь, — сказала она, подняв к звездам свое светлое лицо.

Издалека послышался низкий, дрожащий гул. Словно комар зудел, но зудел басом.

— Здрасте пожалуйста, опять летают, — сказала дружинница. — Ну просто сил нет, до чего же нахально летают! Прямо демонстративно. Ночь пройдет — двух, а то и трех домов нету. Это в пределах одного района, а сколько по городу, мамочки! А мы их раскапывай. Кирпичи смерзлись, раненые стонут... Ужас!

Гарусов молчал.

— Ну до чего я этих фашистов ненавижу, — тонким голосом сказала она. — Просто выдержки нет, до чего ненавижу.

И вдруг заревела.

Гарусов молчал и терся носом о ее жесткий рукав. Она перестала реветь.

— Ну, пойдем, что ли. Передохнул?

— Ага.

3

Девушка-дружинница привела Гарусова в детский приемник и оставила там. Он не хотел оставаться, плакал, цеплялся за ее ватник, но она его уговорила, обманула. Обещала прийти — и не пришла.

Три дня и три ночи Гарусов прожил в изоляторе. Каждый день ему давали хлеб, кипяток и горячий суп. Какие-то тетки, в платках и шубах, с ягиными лицами, ходили к нему и расспрашивали, кто он такой. Он знал только свою фамилию «Гарусов» и фамилию матери «Делянкина», а больше ничего, даже в каком районе живет.

— На Петроградской? — спрашивала тетка.

— Ага, — соглашался Гарусов.

— А может, на Выборгской?

Гарусов и на это был согласен.

— Удивительно низкий уровень развития, — сказала главная тетка, собрала свои авоськи и ушла. А Гарусов лег досыпать. Он вообще в изоляторе почти все время спал. Если не ел, то спал.

Пока он отсыпался, о нем наводили справки, искали родственников, но не нашли. Разве найдешь? Записали его в детский дом как сына погибших родителей. И отчество приписали ему: Иванович.

Детский дом, куда определили Гарусова, был большой, на много коек, но ребята в нем все время менялись. Одни умирали, другие на их место приходили. Кормили хорошо — каждый день хлеб, каша и суп, витамины отдельно. И все-таки многие ребята поумирали, а Гарусов — нет. Ему умирать было нельзя, он должен был найти мать. Думал он об этом днем и ночью, за едой и в бомбоубежище. А вдруг она его ищет? Вернулась домой, а его нет. «Где мой Гарусов, где мой добытчик?» А его нет. И вот она бегает, как он, среди белых бархатных заборов, а его нет. И вдруг она встречает девушку-дружинницу в большом ватнике. «Не знаете, где мой Гарусов?» — «Как же, знаю», — говорит девушка. И приводит ее сюда. «Мама, говорит Гарусов, — на́ тебе мой хлеб и суп». Мать ест и поправляется, и начинается новая жизнь. Мать берет его из детского дома... Нет, еще лучше — остается сама здесь работать нянечкой. А тут и война кончается, и все хорошо.

Но время шло, мать не приходила за Гарусовым, и он постепенно перестал уже ждать.

Кончилась зима. Стало пригревать солнце, по улицам потекли грязные ручьи, и граждане, щурясь от света, вышли на тротуары скалывать лед. И ребята-детдомовцы — те, что не умерли за зиму, тоже выползали во двор и, притулясь кто на чем, сидели и грелись. И Гарусов тоже сидел, глядя на мир сквозь горячие, красные веки.

А когда сошел снег, детдом повезли в эвакуацию на Большую землю. Что за Большая земля — никто из ребят не знал. Их очень долго туда везли. Сначала на пароходе по синему морю, которое называлось Ладожское озеро. Потом выгрузились на берег. Ребят посадили в вагоны-теплушки с двухэтажными нарами. В каждой теплушке была раздвижная дверь во всю стену с поперечным брусом, через который легко было вывалиться. Они долго ехали, все по каким-то большим полям, но, видно, это еще не была Большая земля, потому что их не высаживали, а везли дальше. А поля были широкие и пустые. Кое-где у черных дорог стояли деревянные домики, а возле них бродили козы и петухи. Все это, поворачиваясь, проезжало мимо, и только синий лес на горизонте ехал в ту же сторону, что и поезд. Гарусову досталось место на верхней полке у самого окошка. Окошко было не окошко, а продушина, с книжку величиной, но Гарусов им дорожил, потому что через него можно было смотреть. И думать. Чтобы его место не заняли, он целыми днями с него не сходил, и даже миску с супом подавали ему наверх, как больному. А набитый вагон весь гудел детскими голосами. Маленькие капризничали, просили пить, а большие дрались и играли в фантики. Или еще в «обнаружение» — кто больше вещей обнаружит. «А я дерево обнаружил!» — «А я собаку!» — «А я собачью будку!» — «Врешь, это не ты обнаружил будку, а я! Я ее вместе с собакой обнаружил!»

Гарусов лежал на верхней наре и думал. В одно утро, проснувшись, он посмотрел в окошко и увидел, что все изменилось. Вместо больших полей кругом поворачивались горбатые горы, а на горах росли такие огромные черные ветвистые ели, что он сразу понял: все кончено, это и есть Большая земля. Он слез со своих нар, встал на отвыкшие неуклюжие ноги и начал разглядывать ребят, своих попутчиков. Они громоздились у двери вагона, раздвинутой во всю ширь. Каждому не терпелось посмотреть на горы. Воспитательница уже осипла, отгоняя ребят от бруса, через который так легко было вывалиться. Одна девочка, стоя к Гарусову спиной, что-то капризно выплакивала, топая ногой, и на спине у нее прыгали желтые косы. По этим косам Гарусов узнал свою будущую жену, девочку в красной шубке и белых ботинках, которая спускалась когда-то по лестнице с разноцветными стеклами. Он подошел поближе — и точно, это была она, голодная, синенькая, с грязной шейкой, но для него все та же красавица. Гарусов был потрясен. Он все еще не оставил намерения на ней жениться, но сейчас это было не главное. Главное было, что она жила в его доме и, наверное, знала адрес, которого он не знал.

Вечером, как всегда, ребятам дали по кружке чая и по куску хлеба. Гарусов свой хлеб не съел, а отнес его девочке с косами. Она не удивилась, только засмеялась, а хлеб взяла. Заговорить с ней он не решился. Назавтра он опять принес ей вечерний хлеб, и на следующий день — тоже. Девочке было очень смешно, она прямо-таки помирала со смеху, перемигиваясь с подружками, но хлеб брала и ела. И опять он не смог с нею заговорить. Если бы она не смеялась, он бы заговорил.

Так прошло несколько дней, и вот неожиданно они приехали. Ребят сняли с поезда, посадили на грузовики и опять куда-то повезли. На грузовиках было еще теснее, чем в теплушках, и еще легче было вывалиться. Их много раз сажали и пересаживали, считали и пересчитывали, мыли, кормили и стригли, и где-то в этой толчее Гарусов потерял девочку с желтыми косами. И адреса своего не узнал.

4

Детский дом, куда попал Гарусов, приютился на время войны в небольшом деревянном сибирском городе на берегу сумрачной многоводной реки. Вокруг города полукольцом лежали холмы, поросшие лиственницей. Деревья были растрепаны и наклонены всегда в одну сторону, будто всегда дул ветер. Вдоль улиц, продуваемых тем же ветром, стояли сутулые дома с вечно закрытыми ставнями. А в домах жили хозяйки-огородницы, большие строгие женщины в шалях с бахромой. Эти тетки детдомовцев называли «варначатами» — может быть, и за дело: предприимчивые ленинградцы больно уж шастали по чужим огородам, поедая сырьем капусту и даже картошку. А в общем-то ребята плохо привыкали к новому месту. Сибирь пугала их своей обширностью и суровостью, своей жадной торопливостью. В короткое здешнее лето листья на деревьях, торопясь произрасти, достигали огромных размеров — в тетрадный лист и больше. Лопухи по краям улиц вдвое перерастали заборы. Осенью лиственницы взахлеб, торопливо рыжели, и спины холмов отливали сизым, как лисья шерсть. Зима приходила сразу, как удар топора. Многие деревья так и замерзали, не успев пожелтеть. Листья на них, оставаясь зелеными, седели, стекленели и долго еще стучали по ночам. Под этот стук ленинградцы с тоской вспоминали свои неспешные листопады и затяжные дожди. А зима шла, становясь все круче. Уж, кажется, некуда было, а она все закручивала. Каждое утро из железного дыма вставало кровавое солнце и, поднимаясь по бледному небу, становясь розовым, вещало мороз. На это солнце можно было, не прищурясь, смотреть простым глазом. Строго и прямо стояли над городом, по одному над каждой крышей, желтые столбы дыма. Мелко шепчущий, оседающий, искрами роящийся воздух колол в ноздрях, запирал дыхание. Люди шли, забрав лица шерстяными платками. На каждом платке от дыхания намерзал белый мех. Страшна была сибирская зима — особенно для детского дома. На зиму он съеживался, замирал в своих плохо конопаченных домиках, старался меньше дышать, чтобы меньше отдать тепла. Мало было топлива, мало еды, мало одежды. Очень плохо было с валенками (по-здешнему их называли «пимы»). Ребятам давали одну пару пимов на двоих, на троих. В школу бегали по очереди. А маленьких на улицу совсем не пускали. В такую страшную, скудную, жестокую зиму Гарусов начал учиться в школе.

Он был счастлив, что начал учиться. Он думал, что выучится и тогда найдет мать. Способности у него были хорошие, а прилежание — и того лучше. Ходя в школу через день, он быстро научился читать и писать. Особенно хорош у него был почерк, лучший почерк в классе, гордость учительницы. Гарусов любил писать. Он писал не только в школьные, но и в свободные свои дни. Он писал и дышал на обмороженные, негнущиеся пальцы, дышал и снова писал, садился на свои руки, отогревал их и снова писал. Видя такую страсть Гарусова к писанию, учительница подарила ему бутылку чернил, десять перьев и пачку старых школьных тетрадок в косую клетку, исписанных, но не до конца. В них еще много оставалось свободного места, и Гарусов на нем писал. Лиловые чернила хорошо пахли и, высохнув, отливали золотом. Писал он всегда одно и то же: «Настя Делянкина, Настя Делянкина», и так — много раз, пока хватало места.

К концу учебного года Гарусов так наловчился писать, что мог послать письмо, адресовав его «ленинградскому начальству», с просьбой найти его мать, Настю Делянкину. Ответа он не получил, но больше писать не стал, потому что начал уже кое-что соображать: война.

Вокруг него шла своим чередом детдомовская ежедневная жизнь со своими происшествиями: кто удрал, кто украл, у кого зуб выпал... Гарусов в ней участвовал мало. С товарищами он не ссорился, хотя и близко очень-то не сходился, оставаясь все время будто в стороне. Да и некогда было: очень уж он был занят своими мыслями и тем, что всегда хотел есть.

В детдоме все голодали помаленьку, но Гарусов — больше всех. Он всегда был голоден. После обеда голод не утихал, разве что усиливался. Говорят, голод сном проходит — Гарусов голодал и во сне. Или это была тоска, всегда его точившая, которую он не мог по неопытности отличить от голода. Наверное, из-за этой тоски Гарусов лет с восьми как-то остановился расти. Если и рос, то очень медленно, заметно отставая от сверстников. Так что скоро все его стали звать «Маленький Гарусов». Кстати, о зубах. Молочные у него сменились поздно, а новые выросли какие-то не такие, бахромчатые, с зазубринами, вроде пилы. Врачиха сказала: это от недостатка кальция в организме. Про кальций Гарусов знал и улыбался редко, стесняясь своих зубов. А так он был парнишка ничего, хорошенький, с голубыми глазами и густыми ресницами.

Ни в школе, ни в детдоме Гарусовым никто особенно не интересовался. Учится хорошо, нареканий нет, тревоги не вызывает — ну и ладно. Никому он не был особенно нужен — он как он, лично как Гарусов. И вот, на вторую зиму его заметила и лично для себя полюбила повариха Марья Федоровна. Это ему повезло.

Марья Федоровна была железная старуха, диктатор. Глаза большие, лицо красивое, нос как нож. Боялись ее в детдоме все, даже заведующая.

Происходила Марья Федоровна из коренных питерских рабочих и сама себя называла «пролетария всех стран». Много лет простояла она у станка. Стояла бы и до сих пор, даром что старуха, если б не вступило у нее в правую руку. Да и так вступило, что почти перестала рука сгибаться. Лучшие профессора лечили — и грязью, и гравиданом, и по-всякому — не помогло. Пришлось ей уйти с завода («директор черными слезами плакал, не хотел отпускать»). На пенсию не согласилась, хотя по годам и выходила ей пенсия, а вместо того пошла поварихой в детдом («не почему-нибудь, а для того, что очень воров ненавижу»). С детдомом поехала в эвакуацию, спасать ребят. В дороге зорко следила за правильностью снабжения, каждого мертвого учитывала и его паек строго распределяла: самым слабым, а останется — в общий котел.

Марья Федоровна мастерица была осуждать. В Сибири она осуждала все: климат, обычаи, местных начальников. Когда детдому в чем-нибудь отказывали,

Марья Федоровна, повязавшись платком под треух, шла воевать и нередко до чего-то довоевывалась. В разговорах с начальством любила ссылаться на то, что и она в Ленинграде была депутат райсовета и при ней таких безобразий не было.

У Марьи Федоровны каждый воспитанник был на учете: кто ленится, кто чирьями пошел, кто плохо растет. Когда Гарусов перестал расти, она это заметила и вызвала его к себе.

— Ты чего, парень, не растешь? — строго спросила она.

— Не знаю.

— Или пищи тебе не хватает? Смотри у меня.

Гарусов молчал.

— Должен расти. Поди, много думаешь. Это плохо. Дитя, она и есть дитя, должна веселиться. Понял?

— Понял, — ответил Гарусов и хотел идти.

— Постой, не лотошись. Приходи вечером ко мне на кухню.

Гарусов пришел, и она его накормила. Так он начал ходить к Марье Федоровне на кухню. Сначала она его подкармливала просто из справедливости, а потом полюбила. Все ее трогало в Гарусове: нежный рост, бахромчатая улыбка, серьезный взгляд.

— Далекий мальчик, — говорила она.

Кормила она Гарусова не из общего котла, а из своей личной порции. «Мое, не сиротское, кому хочу, тому даю». Сама она почти ничего не ела. «Повару есть не надо, он съестным духом сыт», — объясняла она своей помощнице Любе. Но Любе съестного духа решительно не хватало. Она ела жадно и стыдливо, избегая осуждающих глаз Марьи Федоровны. Иногда жаловалась подруге-нянечке: «Так она на меня ненавистно смотрит, будто я какой аборт делаю». А вообще-то она Марью Федоровну крепко уважала.

На кухне было тепло. Отдыхала большая плита. Управившись с ужином и помыв посуду, Марья Федоровна с Любой подолгу сидели у стола и разговаривали. И маленький Гарусов тоже рядом с ними пристраивался в тепле.

Говорили о войне. У Любы на фронте был муж и брат, и от обоих вестей не было. Она частенько плакала. Марья Федоровна — та не плакала никогда, хотя и у нее был на войне сын, сорока пяти лет, и писем не слал. «Жив — отыщется», — говорила она.

Для Марьи Федоровны, в отличие от Любы, все было ясно: много народу погибнет, но все же немца победим, потому что у нас жила толстая, а у него — одно сухожилие.

И все-то она знала. Люба ела, а Марья Федоровна ее предостерегала:

— Осторожно надо есть, Люба, а то подавишься. У нас один творогом подавился. Умер. Приехали врачи, не поспели. Уж посинел. Лежит, а творог во рту.

— Страсти какие! — ужасалась Люба. — А вы его знали, мертвого?

— Как же не знать. Очень хорошо знала. Начальник был.

Гарусов слушал, подпершись кулаком, и костяшки пальцев глубоко входили ему в щеку.

Очень не любила Марья Федоровна воров и часто про них рассказывала. Много у нее было случаев в жизни.

— Слушай, Люба. Для человека мне не жалко, а для вора — жалко. Вор не человек. Я в Ленинграде свою квартиру, сколько ни живу, никогда на ночь не оставляю, потому что придут и украдут. Первый этаж особенно. Тут ко мне приехал племянник из Днепропетровска и говорит: «Зря вы, тетя Маня, на первом этаже как раз и не украдут, а на третьем украдут». И правда. Жильцы с третьего этажа, алкоголики, повесили шубу на балкон. Парни проходили, увидели, крючок такой сделали, из бронзы, да шубу на другой балкон и перетащили. И что ж ты думаешь? По старине говорили: бог правду видит. Бог не бог, а судьба какая-то есть. По волоску отыскали этих воров. Волосок из шубы выпал, вот и нашли. А если б не волосок — искали бы они свою шубу. Вот я и говорю: волосок какой-нибудь всегда отыщется.

— Правильно вы говорите, тетя Маня, — завороженно отзывалась Люба.

— А вот еще с одеялом дело было. Помогала я Тосе, соседке, выше меня жили, к празднику убираться. Я на уборку очень легкая. Тоська — молодая, а толста, живот ее подпирает. «Убери, тетя Маня, — Тоська говорит, — мы с тобой сосчитаемся». — «Какие такие счеты, — говорю, — уберу и за так». Значит, убираюсь, как на совесть, не люблю шаляй-валяй. Я одеяло выстирала шерстяное, а с него течет. Говорю: «Повешу на улице». А Тося — нет, не надо. А я возьми и повесь, пусть вода сама стечет. Только я наверх дошла, смотрю в окно — одеяла нет. Я как не нормальная сделалась, бегу во двор. Вора нет, одеяла нет. А Тоська мне: «Ты виновата, ты и будешь платить». Я пришла домой, у меня нервный припадок; не потому, что деньги, а потому, что могут подумать — я кого подговорила одеяло взять. А наутро Тоська звонит: «Тетя Маня, нашли одеяло». А я уж триста рублей приготовила. Так спокойно говорю: «Нашли? Ну и ладно». Как будто меня не касается.

— А где нашли, тетя Маня?

— Люба, не перебивай. Все своим чередом. Дяденька, который стащил, идет с одеялом к магазину и говорит женщинам, которые в очереди: «Кто одеяло возьмет за пол-литра?» А с одеяла каплет. Кто ж его возьмет, хоть и за пол-литра? Одна — за милиционером. Взяли вора с одеялом вместе. Меня потом на суд вызывали — я не пошла. Боялась, жалко мне его станет, что-нибудь совру.

Иногда начинала рассказывать и Люба:

— Вы, тетя Маня, послушайте про мою жизнь. Я вот своего мужа любила, хотя он был довольно-таки пьющий. Наверно, на войне отучат его пить, как вы думаете, тетя Маня?

— Не надейся, Люба. От этого дела никто никого не отучал. Вернется, будет сознательный, сам отстанет.

— Я и говорю. Очень я его любила, несмотря что пьющий. Мастер он у меня, стекольщик. Чуть что не по нем — окна бьет. Бьет и вставляет. Бьет и вставляет...

Гарусов слушал эти разговоры, отогреваясь душой и телом. Он обретал некую уверенность. Все в порядке: и война кончится, и немца побьем, и мать он найдет — всему свое время... Какой-нибудь волосок да отыщется...

Иной раз Марья Федоровна его даже ласкала, когда Любы на кухне не было. Возьмет за уши и прижмет его голову к своей груди, к какой-нибудь пуговице. Больно и неловко, но хорошо. Долго она его не прижимала, отстраняла и спрашивала:

— Чего не растешь? Или я не кормлю?

Гарусов мялся.

— Или нутро у тебя отбитое? Это бывает. Тебя, может, отец шибко порол?

— Ага, — врал Гарусов, становясь малиновым. Лестно было быть мальчиком, которого порол отец.

— Я бы такого отца... Ну, ничего. Еще вырастешь. А не вырастешь, тоже не беда. Не всем же большими-то быть, надо и маленькими.

Гарусовское теплое житье кончилось, когда Марью Федоровну свезли в больницу. Никогда она ничем не болела, а тут слегла. Гарусов одичал от горя и одиночества. Тайком он удирал в город и издали смотрел на низкий барак, в котором была больница. Где-то за этими одинаковыми окнами лежала она. В кухню его больше не допускали, Любе хватало своих дел. Питаться она теперь стала без помехи и потому потолстела. Одного боялась, что снимут ее с поваров за то, что не умеет стряпать. Какой-то начал к ней ходить инвалид и уходил всегда с бидончиком супа. Словом, без Марьи Федоровны все разладилось.

А весной Марья Федоровна умерла. Хоронили ее всем детдомом. Впереди шел оркестр и дудел в полторы трубы. Потолстевшая Люба кричала тонким голосом, оплакивая Марью Федоровну. Потный трубач поминутно вынимал мундштук изо рта, сплевывал, и музыка мучительно прекращалась. Гроб был желтый, некрашеный, с бумажными кружевцами по краю. Марья Федоровна лежала в нем так, словно у нее вовсе не было тела, один провал вместо тела. Только по носу можно было ее узнать. Гроб заколотили, опустили в яму (командовал тот же трубач) и засыпали еще не оттаявшей, рыжей сибирской землей. На кладбище пели птицы.

После смерти Марьи Федоровны Гарусов долгое время был сам не свой, как будто его связали поперек сердца веревками, а потом отошел понемногу и начал жить. Дни шли одинаковые, как костяшки на счетах, прерываясь только на праздники. Праздников Гарусов не любил, потому что нечего было делать. Он и воскресенье-то не любил, подозревая в нем маленький, замаскированный, но все-таки праздник.

В школе дела шли своим чередом. Ребята обменивались марками, списывали задачки, учились по затрепанным, из третьих рук, учебникам, где на каждом портрете были пририсованы лиловые усы. Гарусов учился успешно, никаких претензий к нему не было, но в гущу школьной жизни не входил, все чего-то ожидая, как транзитный пассажир. В душу свою он никого не пускал, да никто и не просился. А что у него там творилось — не дай бог. Дворницкая с заросшим окном. Бородатый чайник, роняющий капли. Вороны, заборы. Мертвое лицо Марьи Федоровны с бумажной полоской поперек лба.

Один раз Гарусов поймал и приручил мышь. Она жила у него в литровой стеклянной банке. На ночь он завязывал банку тряпочкой. Гарусов кормил мышь крошками со своего стола. Она ела быстро и мелко, шевеля маленькими челюстями. Гарусов смотрел и думал, что вот он — маленький, а мышь — еще меньше, а крошка — еще меньше мыши, а зубы у мыши — еще меньше крошки, и дальше все уменьшается, и конца этому нет. Иногда он вынимал мышь из банки и сажал ее на указательный палец. Мышь сидела, обхватив палец острыми коготками, свесивши голый хвост. Гарусов дул ей в спинку, тонкий мех разлетался, и была видна чистая голубая кожа. Однажды вечером он забыл завязать банку, и мышь ушла. Он стоял перед пустой банкой и думал: значит, не поедет она со мной в Ленинград... В том, что сразу после войны он вернется в Ленинград, Гарусов не сомневался.

А война тем временем шла к концу. Кормить стали лучше, с фронтов приходили хорошие вести. Гарусов ведал флажками на большой карте. Он переставлял их каждое утро, аккуратно натягивая между ними красный шнурок. Этим шнурком, казалось ему, он тоже как-то оттеснял немцев и приближал конец войны.

5

Вот и кончилась война. Трудно было этому поверить, но война кончилась.

Гарусов был уже в четвертом классе, «ниже всех по росту, выше всех по успеваемости», как говорила классная руководительница. До сих пор он держался от других ребят как-то в сторонке, а теперь влился в класс и стал вместе с другими. Еще бы! Кончилась война, скоро их повезут домой, в Ленинград! Класс весь гудел и дрожал от горячих обсуждений. Когда повезут? Как повезут? Поездом или пароходом?

Однако время шло, а об отъезде все еще не было речи. Учителя и воспитатели отмалчивались. Оказывается, за то время, что ленинградский детдом провел в сибирском городе, его дважды успели слить с какими-то местными. Теперь он уже не числился ленинградским и «не подлежал реэвакуации», как кто-то кому-то объяснял. Когда Гарусов об этом узнал, он весь загорелся страстью. Домой, в Ленинград, добиться, умереть, но добиться! Теперь его узнать нельзя было. Он стал красноречив, изобретателен и хитер. Всеми правдами и неправдами он добился, чтобы его отпустили в город, и пошел прямо в отдел народного образования. Там он проскользнул мимо секретарш и уборщиц и проник в кабинет самого заведующего.

Заведующий сидел за столом и писал. Он был в очках, в пиджаке и свитере — в кабинете было прохладно. Кто-то рядом кашлянул тихо, словно овца перхнула. Заведующий поднял глаза. У его локтя стоял хорошенький голубоглазый мальчик, на вид лет семи, маленький, как карандаш.

— Что тебе нужно? — спросил заведующий.

— Мы — ленинградцы, — начал Гарусов заранее подготовленную речь.

— Кто это вы? — спросил заведующий? — Какие такие вы?

— Воспитанники ленинградского детдома, — не смущаясь, ответил Гарусов. — Дело в том...

И пошел излагать свое дело, да так толково и грамотно, что заведующий даже ручку положил. Вот так парень!

Гарусов довольно твердо, хотя и по слогам, произнес слово «реэвакуация» (он долго его репетировал дома). Да, именно реэвакуация необходима. Детей-ленинградцев нужно отправить в родной город. Там многие из них найдут своих родителей или других родственников. А государству это будет даже выгодно: многих детей заберут из детдома и «снимут с государственного снабжения» (именно так выразился Гарусов, к крайнему удивлению заведующего). Тот слушал его с интересом, приставив ладонь рупором к большому волосатому уху.

— Чудеса! — сказал заведующий. — А сколько тебе лет?

223

— Одиннадцать, — не совсем уверенно сказал Гарусов.

— Одиннадцать, — повторил заведующий. — Так, так...

Он взял телефонную трубку.

— Татьяна Петровна! Зайдите-ка сюда на минуточку. Тут у меня один ленинградец, одиннадцати лет.

Вошла заместительница заведующего, пожилая женщина в вязаной кофте, с крепким уральским акцентом.

— Чего у вас случилось-то?

— А ну-ка, оголец, — сказал заведующий Гарусову, — повтори-ка, что ты тут говорил.

Гарусов повторил. Татьяна Петровна, женщина добрая и одинокая, ужасно любившая плакать, когда на торжественных заседаниях выходили с приветствиями пионеры, слушала Гарусова со слезами на глазах. Такой маленький, такой толковый! Непременно надо ему помочь! А когда Татьяна Петровна решила кому-то помочь... Заведующий усмехался, скрестив пальцы под подбородком. А Татьяна Петровна тут же, не просушив глаз, стала звонить в разные места. Ей что-то там отвечали, она прикрывала трубку рукой, подмигивала Гарусову и снова принималась убеждать: «Дети-то... без матери-то... без дома-то...» — говорила она, решительно ударяя на «о».

В общем, дело пошло. В детский дом Гарусов вошел с триумфом. Ребята-ленинградцы на руках пронесли его от ворот до столовой. А в столовой Гарусова ждал пир. Ребята нанесли ему белого хлеба, котлет, а возле тарелки кусочками сахара выложили инициалы «Т.Г.». Великодушный Гарусов тут же все это роздал. Что ему хлеб, что ему сахар!

Отсюда начался недолгий период гарусовского вожаковства. Ребята-ленинградцы, признав его руководящую роль, ходили за Гарусовым стадами. Он судил ссоры, распределял обязанности, одним словом — цвел. Татьяна Петровна не обманула. Не прошло и месяца, как приехала комиссия, побеседовала с самим Гарусовым (Анатолием Ивановичем, как в шутку величал его председатель), опросила ребят... А еще через два месяца — все-таки бывают чудеса! — группа воспитанников-ленинградцев поехала на родину.

Накануне отъезда, движимый каким-то смутным чувством, Гарусов отпросился в город и пошел на реку. Приближалась зима. Деревья уже заголились и дрожали от холода. По темноватой стремительной воде бежали плоские вихорьки, а между ними мокрым сахаром шел первый лед. Сентябрь. «А у нас там листопады, листопады...» — по привычке думал Гарусов, но представить себе листопадов не мог. Реальностью была эта холодная, серьезная река. Если бы он умел выразить свои мысли словами, вышло бы что-то вроде: «Прости меня, Сибирь, что я тебя так и не полюбил».

Назад ехали пассажирским поездом, с веселой стукотней, с пересвистом паровозов и хороводом станций, сменявшихся за окнами. Чем дальше, тем больше было солнечных, золотых рощ, прудов с гусями и утками. На каждой станции — надо, не надо — Гарусов соскакивал за кипятком и нарочно медлил возвращаться, чтобы девчонки пугались: «Ах, он останется». В самую последнюю минуту он ловко вскакивал на подножку и еще для удовольствия висел там некоторое время, а горячий чайник танцевал у него в руке.

225

В Ленинград Гарусов вступил победителем. Стояла великолепная, подлинно золотая осень. В садах неистовствовали листопады. Синяя Нева привольно разворачивалась от Зимнего дворца до Биржи. По Неве, морща и вспенивая воду, шли в разных направлениях веселые пароходики, полные взрослых и детей. Волны подбегали и лизали гранит у ног Гарусова. А главное, он теперь уже все мог. Удивительно, как он стал теперь болтлив, как часто стал улыбаться, не пряча зубов.

Детдому отвели старый особняк на Каменном острове — мрачное, запущенное, частично разбомбленное здание с лопнувшими трубами и неисправными печами. Гарусов полюбил это здание, где на потолках толстые женщины в плащах и сандалиях сыпали из рогов изобилия розы и фрукты. Он сразу выделился в руководители ремонтно-строительных бригад, кошкой лазил по лесам и подмостям, таскал ведра с мусором, месил гипс, штукатурил стены. Надо было торопиться, надвигалась зима, но эта зима — мягкая, безобидная, ленинградская — его не пугала. При мысли об этой зиме Гарусов только улыбался. Он не зря улыбался: он ждал. Ждал ответа из адресного стола. Ответ пришел не скоро и был краток: «Указать отчество, год и место рождения». Гарусов этого не знал.

Он задумался и приуныл. Даже сходил к врачу и попросился в лазарет, ссылаясь на «острую боль в плече». Лежа в лазарете, он обдумал положение и выработал план. Он решил обойти весь город, улицу за улицей, пока не найдет свой дом. Сколько в Ленинграде улиц, Гарусов не знал даже приблизительно, но готов был ходить долго, сколько понадобится. Вышел он из лазарета почти не изменившимся, разве что пошатнулся немного в своем вожаковстве, и голубые глаза проросли серым.

Приняв решение, он начал действовать. Воспитаннику детдома трудновато получать увольнение, если у него нет родственников. Гарусов совершил чудо: сделал себе тетку. Помогли ему в этом опять-таки резонная речь и честные глаза. «Тетка» крепко уверовала в его порядочность: раз такой парень говорит «надо», значит, надо. Он принялся выполнять свой план. Каждый выходной он являлся к своей богоданной тетке, помогал ей, чем мог, по хозяйству, а потом отправлялся на поиски. Так прошло несколько лет.

Гарусову было уже лет восемнадцать, и он учился в последнем классе, когда вдруг в своих поисках он набрел на улицу, показавшуюся ему знакомой. Началось с трещины на тротуаре — он помнил этот профиль, не то звериный, не то птичий. Сердце Гарусова забилось где-то в зубах и деснах. На углу оказалась булочная, может быть, та самая булочная. Только в витрине теперь висели баранки и лежали песочные торты. Что-то в них было оскорбительное. В мыслях своих он не раз находил эту булочную, но в ней было все как тогда, в блокаду: забитое окно, слабый огонь коптилки, чашка весов с тонким ломтиком хлеба. Он отошел от витрины, свернул направо и увидел свой дом. Да, это был, кажется, его дом, хотя гораздо проще, приземистее и мельче. Интересно, существует ли еще парадная лестница? Гарусов дошел до двери, потянул за бронзовую ручку и остановился, как у входа во храм. Храма не было. Перед ним была зауряднейшая, давно не ремонтированная лестница. Окна тускло просвечивали декабрьским дневным светом. По ним вился узор из красных цветов и зеленых листьев. Все это было так непохоже на то, давнишнее, что Гарусов усомнился. Он подошел к окну и приложил к стеклу ноготь — большой, чистый, розовый ноготь, и услышал, как он с легким треском стал перескакивать с одного бугорка на другой. Тогда он поверил, что нашел свой дом.

Во двор он вышел через знакомую подворотню. Ворота были такие, как раньше, а вот дворницкой больше не существовало, на ее бывшем месте стояли скамейки, а рядом с ними копали совочками снег важные маленькие дети в больших штанах, выше ушей подпертые воротниками. Тут же привязывал к валенку один конек мальчик побольше.

Гарусов зашел в домоуправление. Тети Шуры управдомши там, конечно, не было, на это он и не рассчитывал. За столом сидела молодая девушка-паспортистка с перламутровыми ногтями. Она считала на счетах, щеголяя ногтями, и спросила: «Чего тебе, мальчик?» Гарусова, по малому росту, часто называли в разных местах на «ты» и «мальчик» — он не обижался. Он изложил свое дело. Жила тут, еще до войны, в дворниках Настя Делянкина, и еще управдомша, по имени тетя Шура. Во время блокады он их потерял и теперь интересуется, нет ли каких следов?

Девушка выслушала его и покачала головой. Нет, ни о какой тете Шуре управдомше, ни о какой Насте Делянкиной она не слыхала. И вообще, в блокаду, говорят, все дворники умерли и управдомы — тоже. «Нет ли документов каких-нибудь?» — спросил Гарусов. Нет, документов никаких не осталось, здесь пожар был, и домовые книги сгорели. Говоря так, она улыбалась — должно быть, какой-то внутренней радости своей, — и рот у нее был весь розовый — и снаружи, и внутри, беличий рот с белыми зубами. Конечно, она не была здесь в блокаду. Она была благополучной девочкой с Большой земли.

Видимо, сочтя, что разговор окончен, паспортистка вынула зеркальце и стала детской зубной щеткой красить ресницы. Ее лицо с напряженно-округленным ртом выражало крайнюю сосредоточенность. Гарусов все стоял возле стола, никак не усваивая, что это — все. «Надо было сказать — я ее сын, — думал он, — но все равно не помогло бы. Пожар, книги сгорели». Он тихо вышел, стараясь не скрипнуть дверью. Где ему было еще искать концов? Походить по квартирам, не выжил ли кто? Но после беседы с паспортисткой он как-то уверился, что никто не выжил. На всякий случай он зашел еще в ту квартиру, где они с матерью жили после того, как в дворницкую попала бомба. Ему отворила женщина в бигуди, с глазами, как плоские камни. Она объяснила ему, в ответ на его не очень толковые расспросы, что никто, кроме них, Афанасьевых, в этой квартире не живет и не жил: «Мы ее честно по ордеру получили, а хотите судиться — судитесь, никто не запрещает, только ничего у вас не выйдет, все сроки прошли». Пока она говорила, Гарусов жадно заглядывал в раскрытую дверь налево, где была их с матерью блокадная комната. Но там было так чисто, так отремонтировано, что он и глядеть перестал. От прошлого не осталось ни соринки. Он постоял дурак дураком, дождался, пока женщина захлопнула перед ним дверь, и ушел, так и не взглянув, какая это была улица и какой номер дома.

После того как Гарусов нашел свой дом, он впал в уныние, и ему осталось только кончать школу. Учиться он перестал, жил на проценты с нажитого капитала. Слава хорошего ученика шла за ним до самого конца школы и принесла ему серебряную медаль, хотя сочинение он написал, по мнению комиссии, «суховато». Вообще, он как-то весь подсох: глаза стали совсем серыми, рот — подобранным, походка — сдержанной, с аккуратно развернутыми в стороны носками. От его вожаковства давно уже ничего не осталось. Ребята тянутся к счастливым.

Отпраздновали выпуск. Теперь надо было решать, куда идти — работать или учиться. Гарусов пошел к директору и попросил оставить его в детдоме дворником. Директор принял это за неуместную шутку и очень разгневался, а Гарусов не шутил. Охотнее всего он стал бы рабочим, он любил работать руками в мастерских. Но учительница физики его уговорила учиться, и он подал заявление в институт. Специальность — автоматика и связь — тоже она ему подсказала. Самому Гарусову было все равно. Он прошел собеседование для медалистов, и был принят.

Оставшийся до занятий месяц Гарусов проработал в совхозе. Там ему понравились вечера, и звезды, и танцы в клубе, и стало ему вроде полегче. Осенью он явился на занятия, загоревший и молчаливый, но вполне уравновешенный, и начал учиться. Институт был большой, дремучий как лес, и никому в нем до Гарусова как будто не было дела, а ему сейчас это и надо было.

Жизнь в институте бежала бегом. По коридорам бежали, сновали, сталкивались студенты, молодые преподаватели, старые профессора. Бежали очкастые, бежали здоровяки, бежали девушки с пышными волосами и милыми улыбками. В большой перерыв волны студентов, бегущих из корпуса в корпус, сшибались, закручивались, образовывали пробки и водовороты. Какой-нибудь профессор, случайно затертый потоком, только покряхтывал, получая время от времени пинок локтем. Жевались булочки, спихивались зачеты, переходили из рук в руки конспекты и шпаргалки, так называемые «шпоры». Все это, мелькая, вращалось вокруг Гарусова, как земля мимо идущего поезда.

В институте, как и в школе, Гарусов учился хорошо и на совесть. Он записывал все лекции, раньше других сдавал лаборатории и курсовые, портрет его висел на доске передовиков учебы. Конспекты у него были чистые и короткие — все важное записано, лишнего нет — и высоко ценились на студенческой бирже.

Жил он в общежитии, в комнате на четырех, койку заправлял аккуратно, в женское общежитие не рвался, пить не пил даже по праздникам. Словом, жил, как положено, и стипендии у него всегда хватало от получки и до получки. Одет был всегда чисто, рубашки выстираны, ботинки начищены, и брюки на ночь клал под тюфяк, чтобы сохранялась складка. И то сказать, одеваться Гарусову было проще, чем другим: благодаря росту, он все покупал в детском отделе, за полцены.

Студенческие хлопотливые дни проходили у Гарусова размеренно, полные до краев, но не переполненные, потому что он умел беречь время и за лишнее не брался. Еще в детдоме он вступил в комсомол и теперь был довольно заметен и на хорошем счету по комсомольской работе. Начальство знало: Гарусов не подведет. С товарищами он не ссорился, но и близкой дружбы не заводил. Девушки на него не зарились, воспринимая его скорей иронически из-за малого роста. Да и он сам на этот счет не слишком-то обольщался. Смутит его на день-другой какая-нибудь улыбка, поворочается он на своей твердой койке, а там снова уравновешен, сам понимает — не из героев. И вдруг Гарусов всех удивил — женился.

Вышло это так. Ходил он обедать в столовую на углу — там было лучше и дешевле, чем в институтской, да и шума Гарусов не любил. Там его часто обслуживала Зоя, большая спокойная девушка, белокурая и гладкая, как дыня. Зоя заметила Гарусова — его хорошенькое, умное лицо и длинные ресницы, оценила, как он степенно расплачивался, вынимая деньги из маленького, детского бумажника, — и стала ему симпатизировать. «Маленький, но самостоятельный», — думала про него Зоя. Она и любовалась Гарусовым, и жалела его, что мал и худ. Старалась накормить посытнее: от официантки всегда зависит, — супу тарелку до вторых краев, гарнира — не по норме, а вволюшку. Ему бы трехразовое питание, живо бы поправился! Но Гарусов приходил в столовую только раз в день, обедать. Зоя стремилась за этот один раз обслужить его максимально. Так незаметно кормя-кормя, она его и полюбила. Теперь уж ей все время хотелось сесть рядом и смотреть, как он питается. Но в обеденные часы пик не больно-то посидишь, только поспевай, бегай с подносами.

У Зои тоже жизнь была не очень счастливая. Побывала она замужем. Муж — слесарь-механик шестого разряда — и красив-то был, и получал хорошо, а не вышло у них жизни, все водка проклятая. Придет пьяный, воображает, посуду бьет и ее, Зою, попрекает — зачем толстая. Ушел к физкультурнице, за фигуру, а Зою оставил в положении на пятом месяце. Она к женской сестре ходила, капли пила, чтобы скинуть, но не скинула, а родила девочку Ниночку, хорошенькую и здоровенькую, всю как две капли в слесаря-механика. А он так и не зашел ни разу, не взглянул на своего ребенка, алименты судом пришлось требовать.

Так и жила, вроде вдовы с дочерью. В ясли Ниночку Зоя не отдала, а сговорилась с одной старушкой, очень сознательной, чтобы сидела с девочкой, пока на работе. Отдала ей целые алименты. Ничего не жалко, был бы ребенок чистенький, ухоженный. В яслях известно как: на одну няньку тридцать соплюшек, плачут, мокрые, непеременённые. Кушать подали — нянька сразу троих кормит, так ложки и сверкают: раз, два, три. А может, ребенок не в аппетите? Его уговорить надо, заняться, чтоб кушал, сказку рассказать: «Пошла, киска, вон». Нет, Зоя не такая, не эгоистка. Лучше она себе туфли не купит, лишний раз в кино не пойдет, а все для ребенка. Правильно говорится: дети — цветы жизни.

Как-то раз вечером — Зоя была выходная — повстречались они с Гарусовым на улице в далеком районе. Гарусов поздоровался, а Зоя вся покраснела, даже сердце у нее провалилось. Он стал проходить мимо, но Зоя его остановила: «Куда идете, если не секрет, очень ли торопитесь?» Гарусов отвечал, что идет та́к, никуда особенно, и не очень торопится. Пошли рядом — Зоя большая, Гарусов ей по ухо.

Поговорили-поговорили, Зоя Гарусова обо всем расспросила: как живет, на что надеется, почему не ужинает? Гарусов отвечал, что стипендия пока маленькая, но будет больше, потому что он отличник учебы, а когда получит повышенную стипендию, то обязательно будет ужинать. Зоя сказала, что ей из-за полноты ужинать вредно, но она очень любит, когда кто ужинает: «Так бы и кормила». Тут она совсем смутилась и пригласила Гарусова еще до стипендии, просто так, приходить ужинать: «У нас излишки свободные». Гарусов ничего не сказал и так на нее поглядел, что Зоя стала оправдываться: это она для шутки, понарошку сказала. Но стало ей радостно, что он такой принципиальный, наверно, и с женщинами такой же, не обормот. Непонятно, с какой смелости в тот же вечер пригласила она Гарусова к себе, и он зашел, не отказался. У Зои квартирные условия были не особые, но обстановка культурная, не хуже людей. Комната двенадцать метров, с желтыми обоями, занавески модные, набивные, полы намыты, и Ниночкина кроватка не как-нибудь, а за ширмой. Угощения только не было, не ждала ведь, случайная вышла встреча, как говорят, судьба свела. Подала чаю (хорошо, заварка была), и выпил Гарусов с конфетой — одну конфетку из вазочки взял, «раковую шейку». Выпил, поблагодарил, потом на ширму поглядел и спросил: «А там кто?» — «Моя дочь Ниночка», — ответила Зоя и покраснела маком. «Беленькая?» — спросил Гарусов. «Беленькая», — подтвердила Зоя. Больше про это разговору не было. Гарусов еще немного посидел и стал прощаться. Зоя его проводила в прихожую, поправила ему шарф, просила еще заходить, заперла дверь и легла спать, довольная, что Гарусов такой культурный, самостоятельный, целоваться не лезет и вот Ниночкой заинтересовался. «Может, и будет у меня в жизни счастье, довольно намаялась», — думала Зоя.

Так и вышло. Гарусов стал к ней ходить, дальше — больше, а когда стало у них серьезно, сам предложил расписаться. Зоя не настаивала — не девушка. Сперва, конечно, надо было оформить развод. Деньги на него дал Гарусов. Зоя даже удивилась, откуда у него такая сумма — не со стипендии же скопил? Оказалось, что он еще в детдоме зарабатывал и клал на книжку. Вот и пригодились.

На суд слесарь-механик явился пьяней вина. Судья даже мирить не пыталась, сразу приговорила развести. Вскоре после этого Зоя с Гарусовым расписались и стали жить мужем и женой.

Зоя была счастлива — дальше некуда. Гарусов оказался и в самом деле солидный, не пил, не курил, приятелей не водил, повышенную стипендию ей отдавал всю, до копейки. В столовую ему теперь ходить было незачем, что ни говори, а домашнее питание более качественное. Зоя сама его кормила, а в свое дежурство оставляла обед утепленный, под тюфяком, и разогревать не надо. И с собой ему давала бутерброды в пластмассовой коробке. А главное, Ниночку Гарусов полюбил, нянчил ее, тетешкал, ночью вставал, когда заплачет. И девочка уже тянулась к нему, узнавала.

В институте, за самодеятельность, Гарусова премировали аккордеоном (играть он еще в детдоме научился). Инструмент, красивый и новенький, кнопка к кнопке, стоял в углу на столике, Зоя радовалась, а про себя прикидывала, как через несколько лет на этом же месте будет стоять телевизор. Плохо ли? В кино ходить не надо.

А вот Гарусов — тот, пожалуй, не был счастлив. Жили они с Зоей хорошо, и Ниночку он любил, ничего не скажешь, а чего-то все не хватало. По-прежнему чувствовал он неопределенную тоску, похожую на голод, хотя он теперь не голодал, напротив, хорошо питался. Чем-то еще тоска была похожа на жалость — жалко было Зою, Ниночку, других людей, куклу в пустой блокадной квартире, лежавшую, раскинув руки, на холодном полу, разбомбленные дома, которые погибали, как люди. Особенно по ночам ему не давали покоя разные мысли. В комнате было жарко. Лежа рядом с горячим Зоиным боком, Гарусов не спал и вспоминал всю свою жизнь, все, что видел, встретил и что потерял. Иногда ему снились старые сны: много ворон.

В институте дела Гарусова шли по-прежнему хорошо, даже лучше прежнего — и в учебе, и в самодеятельности, и в комсомольской работе. Любое поручение Гарусов выполнял на высоком уровне, вдумчиво, добросовестно, правда, несколько сухо. Даже в самодеятельности сухо танцевал и играл на аккордеоне. Говорил он короткими фразами, делая между ними веские перерывы. Среди своих сверстников он, хоть и маленький, казался старше. Сейчас, когда Гарусов женился, он еще больше отошел от беззаботной студенческой братии и от этого иногда страдал.

Еще до женитьбы, когда Гарусов жил в общежитии, завелся у него приятель Федор Жбанов — толстый, румяный великан, бездельник и бабник. Вот со Жбановым Гарусов отчасти дружил. Трудно сказать, что их между собой связывало, очень уж они были разные: Гарусов — маленький и сдержанный, Жбанов — большой и разболтанный. Оба относились друг к другу критически, но с симпатией. Гарусова, пожалуй, привлекали в Жбанове его способности, а также полное к ним равнодушие. Несмотря на способности, он учился плохо, потому что презирал науку, книги, профессоров, доцентов и ассистентов, а заодно и академиков. Вообще —

всех тех, кто стоял над ним и пытался им командовать. Весь год он валял дурака, не ходил на лекции, а когда очень уж начинали прижимать с посещением, демонстративно садился в первый ряд, ничего не записывал и улыбался. Этим он доводил до бешенства нервных профессоров. Один из них даже потребовал, чтобы на его лекции больше не пускали «этого Гаргантюа». Так проходил семестр. А перед самым экзаменом Жбанов ложился в сапогах на свою койку, лицом вверх, брал учебник и, держа его перед носом, перелистывал минут двадцать — полчаса. Этого ему было достаточно, чтобы сдать предмет на тройку, а то и на четверку. Больше четверки ему никогда не ставили — просто за наглость.

Время от времени Федор Жбанов покидал общежитие и, по своему выражению, «уходил в народ», то есть поселялся у какой-нибудь женщины. Успех у женщин он имел необыкновенный, хотя не был с ними ни ласков, ни даже внимателен, — а вот поди ж ты. Сила тут, что ли, действовала какая-то. За право временного владения Жбановым всегда сражались три-четыре претендентки. Пробыв в нетях недели две-три, а то и месяц, Жбанов возвращался в общежитие и вновь осваивал свою койку, которую в его отсутствие оберегал Гарусов, чтобы не заняли. Охотников занимать, впрочем, не находилось, потому что под богатырским телом Жбанова койка прогнулась почти до полу. Федор возвращался как когда, иной раз обласканный, одетый-обутый, а то и обобранный, всяко бывало. О своих приключениях он разговаривать не любил, на расспросы отмалчивался. Вернувшись в общежитие, он на некоторое время присмиревал, отсыпался, а потом опять входил в силу, и начиналось то же самое.

Однажды Гарусову по комсомольской линии поручили провести со Жбановым беседу о его моральном облике. Гарусов, будучи добросовестным во всем, и к этому поручению отнесся ответственно, подготовил текст и аргументацию, со ссылками на литературу. Однако, как только он начал беседу, Федор расхохотался, обозвал его неприличным уменьшительным именем, взял на руки и вынес в коридор, а дверь за собой запер. Гарусов постоял-постоял за дверью, поскребся в нее, несколько раз окликнул Федора, но, не получив ответа, ушел гулять по городу, просто куда глаза глядят. В тот самый вечер его и встретила Зоя далеко от дома. Когда он вернулся, дверь была уже отперта и Жбанов нахально храпел. Больше к разговору на эту тему они не возвращались — беседа проведена, и ладно.

Когда Гарусов женился на Зое и некоторое время прожил с ней, он понемногу все чаще стал вспоминать Федора Жбанова. В сущности, думал Гарусов, он теперь сам по моральному облику не выше Жбанова — живет с женщиной, она его кормит и стирает ему белье. А что он расписан, то это значения не имеет, потому что дело не в бумажке. Думал он о Жбанове довольно упорно и все больше о нем скучал. Он сказал Зое, что хочет пригласить к себе товарища, как она на это посмотрит? Зоя посмотрела серьезно, уговорила Гарусова подождать до получки, а то и принять человека нечем будет. Назначили день. Зоя купила бутылку, испекла пирог, сделала холодное, накрыла на стол. Стали ждать гостя, приодетые: Зоя в голубом крепдешиновом, Гарусов в новом костюме. Он все беспокоился, хорошо ли будет, потирал маленькие руки и поправлял на столе то тарелки, то скатерть.

Жбанов явился с большим опозданием, уже пьяный, и привел с собой женщину, тощую и немолодую, вроде накрашенной щуки. Женщину звали Наиной, и она обижалась, когда ее называли Ниной. За столом она ерзала, будто сидела на гвозде, комнату Гарусовых не одобрила: «Мало модерна». Водку пила жеманно, отставив мизинец как пистолет. Пирога и закусок есть не стала, спросила маслин, но их у Зои не оказалось. Федора Жбанова быстро развезло, он побледнел, сердито сверкал глазами и без всякой церемонии осаживал свою даму. Увидев аккордеон, потребовал, чтобы Гарусов сыграл «Жулик из Малаховки». Гарусов такой песни не знал, Жбанов начал было ее петь, но запутался, разорвал на себе галстук и, в конце концов, выгнал Наину вон: «Чтобы я тебя никогда больше не видал, гиена поджарая». Пока Наина, плача черными слезами, одевалась в прихожей, Гарусов успел ее пожалеть до живой боли и охотно вызвался провожать домой. По дороге Наина плакала, жаловалась на Жбанова, ругала его котом и плесенью, грозилась написать в профком и местком, требовала, чтобы Гарусов оказал давление по комсомольской линии. Гарусов молчал и жалел ее все больше. «Ах, все вы заодно!» — сказала Наина и дала ему пощечину, не больно, как-то почти мимо, узенькой слабой рукой и быстро пошла вперед, он за ней. Тут она начала нехорошо ругаться, и жалость Гарусова достигла предела. Кончилось это тем, что она вошла в какой-то подъезд с криками: «К первому попавшему!» Гарусов постоял у подъезда, подождал с полчаса, не дождался и пошел домой, совсем растерзанный жалостью и недоумением. Когда он вернулся, Федор Жбанов, как был в костюме и в сапогах, спал на супружеской кровати, а Зоя сидела у стола и плакала прямо на пирог. Легли они с Гарусовым на полу. Жбанов всю ночь храпел смертным храпом, а утром покаянно опохмелился и ушел. Больше о том, чтобы пригласить к себе товарища, Гарусов не заикался.

Так постепенно проходило время. Гарусов все так же хорошо учился, и все так же ему чего-то не хватало. А Зоя еще больше пополнела, была довольна своей судьбой, и только хвалить ее не решалась: еще сглазишь. Ниночка подрастала и становилась хорошенькой, вся в отца, слесаря-механика. Зоя этого сходства боялась — как бы Гарусов не разлюбил девочку — и часто, глядя на дочь, говорила фальшивым голосом: «Ну, вылитая я в ее годы». И напрасно. Гарусову было все равно, на кого похожа Ниночка — на слесаря-механика или на мать. Девочка звала его «папой», цеплялась за его руку на улице. Иногда, когда она обнимала его за шею, Гарусов чувствовал что-то такое в груди, словно бы его сердце хотело и не могло раскрыться, толкалось изнутри в сердечную сумку.

8

Новый интерес в жизни Гарусова появился, когда он попал в научный кружок при кафедре автоматики. Привлекла его туда старший преподаватель кафедры Марина Борисовна Крицкая. Она же и руководила кружком, хотя номинально руководителем числился заведующий кафедрой профессор Томин, заслуженный деятель науки и техники, который, получив «заслуженного», от науки отбился, метил выше и на кафедре бывать почти перестал.

В институте Марину Борисовну вообще любили, хотя считали чудачкой и отчасти над ней посмеивались. Целые анекдоты ходили о ее рассеянности, доброте и нелепости. Будучи нелепой, рассеянной и доброй, Марина Борисовна за много лет так и не успела защитить диссертацию. Рассказывали, впрочем, что диссертация у нее была уже готова, но она ее потеряла. Как потеряла? Да так, самым буквальным образом, где-то выронила. Что ж, вполне возможно. Марина Борисовна всегда что-то теряла. Это была невысокая изящная женщина с крохотными ногами и руками, с пучком вечно растрепанных полуседых волос, из которых поминутно падали шпильки. Ходила она как бы танцуя, на полупальцах, по-кенгуровому поджав к груди маленькие руки. Вечно она куда-то спешила, о ком-то заботилась. Чужие дела горели в ней неугасимым пламенем. Студентов она любила самозабвенно, хотя они ужасно ей врали. Врать ей было легко и стыдно — стыдно потому, что легко. Она сразу верила и бежала на помощь. Скажем, студент оправдывал свою неподготовленность болезнью матери. Что тут начиналось! Чем больна? Кто лечит? В больнице? В какой больнице? Чего доброго, она способна была отнести туда передачу! Студент потел холодным потом и сам не рад был, что с нею связался. Зато подлинные неудачники, хвостисты и отчисленные, чудаки и сумасшедшие летели на нее как мухи на мед. Денег и времени у нее никогда не было — все уходило в людей.

Первую лекцию Марины Борисовны Гарусов хорошо запомнил. Это была первая в институте лекция, которую он не записал. Третий курс, студенты — народ уже привычный, тертый — галдели в аудитории, кто сидя, кто стоя, кто жуя, кто, как Гарусов, раскрыв тетрадь и приготовившись записывать. Распахнулась дверь, и вошла, придерживая ее рукой, маленькая женщина с пузатым портфелем, из которого что-то висело, может быть, даже чулок. По залу пробежали смешки, шиканья, студенты начали не то вставать, не то рассаживаться, делая вид, что встают. Маленькая женщина, не обращая внимания на шум, кивнула головой, положила на стол портфель, влезла на помост перед доской, стала лицом к аудитории и выдвинула перед собой одну ногу. Выгнув подъем по-балетному, она установила ногу твердо на носок и не спеша придвинула к ней другую, парадоксально развернутую пяткой почти вперед. Студенты притихли. Установив ноги в этой противоестественной позиции, Марина Борисовна вскинула голову, и несколько шпилек, одна за другой, стукнулись о помост. Тишина была полная. Как только раздался ее голос, все насторожились. Еще несколько фраз — и все были захвачены. Это была не лекция, а какой-то поток общения, исходивший от лектора и обнимавший весь зал. Слушая Марину Борисовну, каждый чувствовал себя умнее, чем был в действительности, и начинал за это себя больше любить.

Лекции Марины Борисовны всегда собирали полный зал. Она не излагала свой предмет — она рассказывала о нем, как о хорошем знакомом, нет, лучше — о друге, запросто, очень интимно, с какими-то меткими, смешными словечками. Сразу становилось ясно, что́ к чему и для чего, и почему существует именно эта наука, и в каких она отношениях с другими, и как можно ошибиться, и что делать, чтобы не ошибаться. Рисовать на доске она не умела, почерк у нее был черт-те какой.

С головы до ног осыпанная мелом, облизывая пальцы, становясь на цыпочки, Марина Борисовна объясняла, и все становилось ясно, но по-особому. Не просто и ясно, а сложно и ясно. Особенно ждуще замирали студенты, когда она начинала говорить «обо всем». Именно так: ни о чем в отдельности, а обо всем сразу. Гарусов вовсе забросил конспект и только слушал горячими ушами.

Когда после одной из лекций Марина Борисовна объявила запись в научный кружок, многие записались, и Гарусов тоже. Многие потом отпали, а Гарусов не отпал.

Странный это был кружок. Название его — «Системы автоматического управления» — осталось еще от прежнего руководителя, профессора Темина, ныне пропавшего в омуте успеха. Чем, собственно, занимался кружок — точно известно не было. Марина Борисовна пыталась заинтересовать кружковцев теорией саморегулирующихся систем, но не тут-то было: они коварно бросились в пучину изобретательства. Марина Борисовна металась вокруг них, как курица, высидевшая утят. В технике она смыслила куда меньше своих питомцев. Теоретические знания у нее были, и очень обширные, но живых машин, машин в металле она откровенно боялась. Стоило увидеть, как она трогала своим бледным пальцем какую-нибудь клемму, чтобы понять, что это — не ее сфера. Тем не менее кружок существовал, руководя сам собой, при сочувствии и попустительстве Марины Борисовны.

Студенты собирались в лаборатории по вечерам, раскладывали чертежи, паяльники и канифоль и начинали работать. Рано или поздно (чаще поздно, чем рано) раскрывалась дверь и появлялась Марина Борисовна, спешащая, в расстегнутом пальто, на голове крохотная смешная шляпа — не шляпа, а какой-то симптом головного убора, в одной руке — неизменный портфель, в другой — авоська. Из авоськи извлекались свертки с угощением: бутерброды, пирожки, конфеты, яблоки. Все это при радостных кликах развертывалось и пожиралось. Отряхивая крошки, студенты брались за чертежи и паяльники. Гарусов был чаще с паяльником. У него были ловкие маленькие руки («серебряные» — называла их Марина Борисовна), и он умел как никто собрать и отладить любую схему. Своих идей у него не было. Главными генераторами идей в кружке были два студента, один — отличник, другой — хвостист, но очень талантливый. Отличник и хвостист непрерывно ссорились, но все-таки создали вместе одну необычайно уродливую конструкцию, истратив на нее немало собственных денег, для чего были проданы на рынке пиджак отличника и брюки хвостиста. Конструкция демонстрировалась на выставке студенческих работ и даже была удостоена премии, но работать не работала, видимо, раздираемая внутренними противоречиями. Те же противоречия между двумя главарями — отличником и хвостистом — привели к тому, что кружок распался. Гарусов был в отчаянии. Он заметался по институту, пытаясь завербовать новых членов, не брезгуя даже девушками, но тут надвинулась сессия, и, как водится, все было забыто, кроме билетов, шпаргалок, отметок и стипендий.

Один Гарусов ничего не забыл. Прошла сессия, начались каникулы. Вместо того чтобы бегать на лыжах или просто гонять лодыря, он явился в лабораторию и выразил желание работать. Никто его не понял, кроме Марины Борисовны. Она сказала: «Отлично, если нас все бросили, будем работать вдвоем». Теперь бутерброды, пирожки и конфеты, в прежнем масштабе, доставались одному Гарусову. Он добросовестно ел, проявляя еще с голодных времен сохранившееся религиозное уважение к еде. В промежутках он излагал Марине Борисовне идею новой конструкции. Идея была не бог весть что: он хотел примирить противоречивые принципы отличника и хвостиста, избежав ошибок того и другого. Марина Борисовна внимательно его слушала и время от времени вставляла теоретические замечания, в свете которых он переставал что бы то ни было понимать. Тем не менее они отлично ладили.

Марина Борисовна вообще любила студентов, всех, способных и тупиц, прилежных и лежебок, а Гарусова еще отдельно полюбила за то, что он был такой маленький и четкий, усердно ел и был, по-видимому, горячо увлечен работой. Особыми талантами он не блистал, но была в нем некая скромная самостоятельность. Выслушает почтительно, не возражая, а сделает по-своему и, глядишь, лучше, чем предлагала Марина Борисовна. Свою нехитрую и малооригинальную конструкцию он оттачивал почти два года, после чего выступил с докладом на конференции, где вел себя скромно, но с достоинством, и хорошо отвечал на вопросы. Марина Борисовна так и сияла. Конструкция, работавшая вполне исправно, нашла свое место на полках постоянной выставки.

Гарусов окончил институт одним из первых по успеваемости, но, будучи малозаметным, предложения в аспирантуру не получил. На распределении его направили в Воронеж, инженером НИИ. Гарусов против назначения не возражал. Зоя тоже не возражала, даже была рада: очень уж стал в Ленинграде за последнее время пронзительный климат, вот и Ниночка желтая стала и часто болеет.

Собрались и поехали, в мягком вагоне. Ниночка липла к окну, ахала на каждую водокачку. Проводница разносила чай. Зоя покачивалась на мягком диване и думала: «Вот и слава богу, едем к себе домой, трое нас, настоящая семья». Гарусов был невесел. Он, ленинградец, покидал Ленинград. Он тоже смотрел в окно. Взгляд его, словно при чтении, бежал прилежно за каждым предметом до самого края окна и, стукнувшись о раму, скачком возвращался назад.

9

На новом месте Гарусовы устроились неплохо. Вначале, с полгода, жили в общежитии для семейных, в узкой и непомерно высокой комнате с каменным полом (до революции тут были казармы). На весь этаж была одна кухня с четырьмя газовыми плитами, шестнадцать конфорок, и то не хватало. С утра до ночи здесь гомонили, стряпали, стирали, порою ссорились молодые хозяйки (старых почти что не было), а маленькие дети цеплялись за их подолы и фартуки, требуя внимания. Время от времени кто-нибудь из малышей падал, гулко стукнувшись головой о каменный пол. Начинался рев и хлопотня, ребенку оказывали первую помощь, и вся кухня объединялась во встревоженном сострадании. Тем временем на плите что-то пригорало, и хозяйки с той же озабоченностью бросались спасать пригоревшее. Впрочем, пригорало часто и без происшествий. Были такие специалистки, у которых всегда пригорало. Особенно этим отличалась аспирантка Галя, высокая бледнушка в очках, которая и на кухню-то выходила не иначе как с книгой. Муж ее Сережа, тоже аспирант и тоже в очках, помогал жене во всем, в очередь с нею готовил, дежурил по кухне, стирал пеленки и гулял с шестимесячным сыном. Сына звали Икаром, он был толст, неповоротлив и мудр и все говорил сам с собою на голубином наречии.

Зоя на кухне бывать любила, особенно когда возникали умные разговоры, не кто с кем живет, а о книгах, о науках, о политике. Кухня ей была вместо театра.

Так что Зоя даже не очень обрадовалась, когда в конце полугодия Гарусову, как молодому специалисту, хорошо проявившему себя на работе, дали в районе новостроек однокомнатную квартиру. Обрадовалась, конечно, отчего не обрадоваться, но могла бы еще потерпеть, не барыня. А квартира хорошая: комната двадцать метров, кухня — шесть. Санузел, само собой, совмещенный, да ничего — одна семья.

У Зои еще никогда не было своей собственной квартиры, жила она все по общежитиям да коммуналкам. Поначалу новая квартира ее увлекла. Главное — создать Гарусову условия для работы. Зоя отциклевала полы, все своими руками, повесила занавески и коврики, Ниночке устроила уголок по журналу «Наука и жизнь», словом, так благоустроилась, что стала квартира, как куколка. Балкон большой — цветов развела. Гарусов активно помогал по благоустройству, одних дырок, наверно, штук тридцать провертел: стены-то кирпичные, гвоздя не вобьешь. Кажется, Гарусов и сам был доволен квартирой, а главное — что работу его оценили, и так скоро. Он вертел дырки дрелью и улыбался. Спросит Зоя: «Чему ты, Толя?» Ответит: «Так».

Только недолго это все продолжалось. Думала Зоя: устроимся, начнем жить и радоваться. Устроились — а радости особенной нет. Живем и живем. Наверно, радость была в самом устройстве: придумывать, стараться, осуществлять. Зоя сама себе стыдилась признаться, что скучает по общежитию. По кухне, где всегда что-то пригорало. По двум очкарикам — Гале с Сережей, по толстому Икару. Даже по коридору с каменным полом, где так гулко отдавались детские голоса.

А главное, тревожил ее сам Гарусов. Стал он последнее время какой-то отвлеченный, приходил с работы невесел. С Ниночкой играл мало. Спрашивала Зоя: «Что с тобой?» — «Ничего, — говорит, — просто устал». А с чего бы ему уставать особенно? Зоя его по хозяйству не очень эксплуатировала, все на себя брала. Может, болен чем? Говорит, здоров. Зоя хотела даже обратиться к гомеопату, но здесь, в чужом городе, негде было его искать. Показали ей одного на улице — больно страшный, с бородой, ну его совсем.

Перемена пришла внезапно.

Однажды товарищ по работе пригласил Гарусова к себе на новоселье. Само собой, с Зоей — где муж, там и жена. А у Зои как раз накануне беда случилась: зуб сломался, да и передний. Она начисто отказалась идти: «Чего срамиться? Скажут, Гарусов на старухе женился». А его уговорила: «Погуляй, развеешься». А если бы не уговорила, ничего бы не случилось. Случилось. Потому что на этом вечере он встретил Валю, свою судьбу.

Много раз потом он старался вспомнить: как это все было в самый первый раз? Как она вошла? Как поздоровалась? В чем была одета? Полный туман. Получалось так, что еще до первого взгляда он уже любил ее. С той минуты, как ее, еще там, в передней, позвали к телефону, и она стала плакать по телефону, а он слушал, полный жалости и восхищения. Она еще не вошла, а он уже любил ее. Она вошла, и он убедился, что все так и есть: он был раздавлен, распластан, втерт в землю у ее ног. Наружности ее он не понял: что-то черное, небольшое. Запомнился только. маленький, точный локон посреди лба да еще зубы, открытые в улыбке с каким-то наивным бесстыдством. Он приблизился и скромно стал у ее плеча, готовый отдать жизнь, если понадобится.

Завизжала радиола. Валя сама пригласила его танцевать. Гарусов любил и умел танцевать — еще в самодеятельности научился, — но обычно стеснялся приглашать девушек из-за роста. А Валя сама его пригласила. Они танцевали вровень, глаза в глаза. Только ее блескучие глаза все время двигались, и вся она ускользала от глаз. Танцуя, он про себя уговаривал ее: «Постой, погоди, дай себя разглядеть». Нет. Он полюбил ее, так и не разглядев.

После вечера он провожал Валю домой. Дул ветер, она шла быстрым шагом, и глаза летели из-под платка. На прощанье Гарусов поцеловал Валю. С этим поцелуем его жизнь переломилась.

Обманывать Зою он не хотел. Тихо и твердо, потупив ресницы, он сказал ей, что полюбил другую женщину и хочет на ней жениться, а с Зоей развестись. Зоя приняла свое горе культурно, хоть и всплакнула, но криком не кричала, упреков Гарусову не выдвигала, а про себя думала: «Чуяло мое сердце с самой этой новой квартиры».

Квартиру Гарусов обещал оставить Зое с Ниночкой и половину зарплаты. Договорились. Заявление на развод подали вместе, будто бы от обоих, и тут Зоя держалась хорошо, платка не замочила. Пока, до оформления, решили жить в той же комнате, только койками разойтись. Так и сделали. Жили без скандала. Гарусов спал на раскладушке, Ниночка звала его «папой», а Зоя по-прежнему заботилась о нем, кормила, обстирывала и обглаживала. Гарусов сознавал, что это неправильно, но отказаться настойчивости не имел, боялся еще хуже обидеть Зою. Вообще он жалел Зою, страшно жалел, до физической боли в сердце, но Валя была сильнее жалости и боли, сильнее всего.

По вечерам он одевался получше и уходил на свидание. Зоя хоть и горевала, а все же немножко гордилась, какой он пошел, нарядный да наглаженный, не стыдно в люди пустить. «И то сказать, — думала она, — разве я ему пара? Он — с высшим образованием, а я — неученая, да и старше его на четыре года». Иногда что-то путалось у нее в голове, и почти начинало казаться, что не мужа, а взрослого сына провожает она на свидание.

А Гарусов опять весь горел, как в то время, когда увозил детдом в Ленинград. Он увидел цель и шел к ней, как рыба на нерест, против течения, обдирая бока. Валя не говорила ни «да», ни «нет», смеялась, обнадеживала, отворачивалась и только раз позволила ему переночевать в своей ситцевой каморке с пучками ковыля, с пестрыми подушками на продавленной тахте. Гарусов был оглушен. «Не вспоминай, — говорила она, — мало ли что было». А он прямо жил этим. Так и видел возле тахты ее игрушечные каблукастые туфли и рядом с ними свои собственные, грубые, почти большие полуботинки.

Личная жизнь Гарусова просочилась наружу. Раз его вызвал секретарь парторганизации и, кривясь, как от кислого, начал разговор. Гарусов ни от чего не отрекался, признавал, что имеет место факт морального разложения, был готов принять за это любую кару, но исправиться не обещал.

На другой неделе обсуждали его персональное дело. Гарусов сидел спокойно, глядя на свои маленькие руки, и снова ничего не отрицал, но и ни от чего не отказывался. Один, самый агрессивный обвинитель, спросил его: «Правду ли говорят, что вы с женой на разных койках спите?» Гарусов на этот вопрос отвечать отказался, но подчеркнул, что на разных койках спать даже гигиеничнее, и когда у нас будет изжит квартирный кризис, многие будут так спать. Выступил один доброжелатель Гарусова и отметил, что в данном случае разрушение семьи не так уж предосудительно: жена, мол, намного старше его, и дочка не своя, а приемная. Эту поддержку Гарусов решительно отверг, сказав: «Жена моя очень хороший человек, а ребенка считаю своим». Поспорили и решили: поскольку со стороны потерпевшей жены никакого сигнала не поступало, ограничиться «на вид», но уж если поступит... На это Гарусов улыбнулся и сказал: «Не поступит».

И не поступило. Все шло по-прежнему до самого развода: Гарусов жил дома, спал отдельно, по вечерам встречался с Валей и метался, как в дурмане, в своей необыкновенной любви.

В суде дело обошлось тихо и прилично. Зоя опять не плакала, на вопрос, не имеет ли она возражений, твердо отвечала: «Не имею». После развода пошли домой, Зоя припасла бутылку, выпили «за счастье». Потом Гарусов поцеловал спящую Ниночку, пожал Зое руку и ушел ночевать в общежитие. Тут уж она дала себе волю: досыта наплакалась, целуя подушку.

На другой день Гарусов пришел к Вале, сказал, что свободен, и предложил расписаться. Оказалось, что Валя не очень-то с этим торопится. «Еще успеем, надо друг друга узнать получше. Литература говорит: счастье брака — в общности идеалов. А откуда я знаю, какие у тебя идеалы?» Они стали встречаться, ходить на разные культмероприятия: посетили выставку, два раза были в театре — один раз смотрели оперетту, другой раз — исторический спектакль. Это уже не говоря о кино, в кино они бывали каждую неделю. Ходили еще на танцы — это Гарусов больше всего любил, потому что мог на законном основании обнимать Валю. С каждым днем Гарусов влюблялся все больше и больше — хотя больше и нельзя было, но больше понимал, за что ее любит. Валя покоряла его своей непринужденностью, грацией, быстротой, манерой шутить, забывчивостью, беспечностью. И говорила она по-интересному, не так, как все. То все пустяки идут, и вдруг что-то блеснет — задумаешься. Так, про одного знакомого Валя сказала, что он похож на параллелепипед. Гарусов сперва удивился, а потом всмотрелся, и правда — вылитый параллелепипед. Сам бы он до этого не додумался. Валя была начитанная, много знала на память стихов и к каждому случаю могла подобрать стихотворение. Это Гарусов ценил.

И еще что́ в ней его поражало: полное презрение к вещам, ко всему, что денег сто́ит. Капрон новый порвет — и смеется. Он этого не понимал. Вещи свои он берег и ценил, уважая в них не столько вещи, как труд человеческий. Валя называла его «Кощей бессмертный». Сама она ничего не жалела. И откуда у нее такое? Добро бы денег много было, а то зарплата маленькая, секретарь-машинистка.

Больше всего Гарусова поразило, когда Валя ушла от своих ботиков. Была осень, они долго ходили по улицам, у Вали устали ноги, она сняла ботики, поставила их на край тротуара и ушла, не оборачиваясь. Гарусов обеспокоился, хотел вернуться за ботиками, но она не позволила: «Ну их, они мне надоели». Он бы так не мог.

Наступила зима. Гарусов заметил, что у Вали пальтишко худенькое, демисезонное, а зимнего нет. Оказывается, подарила кому-то, вышло из моды. Мороз, но она не унывает, приплясывает. Чарльстоном прошла целую улицу. Гарусов занял в кассе взаимопомощи и принес деньги Вале на пальто. Она даже расплакалась, ни за что не хотела брать: «Ты меня оскорбляешь». Пришлось долго ее уговаривать, пока взяла. Покупать пальто ходили вместе, как муж и жена, выбрали хорошее, материал букле, воротник под норку. Валя была в новом пальто очень красивая, хотя по-прежнему вертелась, не давая ему себя разглядеть. Счастлив, счастлив был Гарусов. Вечером как-то само собой получилось, что он у нее остался и ночевал, и был счастлив, счастлив.

С этого времени Гарусов начал входить в долги. Половину зарплаты он, как условлено, отдавал Зое с Ниночкой, а на другую половину должен был жить и делать подарки Вале. Не то чтобы она их требовала, боже упаси, она всегда отказывалась, но с каждым разом уговаривать становилось все легче. Не ценя вещи, Валя быстро забывала о подарке: минутку порадуется — и забудет. Гарусову самому было приятно их приносить: он — как большой, а она — как маленькая...

Валя была уверена, что научные работники уйму денег получают, а Гарусову приходилось туго. Есть он стал очень мало, только раз в день горячее, а то чай и хлеб. В кассе взаимопомощи ему больше не давали, и он занимал у кого придется, вовремя отдать затруднялся и очень страдал. Еще его разоряли подарки Зое и Ниночке, куда он тоже не ходил с пустыми руками.

Валя, по своей беспечности, не замечала, как худеет Гарусов, как плохо выглядит и как порой озабочен. Зато очень хорошо видела это Зоя («не кормит его, видно, блоха черномазая»). Предлагала ему обедать, но Гарусов всегда отказывался. «Горе ты мое, до чего же принципиальный», — думала Зоя с болью и гордостью. Она уж ждала, когда он на «блохе» распишется, может, будут жить своим домом, хоть питание наладится.

Гарусов тоже надеялся, что еще немного — и все наладится, но так не вышло. Однажды, совсем неожиданно (накануне они еще были в кино), он получил от Вали письмо. В первый раз он увидел ее беспокойный почерк. Валя писала, что все между ними кончено. Она встретила другого человека, полюбила, выходит за него замуж и уезжает с ним в Ленинград, город Пушкина, Блока и других поэтов-имажинистов. Гарусову она, конечно, благодарна за все, что было, но... «Я другому отдана и буду век ему верна», — кончала свое письмо Валя. На конверте был след от губной помады, как будто Валя его поцеловала.

Прочитав письмо, Гарусов лег на свою койку лицом вниз и так пролежал двое суток. Звонили с работы — он к телефону не подходил. Соседи по комнате решили, что он болен, и вызвали врача. Когда пришел врач, Гарусов встал и объявил себя здоровым. На другой день, весь ссохшийся и молчаливый, он вышел на работу, круто отстранил все вопросы и больше прогулов не допускал. Выговора ему не дали, потому что многие знали его историю: Валя и в самом деле вышла замуж за приезжего, командировочного, и укатила с ним в Ленинград. Гарусов этого ни с кем не обсуждал. Дело это было кончено, и надо было жить, и он жил.

10

Тут ему подступило к горлу свободное время. К свободному времени он не привык, всю жизнь еле управлялся с делами, особенно последний год, когда служил Вале. Теперь у него оказалась сразу пропасть свободного времени. Что делать? На работе с шести часов уже пусто. В кино? Не мог он ходить в кино, все ему напоминало о Вале, о ее профиле в темноте, о горячих маленьких руках. Читать? Беда в том, что книги его не очень увлекали. За всю свою жизнь он так и не выучился читать для самого себя, без специальной цели. В школе, конечно, они прорабатывали художественную литературу. Гарусов, как отличник, прорабатывал глубоко, с привлечением дополнительных источников. Но то была школа, а теперь жизнь. В институте Гарусов тоже всегда участвовал в читательских конференциях по новинкам советской и западной литературы, но это тоже было в порядке мероприятия.

Когда он раскрывал книгу, ему сразу же хотелось ее конспектировать.

Пробовал он заняться наукой, но идей особых не возникало, а изучать разные предметы просто так, на всякий случай, было бессмысленно — очень уж этих предметов было много. Попробовал освежить английский, некоторое время занимался по вечерам, но и это его не увлекло. Вспомнил он о своей конструкции, которую делал еще в кружке Марины Борисовны (с его теперешней точки зрения, это был инженерный лепет), и попробовал ее усовершенствовать. Что-то получилось, и он, с помощью лаборанта, довел дело до работающего макета, но вдруг ему стало тошно, он забросил свою машину и ушел от нее, как Валя от ботиков. Деваться стало совсем некуда. Тут он попробовал вечерами бродить по городу, и это ему помогло.

Он выходил из дому и шел — никуда, просто так, своей аккуратной походкой с широко развернутыми носками. Улицы сменялись улицами, дома — домами. По улицам шли люди, в домах горели лампы. Поздно ночью он возвращался в общежитие, ложился в постель и спал без снов. Постепенно бродячая жизнь начала его менять. Он с удивлением начал ощущать себя зрячим. Он видел то, на что раньше не обращал внимания. Его привлекали вещи — самые обыкновенные вещи, предметы. Постройки, скамьи, заборы, радиолокаторы. Кто-то ведь каждую из этих вещей делал, замышлял, строил. Ему казалось, что он видит на вещах прилипшие к ним души тех, кто их делал. В здании больницы ему виделась скупая, бедная, геометрическая душа, в коленопреклоненном памятнике — душа неловкая, плачущая. А эту вот огромную позолоченную шишку, венчающую столб у ворот, наверно, делала чья-то убогая, глупая, испуганная душа. Гарусов жалел все эти души. Жалость была в нем такая обширная, что он жалел даже явления природы: закаты, вечера. Как-то в этой жалости замешан был Ленинград, его блокадное детство, когда вечера умирали, как люди.

В таком состоянии исступленной жалости, одиночества и метаний Гарусов дожил до зимы.

Зимой он заболел гнойным аппендицитом, его оперировали. Операция прошла неудачно, образовался свищ. Гарусова резали вторично, на этот раз — под наркозом. Он погружался в наркоз, как в покой. Когда он пришел в себя, то заметил, что терзавшая его жалость несколько ослабела. Он был послушен, вял, ни на что не жаловался, но и выздоравливать не спешил, испытывая своего рода комфорт отрешенности. Может быть, новорожденный с только что перерезанной пуповиной ощущает нечто подобное. И спал Гарусов много, как новорожденный.

Зоя прослышала о болезни Гарусова и прибежала в больницу. Лицо Гарусова поразило ее каким-то спокойствием и даже тайным довольством. Он смотрел в потолок, разглядывая на нем узоры из трещин с насмешливым вниманием. Зое кивнул, про кулек с фруктами сказал: «Положи». Зоя спросила: «Приходить к тебе?» — «Отчего же нет, приходи».

Зоя стала ходить к нему, выхаживать его и вы́ходила, вытащила его из болезни. Он стал понемногу есть, садиться, наконец встал. Зоя радовалась, как мать, у которой ребенок сел, встал, пошел...

О будущем они не говорили, но дело решилось само собой. Когда Гарусова выписали, Зоя повезла его не в общежитие, а к себе на квартиру. Уложила его, усталого, на кровать, приготовила питье, взбила на ночь подушку. А еще через месяц, пряча от смущения глаза, они заново расписались в загсе, и пошла опять нормальная семейная жизнь. Зоя расцвела, вставила зуб, похорошела. Гарусов, измененный пережитой жалостью, был к ней особенно внимателен, просто жених. Зоя даже смеялась: он с ней как с принцессой какой-нибудь, а она здоровенная, целая лошадь. И Ниночка опять ходила гулять за руку с папой, все как у людей. Долги понемногу выплатили, в доме появился достаток, недалеко было уже и до телевизора. Отпраздновали Зоино рожденье, рожденье Ниночки, только самого Гарусова не праздновали, потому что он сам не знал, когда родился.

И опять наступило лето, и тут получил Гарусов от Вали второе в жизни письмо. «Дорогой Толя, — писала она, — помнишь ли ты меня или уже забыл?» Забыл ли он ее?! Он даже по́том покрылся, как только увидел почерк. Письмо было невеселое, видно, Валя не нашла счастья в семейной жизни. «Муж оказался эгоистом, черствым человеком. Обещал Ленинград, а завез в какую-то дыру, Любань, больше часу на электричке. Работаю, но ничего не дает ни уму, ни сердцу. Дом без удобств, водопровод на улице, никакой культурной жизни. А тут еще свекровь — адская старуха, пилит с утра до вечера». Дальше Валя писала, уже не так разборчиво, что муж начал играть в карты, водит приятелей, сильно проигрывает. Конец письма, где были налеплены строчка на строчку, совсем нельзя было разобрать. Гарусов по каплям восстановил только несколько обрывков, что-то вроде «мои страдания», «живем на чемоданах», «прикидывался идейным»... Подписано: «Твоя Валя».

Гарусов письмо прочел и перечел, можно сказать, проработал с первой строчки и до последней, не знал уж, как его перевернуть и с какой стороны читать, и что там таится между «страданиями» и «чемоданами». Ясно было одно: ей плохо, она его помнит, она в нем нуждается. Вся жалость, копившаяся в нем, вспыхнула в одном ярком фокусе. Он вышел на балкон. Перед ним был мир. В нем бежали дети и стояли беседки-грибы, сыпался желтый песок и летел по небу оторвавшийся воздушный шар небывало красного цвета. Все это было на диво осмысленно. Все было легко и летело.

Он написал Вале взволнованное письмо, предлагая ей все: помощь, заработок, жизнь. Ответ пришел не скоро, месяца через два. Валя писала, что тогда погорячилась, преувеличила, не надо торопиться, жизнь все решит сама, и так далее в том же роде, с какими-то цитатами из литературы. А писать пока, для спокойствия близких, надо будет до востребования.

Так и стали переписываться. Теперь у Гарусова было еще одно занятие — три раза в день бегать на почту.

А Зоя видела, что Гарусов опять плох. С нею и с Ниночкой он по-прежнему был ласков, но глаза далекие и голос не тот... Зоя очень переживала, а главное — все одна да одна на кухне с кафельными стенами: с ума сойдешь. Зачем это выдумали отдельные квартиры? Может, у кого характер плохой, тому хорошо отдельно, а Зоя больше любила с людьми. Прежде она хоть работала, но с тех пор, как вернулся Гарусов, ушла с работы: муж высокооплачиваемый, да и за Ниночкой глаз нужен, растет ребенок, может исхулиганиться. Теперь пожалела, что бросила работу. Сходила разок в общежитие, где прежде жила, но там люди были все новые, чужие. Галя-аспирантка с мужем Сережей и толстым Икаром уехали, получили назначение. Так Зоя и ушла ни с чем. Подругу бы ей надо было. И вот Зое повезло, нашла она себе подругу. Правда, не ровесницу, а старушку, но очень хорошую. Звали ее Марфа Даниловна.

Познакомилась с ней Зоя на скамейке, у садика с грибами-беседками. Старушка была добрая, проворная, круглая, как свертень. Всегда с вязаньем, и круглый клубок скакал рядом в прутяной корзинке, а поблизости играл внук, лет полутора-двух, тоже весь круглый. Когда он напускал в штаны, бабушка его не шлепала, а ругалась по-своему, по-доброму: «Свят-кавардак». Зое нравилось, что они оба такие похожие, полные и умные. Собственная ее Ниночка подросла, не было уже в ней той детской пухлости, одни локти да коленки, прыгала в скакалки с подружками, захочется приласкаться — не дозовешься. Зоя садилась поближе к Марфе Даниловне и заводила разговор:

— Погода-то какая хорошая.

— Правильно говоришь, дева, — улыбалась ей Марфа Даниловна. — Свет и радость. Отличная погода, самая весенняя.

Она всех женщин называла «дева». А разговаривала мягким, певучим голосом, да так приятно, словно голову мыла. Зоя ей два слова, а она в ответ десять, и все ласковые. Так началась у них дружба. Разговоры сначала шли не особенные — про погоду, да где что дают. Настоящие разговоры потом начались. Однажды пришла Зоя и села на скамейку рядом с Марфой Даниловной — расстроенная такая, и сумку с продуктами кое-как на землю поставила. Сумка опрокинулась, помидоры так по земле и покатились. Зоя их и подбирать не стала, до того напереживалась. А Марфа Даниловна взяла и подобрала, не успела Зоя ей помешать. Подумать, старуха, а спину гнет для чужого человека. Зоя так и расплакалась.

— А ты поделись, дева, — сказала Марфа Даниловна. — Делясь, оно всегда легче: было на одного, стало на двух. Я всегда так: переживаю и делюсь, чего горемто жадничать.

Зоя тяжело вздохнула и стала делиться. Сначала-то было трудно с непривычки: давно с людьми не разговаривала, а о себе — тем более. Потом пошло, с каждым разом легче. Больно уж умно и ласково глядела Марфа Даниловна. И на вязанье не отвлекалась: руки со спицами где-то сбоку вертелись, сами собой.

— Я по природе любящая, Марфа Даниловна. Первого мужа я тоже ничего, любила. Слесарь он был механик, знаете такую квалификацию?

— Как не знать, дева моя? — сияла в ответ Марфа Даниловна и плечом поправляла платок. — Зять у меня аккурат такой квалификации. Сильно зашибает, святкавардак. Делись, милая.

— Вот и мой так. Сначала-то, по первой любви, еще ничего. Старался меня уважать, ну и я его. Красивый он, слова не скажешь: бровь темная, волос русый. Ниночка вся в него красотой, не дай бог характером. Уже начинает проявлять. Но я не об ней, я об нем. Жили ничего, но не убереглись, а сделалась в положении, стал он выпивать. Не нормально, как люди, а через меру. Пьет и сам себя заявляет, все не по его. Я вся нервами изошла. Картошку, кричит, не так пожарила, надо, чтобы сухая. Или брюки, зачем складка не вертикальная. У него десятилетка, любил слова говорить. Проглажу обратно — снова не вертикальная. Кошмар.

— Это бывает, — утешительно сияла Марфа Даниловна, — бывает, дева. В жизни ко всему надо применяться. Люди-то ведь не ангелы, и ты не святая. Муж-покойник у меня тоже психованный был. Что делать — терпела.

— Мой не психованный, просто на водку слабый. Он, когда трезвый, очень даже хороший был. Бабочкой меня называл. Поди, говорит сюда, моя бабочка. А выпьет — беда. Вон, кричит, из моего дома. Не твоя комната, а моя, ордер на меня выписан! Я уж не спорю, оденусь — и за дверь. Стою и плачу и слышу, как Ниночка во мне стучится — в положении я была. Постою, поплачу и обратно войду, когда уж заснет.

— Правильно, дева моя, — одобряла Марфа Даниловна, — пьяному ни в жизнь перечить не надо. Он свое дело знает. Вот у меня зять тоже пьющий, свят-кавардак. Буйное в нем вино, не дай бог. И главное, ничего ему не говори — не выносит. Я уж дочери: молчи, говорю. А она выступает, она выступает. Я от них уехала и Вовку увезла — целее будет. Соскучили они, дочка с зятем, за мальчиком. И пишет он мне: мама, приезжай. Все тебе будет: и постель мягкая, и каша сладкая, полботинки куплю — только приезжай. И она внизу, мелкой строчкой: приезжай, мама, с Вовкой, ждем ответа, как соловей лета. А что? И поеду. До первых зубов.

— До каких зубов?

— Стукнет первый раз в зубы, я и уеду. Я ведь тоже принципиальная, свят-кавардак.

— Это хорошо, принципиальность, если кто может. А я вот совсем не принципиальная. Полюблю кого — все принципы забываю. Вози на мне, как на лошади.

— Это тоже ничего. Женским терпением свет стоит. Женщина много может прощать, и раз простит, и другой, и семьдесят раз, а больше уж нельзя. Всему есть мера. Вот я тебе расскажу. Была у нас на фабрике ткачиха, такая ударница, такая общественница, прямо прелесть...

— Нет уж, Марфа Даниловна, — перебивала Зоя, — про нее потом, дайте про меня рассказать. Ушел он, я в положении. Что будешь делать? Советовали мне подать на него заявление, а я не решилась, принципиальности не хватило. Что же я, думаю, буду его в семью за шкирку тащить? Сижу жду. Приходит он, не то чтобы сильно пьяный, но выпивши. Развод, говорит, подаю на развод. Что ж, не имею против. Только он это изображал, что развод. Как услышал: давай деньги, даром не разводят, так и деру дал. Лучше, говорит, я эти деньги пропью. Сколько поллитров, высчитал. Ушел — и нет. Ниночка уже без него родилась. Бывало, сижу плачу: все-таки отец, пришел бы посмотреть на родную дочь. Не пришел. Сколько я этих слез пролила — без счету.

— И-и, дева, если б все бабьи слезы в одну реку слить, три бы Днепрогэса на ней построили. Тоже вот эта самая ткачиха, общественница...

— Постойте, я сейчас, Марфа Даниловна. Значит, живу и тоскую, и познакомилась со своим, теперешним. Иди, говорит, за меня замуж. Я сначала сомневалась, будет ли он Ниночку любить, потом вижу — любит. Вышла. Живем. Муж — интеллигент, образование высшее техническое, специальность — сотрудник НИИ. Не пьет, не курит, все в дом, ничего из дому. Ниночку лучше своей любит, не каждый отец ребенку такое внимание оказывает. Другие осуждают, что ростом не вышел, а я ничего, я его уважаю. Не в росте счастье, а в человеке, верно я говорю, Марфа Даниловна?

— Верно, дева моя, и хромых любят, и горбатых, и психов. Каждый урод свою парочку ищет. У меня вон тоже муж был левша. Что тут поделаешь, любила, хоть и левша. Мое — оно и есть мое. Тоже, у дитя бывает мать пьяница — разве дело такую мать в милицию тащить? Вот жила у нас семья...

— Погодите, Марфа Даниловна, я вам еще расскажу.

Разговор этот между ними плелся, как вечная пряжа. Зоя все Марфу Даниловну перебивала, не давала высказаться, а Марфа Даниловна не обижалась, понимала: надо Зое душу отвести. Но вот странно: не получалось у Зои про Гарусова плохое, только хорошее. И живут дружно, и умен, и ласков, дай бог всякой жене такого мужа. Только недели через две стала Зоя делиться по-настоящему: и про уход Гарусова, и про возвращение, и про свои тревоги.

— На почту стал ходить, Марфа Даниловна. Как-то вижу: читает письмо, а там — стихи.

— Стихами, значит, решила взять. До чего хитра. А ты не робей — она стихом, а ты песней...

С тех пор, как подружилась она с Марфой Даниловной, стало Зое полегче жить на свете. Ходили они друг к другу в гости, пили чай, по многу чашек выпивали. Марфа Даниловна мастерица была чай заваривать, и варенье у нее не засахаривалось, старая хозяйка, не Зое чета. За чаем еще лучше говорилось, чем на скамеечке. Постепенно Зоя дошла до самого важного, потайного.

— Ребеночка бы мне, Марфа Даниловна. Уж так бы я с ним играла...

— А что, рожай, дева, дело хорошее! Отчего не родить?

— Не заводится у меня, Марфа Даниловна. С того раза, как первый аборт сделала. Он еще студентом был, деньги маленькие. Ему-то ничего не сказала, чтобы не тревожить. Делала нянечка знакомая, дешево взяла. Хорошо сделала, я и не пикнула. Только с тех пор как рукой сняло, не заводится...

Слов нет, много легче стало Зое с Марфой Даниловной. А Гарусов тем временем жил своей особой жизнью и уходил все дальше.

— Шесть классов у меня, Марфа Даниловна. А у него вон какое образование. Расти мне надо, учиться. Как вы думаете?

— Учись, дева моя, учись, не сомневайся. Молодым везде у нас дорога, так и в песне поется. Вот тоже одна молодая — уж на что была глупая, а выучилась...

И Зоя, тайком от Гарусова, поступила в вечернюю школу для взрослых, чтобы расти и потихоньку дорасти куда надо. Сначала дело пошло ничего, только геометрия ей трудно давалась.

— Опускаю я, значит, перпендикуляр на гипотенузу... — рассказывала она Марфе Даниловне.

— Опускай, дева, опускай. Ученье — свет, неученье — тьма, так люди раньше-то говорили, а в наше время: грызи гранит науки. Я тоже грызла, когда молодая была, до сих пор помню: а плюс бе.

— ...опускаю перпендикуляр, а дальше что делать — не знаю. Угол один острый задан, а откуда другой-то взять?

— А ты потрудись, дева, возьми книжку да и почитай. Тоже, поди, по-русски написано, не по-китайски.

Вскоре Зоя разочаровалась в своей учебе. Сколько ни трудилась она над треугольниками, не видно было, чтобы это приближало ее к Гарусову. Напротив, он удалялся, и все непонятнее становилась его присохшая к губам внутренняя улыбка. По ночам он разговаривал, не понять, о чем — вороны какие-то. С Зоей и Ниночкой был ласков, но отстранен. Придя с работы, равнодушно обедал и садился читать книги по специальности. Зоя иногда через плечо туда заглядывала: теперь, когда она кое-чему выучилась, не поймет ли она, о чем читает Гарусов? Нет, не понимала. А главное, Зоя чувствовала: пока она с треугольниками, Гарусов тоже не дремлет, еще что-то выучивает и уходит все дальше. Она — за ним, он — от нее, и не догнать...

11

Гарусов снова стал уходить по вечерам.
— Ты поздно? — спрашивала Зоя.
— Как придется.
«Опять, видно, началось, — думала Зоя, — что за судьба моя несчастная! А может, и нет. Если бы к женщине — переоделся бы». А Гарусов просто ходил по городу, смотрел на вечера и закаты, общался с домами. Так, как бродил в прошлом году, — но и не так. С ним были Валины письма — читаные-перечитаные, дорогие. Иногда она молчала по нескольку недель, он изводился в тревоге, и вдруг — письмо, а в нем — стихи Блока:

> Валентина, звезда, мечтанье,
> Как поют твои соловьи!

Он бормотал эти стихи ночью, во сне. Он по сто раз твердил их, бродя по городу. Жалость по-прежнему владела им, но другая, не общая, всесветная, а живая, отдельная жалость. Он жалел Валю, жалел Зою с Ниночкой, любил Валю и знал, что Зое с Ниночкой уже нельзя помочь. Если Валя его позовет, он пойдет, не сможет не пойти, как не может брошенный камень не упасть на землю.

Так оно и вышло. Однажды он получил письмо, в котором Валя прямо писала, что скучает, хочет его видеть и просит приехать.

Гарусов из кожи вылез, достал командировку в Ленинград, в какое-то странное учреждение с немыслимо сложным названием, где ему решительно нечего было делать. Как полоумный, не умывшись с дороги, не отметив документов, он ринулся на вокзал, дождался поезда и полетел в Любань. Он летел, но поезд шел медленно, ужасно долго стоял на каждой станции. Гарусов метался из вагона на площадку и обратно. Наконец-то Любань. Гарусов вышел. Он шел от станции и мысленно целовал улицы, по которым шел, каждую табличку с названием улицы (Валя написала ему подробно, как пройти). Вдоль заборов тянулись деревянные мостки, люди с ведрами шли от колонок, ветви боярышника с сизо-красными морозными ягодами были необыкновенно красивы, к его подошве прилип осенний лист и шел с ним до самого Валиного дома. Дом небольшой, дверь зеленая. Гарусов позвонил. Отворила ему сама Валя, ахнула, вытерла руки о передник, вышла в сени, зашептала: «Сумасшедший, кто ж так делает, не предупредил, муж дома, завтра приходи в то же время, он идет в карты играть, понял?» Гарусов не понял и прилип к ее губам. Она его оттолкнула, повернула за плечи, сказала: «Иди». Он опять прошел теми же улицами до станции, уже стемнело, боярышник стал угрожающим, в электричке шумели пьяные. В городе он еле нашел гостиницу, где остановился, — нашел по квитанции, но где и когда платил за номер — не помнил. В вестибюле гостиницы так громко тикали часы, что он не спал всю ночь.

На другой день он забежал в учреждение, где ему делать было решительно нечего, отметил командировку, сразу на прибытие и убытие, и стал ждать. Насколько вчера он сам торопился, настолько же теперь торопил время, чтобы быстрее шло.

Валя встретила его ласково, никогда еще такой не была. «Толяша, Толяша» — как колокольчик. Бутылка ждала его на столе, даже селедка была почищена, а Валя терпеть не могла чистить селедку, Гарусов это знал, говорила, что кости ее за душу задевают. Сама она была какая-то новая, не то пополнела, не то похорошела, но по-прежнему быстрая, на острых стремительных каблуках, и он по-прежнему старался, но не мог ее разглядеть. В углу, под табель-календарем, стояла кроватка, а Гарусов не сразу понял, что в ней лежит живое существо, Валина дочка, с такими же, как у матери, черными глазами, с большим пузырем у розовых губ.

— Что же ты мне не писала? — спросил Гарусов. — Я и не знал...

— Хотела сделать тебе сюрприз.

Выпили, закусили. Валя смеялась, фокусничала, разбила рюмку, сказала, что это к счастью, уже нарочно разбила другую, чтобы счастье совсем было полным, и сама все двигалась-двигалась, говорила-говорила, как сорока на ветке. С какой-то новой для него птичьей картавостью она рассказывала про свою жизнь. Ну, что? Живет, как все, жизнь вообще полна разочарований, с мечтами юности приходится прощаться, все пройдет, как с белых яблонь дым. Муж, Лека, ничего парень, но в чем-то обманул ее ожидания, невнимательный, чуткости не хватает, культуры тоже. И приятели его тоже такие. Только и разговоров, что про карты, какая-то третья дама, да еще футбол. Она лично футболом не увлекается. Подумаешь, гоняют здоровые мужики мяч, а другие орут. Она лично орать бы не стала. В общем... Даже мать пишет: «Эх, Валентина, променяла ты кукушку на ястреба». Тут Гарусов насторожился, но она уже опять о другом. Главное, свекровь — жуткая старуха, настоящий тюремщик из Бухенвальда, и пижама такая же полосатая. Семьдесят восемь лет, а ей все надо. Зубы вставила, воблу ест, пивом запивает, газеты читает — прямо смех. И все с критикой. Говорит — плохая мать. А сама сына как воспитала? Ест с ножа.

Дальше — про бытовые условия. Отопление печное, дрова — осина. Леке обещали квартиру в Ленинграде, но когда это будет... Денег на жизнь не хватает...

Про деньги — это тоже было новое. Раньше о деньгах Валя не говорила. И еще — про вещи. Она долго описывала какую-то кофточку с рукавами реглан, ну просто взбитые сливки, которую хотела купить, но не купила, денег не было. Эх, жизнь! Но что поделаешь, не плакать же? Тут она завела пластинку, и они с Гарусовым пошли танцевать, здесь же, возле стола. Смирная девочка, с тем же пузырем у розовых губ, разглядывала их, словно из ложи. Вдруг Валя спохватилась, что Светланку давно пора кормить («Вот ведь какая, никогда не попросит!»), и сказала Гарусову: «Отвернись!» Он вспотел, отвернулся и всей спиной чувствовал то великое, что за ней происходило.

Девочка уснула у груди, и Гарусов сам отнес ее в кроватку, держа в руке, как в ложке, маленькую голову и чувствуя себя мужчиной, мужем, отцом.

Милое молчание кончилось, и Валя сказала:

— Кстати, Толяша, у меня к тебе дело. Знаешь, зачем я тебя вызвала?

— Нет.

— Дело в том, что я поступила на заочный.

— Ты? Ну, молодец!

— Вообрази. Решилась. Теперь все учатся.

— По какой же специальности?

— Инженер-теплотехник. Да-да, не смейся. Конечно, я бы предпочла литературный, но лучше журавль в небе или наоборот, не помню что.

— Ну, и как с учебой?

— Ничего. Только вот задание по высшей математике... Вспомнила про тебя. Ты же великий математик. Ты ведь мне поможешь, а?

— Что за вопрос!

Валя поискала и принесла задание, завалявшееся, видно, в кухонном ящике — от него пахло ванилью. Задачи были не особенно трудные, и Гарусов быстро в них разобрался.

— Вот, послушай, Валя. Здесь просто надо продифференцировать числитель, потом знаменатель...

— Нет-нет. Ты мне лучше не объясняй. Ты просто сделай, напиши, а я потом сама разберусь. У меня еще пеленки не стираны.

Она убежала на кухню, а Гарусов без нее решил все задачи и переписал каждое решение своим четким почерком. Когда он кончил, Валя поцеловала его и сказала:

— Толяша, ты гений.

— Пойдешь за меня замуж? — спросил Гарусов.

Она засмеялась.

— Какой скорый! Одно задание сделал — и сразу замуж.

Это была шутка. Но Гарусов не шутил.

— Я все для тебя сделаю. Ты же знаешь.

— Нет-нет, Толяша. Не торопись. Надо уметь ждать. Ведь я жду, почему ты не можешь? Мы с тобой будем вместе, я в этом уверена, но не сейчас.

— Почему?

— Я слишком серьезно отношусь к браку. Брак — это институт. И потом, я не уверена, что ты сможешь заменить отца моему ребенку. Отец есть отец, хотя бы и болельщик футбола.

— Я...

— И для меня теперь самое главное — учеба. И еще, забыла сказать, я не хочу разрушать твою семью.

Гарусов помрачнел и спросил:

— А если бы я сюда перевелся?

Валя даже в ладоши захлопала:

— Ой, это было бы замечательно! И для моей учебы, и вообще...

За стеной раздались шаги, кто-то шаркал, снимал калоши и бубнил. Валя сразу съежилась и шепнула:

— Свекровь...

Распахнулась дверь, и вошла свекровь — стройная, мстительная старуха с двумя рядами жемчужных зубов. Валя метнулась, как цыпленок перед ястребом:

— Мама, познакомьтесь, — это мой школьный товарищ, Толя Гарусов.

— Очень приятно, — сказала свекровь с присвистом, и Гарусову стало страшно за Валю. «Ничего, любимая, я тебе помогу», — подумал он. Разговор не клеился. Гарусов посидел немного и стал прощаться. Валя вышла проводить его в сени и вдруг вскинула ему на шею тонкие руки, прижалась к нему и заплакала. Этот поцелуй был совсем новый — искренний, мокрый, беспомощный.

Гарусов ехал назад в Воронеж ночным поездом, счастливый и смятенный, и колеса стучали ему: «Люблю». Он увозил с собой новый поцелуй и новую цель.

12

Новая цель Гарусова была — перевестись в Ленинград. Он начал хлопотать о переводе на другой же день по приезде. Это оказалось неожиданно трудно. Только подумать, он, коренной ленинградец, не мог попасть в Ленинград! Все упиралось в прописку. Работы было сколько угодно, но без прописки никуда принять не могли. С другой стороны, чтобы прописаться, надо было иметь справку с места работы. Кошки-мышки.

Все это Гарусов узнал из разных источников, где наводил справки. Отвечали все по-разному, но у всех одинаково выходило, что дело плохо. Оставался один просвет — аспирантура, куда принимали без прописки и давали временную. Гарусов долго сопротивлялся, но, припертый к стенке, принял решение: пойти в науку. Он написал письмо Марине Борисовне Крицкой, просил разузнать, нет ли в институте аспирантского места и может ли такой, как он, на него рассчитывать. Он честно признавался, что ни особых способностей, ни даже особого призвания к науке не имеет, но если его примут, постарается работать не хуже других. «А переехать в Ленинград мне нужно по личным причинам. В чем они состоят, пока объяснить не могу. Пишу это для того, чтобы не обманывать ваше доверие. Очень прошу в просьбе моей не отказать. Гарусов Анатолий».

Марина Борисовна прочла письмо, загорелась гарусовским делом и тотчас же своим танцующим шагом отправилась в ректорат. С аспирантскими вакансиями давно уже было туго. Ни одной для кафедры автоматики не было, а другие кафедры зубами держались за свои. Марина Борисовна решила действовать измором. Она ходила к ректору каждый день, вела подкопы и через проректора, и через профсоюзную организацию, и через завхоза. В ее восторженных характеристиках Гарусов все вырастал. Сначала он был просто способным студентом, потом — многообещающим молодым ученым, а кончил чуть ли не отцом кибернетики, Норбертом Винером. Ничто не помогало. Марина Борисовна изменила тактику, стала упирать на пролетарское происхождение Гарусова, на его беспризорное детство. Ректор и на это не поддавался: «Сколько я понимаю, ваш Гарусов воспитывался в детском доме, а в наших детских домах дети не беспризорны, так-с». Марина Борисовна не складывала оружия, пока, наконец, ректор не сдался. Кажется, его окончательно добили брови Марины Борисовны, которые она, ради важного разговора, нарисовала в палец толщиной и гораздо выше того места, где полагается быть бровям. Одним словом, ректор дал согласие, и Марина Борисовна проследовала на кафедру со своей вакансией, как гончая с трепещущим зайцем во рту.

Теперь надо было найти Гарусову научного руководителя. Сама Марина Борисовна, как не имеющая степени, формально руководить не могла. Ее выбор пал на заведующего кафедрой, профессора Темина, который успел уже стать членом-корреспондентом и от этого совсем изнемог.

— Гарусов? Это какой такой Гарусов? — спросил носовым голосом член-корреспондент.

— Неужели не помните? У нас на кафедре работал. Такой маленький, глаза как ленинградские сумерки...

— Что-то не припоминаю... Ну, уж и сумерки. Вечно вы, Марина Борисовна, преувеличиваете... Гарусов. Помню, помню... Довольно бездарный студент.

— Бездарный?!

Марина Борисовна зажглась и воспела хвалу Гарусову пышным языком газетного некролога. Не была забыта и скромная гарусовская конструкция на стенде постоянной выставки, которая в трактовке Марины Борисовны выглядела как эпохальное изобретение. Закончила она так:

— Этот «бездарный», как вы говорите, студент прославит ваше имя, Роман Романович.

Стоп. Дело было чуть не испорчено. По мыслям Романа Романовича, его имя было уже прославлено. Марина Борисовна спешно поправилась:

— Еще больше прославит ваше имя.

— Поймите, Марина Борисовна, у меня уже два аспиранта и камни в почках. Откуда я возьму время на третьего?

— А не надо времени! Этот Гарусов, я его знаю, он очень самостоятельный, все делает наоборот, так что им лучше не руководить. Фактически придется только записывать нагрузку. А если все-таки надо будет, я Гарусову помогу...

При слове «нагрузка» Роман Романович дрогнул. У него уже несколько лет был «хронический недогруз», до которого могла докопаться какая-нибудь комиссия. Он еще покобенился и согласился. Судьба Гарусова была решена. Марина Борисовна, плача от радости, послала ему торжествующее письмо, в котором щедро живописала его блестящее научное будущее. Прочитав это письмо, совестливый Гарусов чуть было не отказался от аспирантуры, но любовь превозмогла, и он начал готовиться к экзаменам. До них оставалось еще месяца два.

— Какая все-таки, Марфа Даниловна, у научных сотрудников работа тяжелая! — жаловалась Зоя своей подруге. — Придет, покушает и сядет, ночью лампу прикроет и опять сидит, конспектирует. А если его мозгами кормить, как вы думаете, не поможет?

— И-и, дева, — тянула Марфа Даниловна, — у каждого своя ноша, кто руками трудится, кто ногами, а кто и сидячим местом. Всякому своя сопля солона. Вот знала я одного, в театре осветителя. Тоже тяжело работал. Придет домой — пот с него дождиком так и льет, так и льет. Он — голову под кран, а жене кричит, чтобы горчичники на пятки ему ставить. Все тяжело, милая, все трудно...

Разговоры на скамейке становились с каждым разом грустнее, потому что приближалась разлука: Марфа Даниловна уезжала наконец-то к дочке с зятем и ничего хорошего не ждала. Вскоре она в самом деле уехала, и Зоя осталась совсем одна. И Гарусов тоже уехал — сдавать экзамены в Ленинград. И Ниночка заболела корью. Все одно к одному.

13

Вступительные экзамены Гарусов сдал успешно: две пятерки, одна четверка. Марина Борисовна вела себя как самая отъявленная мамаша, запихивающая своего сына в вуз. По поводу четверки она чуть не вцепилась в горло экзаменатору. Но тот оказался упрямым и пятерки не натянул:

— Выучил добросовестно, а полета мысли не видно.

— Какой в вашем предмете может быть полет?..

Как бы то ни было, Гарусов сдал, был принят в аспирантуру, и ему оставалось только съездить в Воронеж за семьей.

Накануне отъезда он зашел к Марине Борисовне отдать книги, которые брал у нее для подготовки к экзамену. Гарусов еще никогда не был у нее дома и не представлял себе, как она живет. То, что он увидел, его поразило.

Прежде всего, обстановка — старинная мебель, которую он, по своей серости, отнес не то к восемнадцатому веку, не то к семнадцатому (на самом деле это был буржуазный модерн начала двадцатого). Плешивые бархатные кресла, колченогие столики. И запах — пылью, медом, старинными тканями. Комната была загромождена вещами, и всюду, с полу до потолка, царили книги — стоя и лежа, рядами и россыпью. Гарусову это было непривычно. Там, где он бывал, книгами не владели, их брали в библиотеке. Иметь собственную библиотеку казалось ему излишеством, вроде как иметь собственный троллейбус.

На участках стен, не занятых книжными полками, висели большие фотографии в рамках, тоже ужасно старинные. На одной из них молодая женщина с узким лицом, чем-то ему знакомым, держала на коленях толстого младенца в кружевном платьице. Младенец был задумчив, с голыми ножками, и пальцы на них были трогательно растопырены («Ноги как ромашки», — подумал Гарусов).

— Это моя мама, — пояснила Марина Борисовна, — а это, на коленях, я сама. Не похожа?

— Нет, — честно ответил Гарусов. — Я бы вас не узнал.

Марина Борисовна слегка смутилась.

— Ничего не поделаешь, время идет... Вы пока посидите, а я поставлю чай.

— Не беспокойтесь, Марина Борисовна, я лучше пойду.

Она замахала на него маленькой ручкой:

— Цыц! Не смейте и думать! От меня еще никто без чаю не уходил. Вот вам конфета, сосите и смотрите альбом. Вы любите фотографии?

Гарусов сам не знал, но ответил:

— Люблю.

— Ой, — обрадовалась Марина Борисовна, — вот и я люблю смотреть на разных людей. Люди — это опознавательные признаки жизни.

Сказано было непонятно, но хорошо. Гарусов взял толстенный бархатный альбом и отстегнул бронзовые застежки. Оттуда обильно полезли снимки, как будто они были там под давлением.

— Ничего-ничего, потом мы упихаем все это обратно. Я уже пробовала, удивительно емкий альбом.

Марина Борисовна ушла ставить чай, а Гарусов сосал леденец и пересбирал снимки. Их было много, и все разные — старинные и современные, пожелтевшие и передержанные (Гарусов фотографию отчасти знал). На некоторых он с волнением узнавал Марину Борисовну: те же длинные глаза, удивленные губы, та же тонкость в овале, теперь уже слегка помятом временем. На одном снимке она стояла лицом к лицу с каким-то большим черным, резко смеющимся человеком. Они смотрели друг на друга сквозь струны теннисной ракетки, и на удлиненное лицо молодой Марины Борисовны падала клетчатая тень. Как они друг на друга смотрели...

Но тут в коридоре послышался грохот, кто-то, сварливо повышая тон, женским неумелым слогом стал ругаться, а потом нежный голос Марины Борисовны с педагогической отчетливостью сказал:

— Отлично, Анна Григорьевна, милая, завтра мы обо всем этом поговорим, а теперь пропустите меня, пожалуйста, я чайник несу, могу вас ошпарить.

— Чайники, кофейники, — отвечал первый женский голос. — А где мои чайники, где мои кофейники? Нету их. Прогорела вся моя жизнь. Смерть одна у меня осталась. Придет, скажу ей: здравствуй, дорогая гостья моя смерть, давно я тебя жду не дождусь. Марина Борисовна, святая женщина, одолжи ты мне до понедельника два восемьдесят семь. Я же не трешку прошу, только два восемьдесят семь.

— Да вредно же вам пить, Анна Григорьевна, — опять зазвучал убедительный нежный голос. — Я вам даю, а совесть меня мучает, может быть, этим я вас убиваю.

— А ты не думай, дай, как человек человеку.

— Да и нет у меня сейчас денег.

— По-оследний раз дай. Самый последний.

— Ладно уж, последний раз. Только вы потом не отказывайтесь, помните, что́ мне обещали.

Дверь отворилась, и вошла Марина Борисовна с чайником в руке, а за ней — средних лет обглоданно-худая женщина с блестящими глазами.

— Познакомьтесь, это мой ученик, способнейший молодой ученый, Толя Гарусов, а это моя соседка Анна Григорьевна, тоже очень хороший человек.

Способнейший молодой ученый молча встал и поклонился. Анна Григорьевна с ужимкой подала ему узкую холодную руку:

— Очень приятно, молодой человек, очень приятно. Наукой, значит, занимаетесь?

— Наукой.

— А не женаты, простите за вопрос?

— Женат.

— Такой молодой, и уже женаты.

Тем временем Марина Борисовна искала сумочку.

— Где же моя сумочка? Такая красная, с расстегнутым верхом? Толя, вы не видели, куда я ее заложила? Я ведь вошла с сумкой?

— Не видал, Марина Борисовна.

— Подумайте, какая неприятность!.. Там все мои деньги, паспорт, профсоюзный билет... Если еще в институте оставила — полбеды. А если в троллейбусе? Или в магазине?

Сумочки нигде не было видно. Поискав немного, Марина Борисовна махнула рукой и развеселилась:

— Сама найдется. Надо только ее обмануть, сделать вид, что не ищешь, тогда найдется. А не найдется — что делать. Не в первый раз. Надо платить за свою рассеянность.

Анна Григорьевна кашлянула.

— Постойте, Анна Григорьевна, я сейчас. Сумочка потеряна, но вы не унывайте. Помнится, на прошлой неделе в шкафу у меня что-то копошилось. Дайте взглянуть.

Марина Борисовна открыла дверцу бельевого шкафа, и оттуда к ее ногам мгновенно вывалился целый клуб тряпья: чулки, скатерти, полотенца. Она смутилась и стала запихивать клуб обратно. Он запихнулся, но вместо него с готовностью вывалился другой. В сердцевине этого второго клуба мелькнуло нечто зеленое.

— Деньги! — с торжеством возопила Марина Борисовна. — Я же вам говорила!

Она подняла с пола несколько трехрублевок.

— Какое счастье! А я и не знала, что у меня столько денег! Как приятно: потерять и снова найти. Нате три рубля, Анна Григорьевна, только больше уж не просите, не дам.

— Небось дашь! — подмигнула соседка, поцеловала трехрублевку, махнула ею в воздухе и с каким-то немыслимым пируэтом исчезла.

— Несчастная женщина, — сказала Марина Борисовна дрогнувшим голосом. — Очень хороший человек, вот только пьянчужка. Как выпьет — сразу ругаться. Раньше я этого совсем не выносила, а теперь привыкла. Лексикон как лексикон. У нее даже бывают интересные словообразования. А вы заметили, какая она хорошенькая?

Гарусов молчал. Он этого не заметил.

— Нет, безусловно хорошенькая, только ей надо зубы вставить. Очень несчастная. Ей категорически надо замуж. Понимаете? У нее был муж, по-видимому, неплохой человек, но, знаете, как это бывает, — ушел к другой. Ребенок был и тоже умер. Ничего не осталось, совсем одна. Что делать? Книг не читает, работа скучная, диспетчер гаража, остается одно: женская жизнь, а ее-то и нет. Роятся в окрестности разные мужские экземпляры, но ничего серьезного. Один был — я просто радовалась, вполне порядочный, по профессии шахматный тренер или что-то в этом роде. Очень ее любил, но ничего не вышло. Оказался женат прочно и трусливо. Дал ей на пальто и скрылся. Она очень горевала. Теперь уже ничего. Спасибо, говорит, хоть пальто осталось. Теперь на горизонте засветился новый... Опять ничего обнадеживающего... Постойте, Толя, нет ли у вас холостого товарища?

— Кажется, нет. Все женатые. Впрочем, есть один холостяк. Вы его знаете — Федор Жбанов.

— Жбанов? — Марина Борисовна задумчиво наклонила голову. — Нет, не подойдет. Ведь он, кажется, тоже... Впрочем, может быть, это идея. Общность, а не противоположность интересов. Я еще подумаю. А теперь, Толя, пейте чай, у вас, наверно, внутри все пересохло...

Чай у Марины Борисовны был румяный, крепко заваренный, очень душистый, а на столе всего наставлено столько, как будто она ждала по крайней мере десять человек. Марина Борисовна сидела напротив, подпершись кулачком. Тонкие полуседые волосы легко свисали по ту и другую сторону пробора.

— Кушайте, Толя, пожалуйста. Возьмите еще пирога. Люблю, когда едят.

Гарусов ел.

Дверь скрипнула, приоткрылась, и в комнату вошел тощий серый кот с пылающими янтарными глазами. Он издал некий воинственный звук, всплеснул хвостом и стал точить когти о кресло. Немедленно вслед за ним вошел еще один кот, черный и толстый, на полусогнутых лапах. У этого глаза были зеленые. Коты стали друг против друга, выгнули спины, подняли шерсть и неистово заорали. Серый орал заливистым тенором, а черный — квашеным басом.

— Васька, Водемон, — сказала Марина Борисовна нежным голосом, — опять вы за старое! Надо вести себя прилично.

Коты не обратили на нее никакого внимания. Серый испустил душераздирающую руладу, зашипел и плюнул в черного. Черный в ответ ударил его вытянутой, как палка, передней лапой.

— Ах, как вы мне надоели, — сказала Марина Борисовна. — Ну, неужели нельзя между собой поладить?

Черный кот забормотал низким утробным клекотом.

— Кошки? — переспросила его Марина Борисовна. — Ну и что же, что кошки? Разве мало кошек на улице?

На этот раз ответил серый, и выходило, что мало.

— Ну, что мне с вами делать? Раз не можете жить в мире, придется вас отсюда убрать.

Она взяла поперек туловища серого кота, взгромоздила на него черного и так, комком, вынесла обоих за дверь. Из комка торчала когтистая, твердая, как палка, черная лапа. Два тяжелых стука за дверью оповестили Гарусова о том, что коты выброшены. Через несколько минут вернулась сияющая, добрая Марина Борисовна.

— Простите, пришлось мыть руки. Очень невоспитанные звери.

— Это ваши?

— Собственно говоря, ничьи. Кормлю я. Очень хорошие коты. Васька и Водемон.

— Как вы сказали?

— Водемон. Знаете, из оперы «Иоланта», ария Водемона: «Кто может сравниться с Матильдой моей?» — пропела Марина Борисовна. — Впрочем, это, кажется, ария Роберта, а не Водемона. Неважно. Я вообще люблю всякую живность, но лучше бы они выясняли отношения не у меня в комнате. Вы не думайте, очень крепко они не дерутся, больше кричат.

Дверь скрипнула, и в щель просунулась черная лапа. Гарусов вскочил и стал ее выталкивать.

— Сумасшедший! — взвизгнула Марина Борисовна. — Вы делаете ему больно! Это же кот, а не мертвое тело! Васенька, входи, мой милый, входи, дорогой.

Черный кот, слабо мяукнув, ввалился в комнату, а за ним немедленно, стройный и мужественный, вошел Водемон и поднял забрало.

— Господи, а я только руки вымыла, что за беда!

— Почему вы на ключ не запираетесь? — спросил Гарусов.

— Ключа нет. Потерялся.

— Можно заказать. Хотите, я закажу?

— Бесполезно. Заказываю и теряю. Хорошо, что я в коммунальной квартире живу. В отдельную я бы никогда не попала.

Коты завопили в терцию.

— Совсем распоясались, — сказала Марина Борисовна.

Гарусова осенило:

— Давайте я вам крючок сделаю.

— А вы умеете?

— Руками я все умею...

Гарусов выбросил котов, отыскал в недрах комнаты жестянку, пару гвоздей и за несколько минут приладил к двери вполне приличный крючок.

Марина Борисовна, подняв плечо к самому уху, смотрела на него извечно-восторженным взглядом интеллигента на мастера.

— Толя, вы гениальны.

— Что вы. Работа самая халтурная, без инструмента.

— Спасибо вам огромное.

Марина Борисовна снова вскипятила чай и заставила Гарусова сесть за стол. Гарусов ел, и ему было удивительно уютно. Время от времени кто-то из котов рыдал и бился в дверь могучим боком, но крючок только подрагивал.

— Что значит рука мастера, — говорила Марина Борисовна.

Вот уже и ночь углубилась, и коты затихли — наверно, ушли во двор доругиваться. Хлопнула наружная дверь, вернулась Анна Григорьевна, раскатилась было арией Кармен, но обо что-то стукнулась, выбранилась и ушла к себе. Гарусов все сидел.

А потом в нем словно что-то лопнуло, и он рассказал Марине Борисовне всю свою жизнь.

14

Через месяц Гарусов с Зоей и Ниночкой жили уже в Ленинграде, опять в общежитии для семейных. Зое здесь меньше нравилось, чем в Воронеже. Семейные были все какие-то гордые, скупо разговаривали и кухней пользовались мало, больше по столовым питались.

Но Зоя не роптала, понимала, что ее дело — последнее, был бы он, Гарусов, доволен. Задумал идти в науку — иди, она ему не помеха. Наоборот, все для него сделает, чтобы создать условия. Но Гарусов был теперь весь далекий, худой и холодный и на условия внимания не обращал. С горя Зоя поступила работать продавщицей в универмаг. Ниночка уже в школу ходила.

Гарусов дома почти не бывал, приходил поздно, говорил, что из института, кто его знает, может, и правду говорил. Ложился на раскладушке и подолгу на ней ворочался, звенел. По тому, что спал он отдельно, Зоя догадывалась, что у Гарусова опять какая-то женщина, но вопросов не задавала. Так они и жили во взаимном молчании.

А Гарусов по уши утонул в своей любви. Федор Жбанов дал ему ключ от комнаты, и два раза в неделю Гарусов встречался там с Валей. Он проходил с нею программу заочного института.

У Вали знаний не было никаких, а желания их приобрести — еще меньше. Иногда Гарусов удивлялся ее первобытному невежеству. Например, деля «а» на «а», она получала ноль.

— Ты подумай, — терпеливо говорил Гарусов.

— Ну как же, если на самого себя делить, ничего не получится. Мы это в школе проходили.

— Ничего подобного вы не проходили.

— Ты не комментируй, а скажи, сколько будет.

— Единица.

— Я и говорила: единица.

Спорить с нею было нельзя. Гарусов и не спорил. Сперва он пытался обучить ее хотя бы азам, но оставил эту идею. Понять она все равно ничего не могла. Единственное, что у нее было, — это попугайная память. Она позволяла ей затвердить наизусть несколько фраз без понимания. Так Гарусов и натаскивал ее перед экзаменами и зачетами. По каждому предмету она помнила несколько фраз, которые с голоса вкладывал в нее Гарусов. С неистощимым терпением. Если тебя спросят то-то и то-то, отвечай так-то...

Некоторые предметы (немногие) она сдавала сразу, другие заваливала и пересдавала на второй, на третий раз... Так, потихоньку-полегоньку, нес ее Гарусов на своем горбу через институт.

Что касается самой любви, то ее почти что и не было. Валя очень уставала, хотела спать, и Гарусов жалел ее, не настаивал.

А дружба была большая. Валя всегда делилась с Гарусовым всеми переживаниями. Главное, свекровь. Контролирует, вмешивается, не доверяет. Всюду со своим мнением. Неужели мы такие же будем, когда состаримся? Страшно подумать! Скорее бы уж получить квартиру. Дом-то строится, но как медленно... Они с Лекой ездили смотреть постройку: только третий этаж выведен! Скорее бы! Еще год такой жизни — лучше умереть. Вот уж девятый этаж, скоро подведут под крышу... Новые заботы. Ну, квартира, а чем обставить? Не бабкину же мебель туда везти, со всеми клопами, да и не даст бабка. Появились в Валином разговоре новые слова: гардеробы, шкафы, серванты. А Гарусов и не знал, какая разница между буфетом и сервантом. Валя ему объяснила. Он слушал ее сочувственно: в самом деле, не ехать же в пустые стены? Вот уже и квартира стала реальностью, Валя с мужем ездили ее осматривать. Хорошая квартира, хоть и девятый этаж. А главное, сами себе хозяева...

Однажды Валя пришла на занятия вся заплаканная. В чем дело? Да так, пустяки, не хотела рассказывать, но Гарусов силком выспросил. Оказалось, все дело в мебельном гарнитуре. Подруга обещала достать по знакомству, как раз такой, как мечтала Валя: гедеэровский, полированный, всего пятнадцать вещей, сразу на всю квартиру. Одно беда: денег нет, а откладывать нельзя, теперь такие вещи с руками отрывают. С Лекой поругалась, не хочет брать в кассе, говорит, и так задолжали. Впрочем, это все пустяки, жили без гарнитура и дальше проживем. Главное, без свекрови, а гарнитур...

Она махнула рукой, но губы у нее дрожали. Гарусов отнесся к ее огорчению очень серьезно, сказал ей, чтобы не расстраивалась, он постарается ей помочь. «Что ты, Толя! Ты уж и так сделал для меня слишком много!» Но он уже принял решение и стал действовать. Задолжал в кассе взаимопомощи, Федору Жбанову, Марине Борисовне, но принес-таки и выложил перед Валей тысячу новыми.

Он уже знал, что будет. Валя будет отказываться, плакать, но потом все-таки возьмет. Так оно и вышло: взяла, и даже скорее взяла, чем он думал, и плакала самую чуточку. Поцеловала его, была ласкова, но Гарусов не очень был счастлив, хотя уверял себя, что очень. Какая-то заноза сидела у него в душе. Может быть, дело было в том, что она взяла деньги, как нечто незначительное, само собой разумеющееся? Он стыдил себя за эти мысли. Мелочный, корыстный человек. Слез ему было надо! Валя — не такая, ей на деньги наплевать, взяла и забыла...

Войдя в долги, Гарусов только немного урезал сумму, которую давал Зое на хозяйство, зато свирепо урезал себя самого. Нередко по неделям он вообще не обедал. Это хорошо знала Марина Борисовна, с которой он раньше всегда ходил в столовую, а теперь перестал. Нужно ли говорить, как бы охотно она за него платила! Но он не разрешал, с какой-то даже кусачей твердостью: «Я и так должен вам довольно крупную сумму. Пока ее не выплачу, не хочу принимать других одолжений». Такого определенного Гарусова Марина Борисовна даже боялась и, страдая, откладывала в сторону сумочку. А вообще, она к нему привязывалась все больше. Они теперь много времени проводили вместе: их столы на кафедре стояли бок о бок, образуя как бы один стол. Гарусов сидел по вечерам, и Марина Борисовна сидела. Она привыкла видеть левым глазом склоненную над столом голову Гарусова и его внимательный правый глаз, прилежно шествующий по странице. Они переговаривались, часто даже не поднимая голов. При людях они говорили только о работе. Как только оставались одни, разговор переходил на личную тему. Гарусова это жгло, а то, что его жгло, не могло не волновать Марину Борисовну. Внешне-то она волновалась куда больше, чем он. Он был спокоен и слегка загадочен. Как будто бы он сидел где-то там, у себя в глубине, внезапно оттуда возникал, произносил несколько слов и снова погружался обратно.

— Вчера мне позвонили и на сегодня назначили встречу, — ровным голосом говорил Гарусов, не отрывая глаз от журнальной статьи.

Марина Борисовна мгновенно отзывалась трепетом:

— Что же, я очень рада, если это вас самого радует.

— Конечно, радует как человека. Ведь эта встреча — сверхплановая, не по делу, а просто так. Значит, у нее есть желание меня видеть...

— Дай бог, — с сомнением говорила Марина Борисовна.

— Ваше сомнение я понимаю. Вы приписываете ей одни только корыстные цели.

— Боюсь, что да.

— Конечно, возможна и такая трактовка.

— Толя, не подумайте, что я пытаюсь на вас влиять...

— А что? Повлиять на меня было бы неплохо. Но я и без влияний могу рассуждать трезво. Я сам вижу: чем больше мы с ней встречаемся, тем больше наши отношения запутываются. И в материальном смысле, и во всех других.

— Да, и я боюсь, что они не дадут вам счастья.

— Смотря как понимать. Счастье — это не обязательно жить вместе. Я, например, испытываю счастье оттого, что ей помогаю.

— Ладно, испытывайте. Но нельзя же помогать без конца, совсем забывать о себе!

— Почему нельзя?

...И в самом деле, почему? Тут Марина Борисовна не могла найти убедительных слов. Восклицания вроде: «Вы же себя губите!» или: «Посмотрите, на кого вы стали похожи!», противные ей самой, явно не достигали цели. Иногда она робко пыталась напомнить о Зое и Ниночке. Тут получалось еще хуже — Гарусов немедленно погружался в свою глубину, порою даже на несколько дней, от чего Марина Борисовна очень страдала. Когда он вновь оттуда возникал, она сияла, как именинница, и готова была на любые уступки. Но долго она уступать не могла, опять начинались споры. Иногда он ее доводил буквально до слез, и она по-детски просила:

— Ну, Толя, ну возьмите у меня денег, ну, пожалуйста! Хотите, я, как ростовщик, стану брать с вас проценты? Вы этим даже мне поможете, ладно?

— Нет. У вас самой плохо с деньгами, я знаю.

— Ничего. Сегодня плохо, завтра хорошо. Я достану, выкручусь.

— Нет.

— До чего же вы упрямы! Я еще тогда в этом убедилась, когда вы работали в кружке. Упрямство и одержимость. Вы себя голодом уморите, как Гоголь.

— Не беспокойтесь, Марина Борисовна. Я к хорошей жизни не привык. Умею себя ограничивать.

— Не лучше ли было бы ей себя ограничить... хоть немного?

— Она не так воспитана, чтобы себя ограничивать. Отчасти я ее сам воспитал. Я ей внушил, что очень много получаю. А она — человек бескорыстный.

— Бескорыстный? Ну уж...

— Вы ее не знаете, а я знаю. Она от ботиков ушла.

— От каких ботиков, боже мой? С вами с ума сойдешь.

Гарусов рассказал про ботики. Марина Борисовна была тронута:

— Может быть, я к ней несправедлива...

Но грустный вид и хроническое безденежье Гарусова снова делали свое дело.

— Неужели вы не видите, — иногда взрывалась Марина Борисовна, — что она и не думает выходить за вас замуж?

— Вполне возможно. Но это еще не причина, чтобы я перестал ей помогать. Я вижу: человеку трудно, я могу человеку помочь, и я помогаю.

Это отвлеченное «человеку» больше всего бесило Марину Борисовну...

Однажды Гарусов возник из своей глубины несколько менее, чем всегда, спокойный и сообщил:

— Вчера я ходил туда, на новую квартиру, и видел Валиного мужа.

— Ну, ну, — встрепенулась Марина Борисовна.

— Я уже давно хотел съездить, посмотреть, а вчера знал, что ее не будет дома...

— Ах, рассказывайте, не тяните, что за манера такая, прямо иголкой за нерв. Садист.

— Ну, что? Отворяет мне человек. Я сразу понял, что это он.

— И какой?

— Мне понравился. Высокий, белокурый, как говорят: открытое русское лицо. Довольно интересный, несравненно лучше меня. Я бы на ее месте не колебался, с кем жить.

— Она, кажется, и не колеблется, — съязвила Марина Борисовна. — Простите, Толя. И как же вы с ним, разговаривали?

— Недолго поговорили.

— Давайте, давайте, весь разговор, всеми словами.

— Всеми словами не помню. Я сказал, что Валин знакомый, просил передать привет от Гарусова.

— А он?

— Говорит: «Заходите, подождите, она скоро придет». Я-то знал, что не скоро. Зашел...

— Дальше что?

— Он бутылку поставил и банку пастеризованной черной икры. Я пить и ждать не стал, а квартиру осмотрел. Хорошая квартира, и мебель моя стоит. Телевизор — я и не знал, что они купили. Усмехнулся и ушел. Теперь Валя рассердится, когда узнает, что я там был.

Через два дня Гарусов пришел чернее ночи. Марина Борисовна еле дождалась, пока они остались одни.

— Толя, в чем дело, что-нибудь плохо?

— Ну да. Очень рассердилась. Даже кольцо хотела вернуть, которое я подарил. Говорит, я по отношению к ней поступил неблагородно. Не по-рыцарски. Если бы я не ходил туда, ничего бы не случилось.

— А что случилось-то?

— Муж по моему лицу догадался, что я не просто знакомый. Валя, конечно, отрицает, а он не верит. Успокоила его, что я только в командировку приехал, а живу в Воронеже, так что реальной опасности не представляю. Обещала, что мне писать не будет, и вообще никаких отношений. Конечно, я перед ней виноват.

— Вы же еще и виноваты? В чем?

— Не надо было ездить туда без ее согласия. Но она бы не согласилась. А мне надо было посмотреть, как они живут. Действительно ли так нуждаются, как она говорит.

— Ну, и...

— Живут вполне зажиточно, даже во всех отношениях лучше, чем моя семья. Я своей семье во многом отказывал, чтобы там помогать. Икра черная — просто так, в будний день. У меня дома не то чтобы икру, а и едят-то не всегда досыта.

Марина Борисовна стонала, до глубины сердца разорванная этой нелепейшей черной икрой:

— Перестаньте ей хоть сейчас-то давать деньги!

— Этого я не могу. Она уже привыкла к моей помощи, ей будет трудно.

— Пусть потрудится!

— И главное, если я перестану ей помогать, это будет как давление, чтобы она от мужа ушла и со мной жила. А я хочу, чтобы она если уйдет, то совершенно свободно, только потому, что меня любит.

— Да не любит она вас!

— Может быть. Я и сам понемногу в этом начинаю убеждаться. Но если бы даже и убедился, бросить ее не могу. Ей институт надо кончать. Без меня она не кончит.

— Но как вы не понимаете, это же преступление! — кричала Марина Борисовна, в гневе переходя на не свойственный ей патетический слог. — Образование — за чужой счет! Чужими руками! Подумайте, какого специалиста навяжете вы государству! Ваша благотворительность, поймите, безнравственна!

Марина Борисовна петушилась, а Гарусов спокойно возражал:

— Инженером она работать не пойдет. Ей учеба нужна только для бумажки. Половина заочников так учится, и вы это хорошо знаете...

С заочным образованием и правда было неладно, и Марина Борисовна шла на мировую. Не могла она долго сердиться на Гарусова.

— Ну, ладно, Толя, вы меня не убедите, и я вас тоже. Давайте не будем ссориться, поговорим о деле...

Руки Марины Борисовны дрожали, но она мужественно продолжала:

— Ваш вывод в конце второй главы кажется мне неизящным. Я бы здесь воспользовалась преобразованием Лапласа...

15

Гарусов закончил диссертацию точно в срок. Работа получилась хорошая, но не выдающаяся, нормальная кандидатская работа. Отзывы от оппонентов пришли вполне положительные, один: «Безусловно заслуживает», другой: «Без всякого сомнения, заслуживает». Организации тоже поддержали. Наконец назначили день защиты. Гарусов, судя по внешним признакам, не волновался, был спокоен даже сверх обычного. Зато очень переживала Зоя. Черный костюм, в чем защищать, у Гарусова был, еще с Воронежа, когда хорошо жили. Из хозяйственных денег купила Зоя с рук нейлоновую рубашку. В черном костюме, в белой рубашке и с галстуком Гарусов походил на маленького проповедника.

Заведующий кафедрой, Роман Романович Темин, выступил на защите в качестве научного руководителя. Говорил он о Гарусове весьма одобрительно, хотя и несколько общо: было видно, что работы он не читал и доклада не слушал. Зато Марина Борисовна, в лучшем своем платье и в парикмахерской прическе, очень ее портившей, слушала Гарусова в каком-то трансе, так и приподнималась на своем стуле и шевелила губами вместе с докладчиком.

Гарусов изложил диссертацию хорошим языком, складно, а главное, кратко: ухитрился даже сэкономить пять минут из двадцати отведенных, чем очень расположил к себе членов ученого совета. На вопросы отвечал ясно и толково, так что произвел на всех очень хорошее впечатление. Только в заключительном слове выкинул неожиданный номер: поблагодарил своего научного руководителя, Марину Борисовну Крицкую. Этот небольшой комический эпизод оживил постную атмосферу. Все засмеялись, и один из членов совета ехидно спросил: «Мы только что слушали вашего научного руководителя, кажется, его звали иначе, и он был мужчиной?» Гарусов не растерялся, попросил извинения у профессора Темина, сказал, что многое почерпнул из его ценных указаний (на самом деле указание было одно: закрыть форточку), но настаивал, что фактически его научным руководителем была Марина Борисовна, идеи которой и были развиты в диссертации. Марина Борисовна слабо пискнула: «Не верьте ему!», но ее слова были встречены смехом собрания.

Ученый совет, размягченный неожиданным дивертисментом, проголосовал хорошо и дружно: двадцать «за», один «против» (в одном «против» сразу заподозрили профессора Темина, и несправедливо: «против» голосовал один доцент, которого Гарусов, еще студентом, раздражал своей несоразмерной росту солидностью). Марина Борисовна сияла так, словно она только что в муках родила Гарусова.

После защиты они зашли на кафедру и еще раз, напоследок, посидели за двуединым столом, где столько было переговорено, переспорено, сделано и переделано.

— Ну вот, Толя, вы и кандидат... Поздравляю вас еще раз, дайте руку.

Гарусов взял ее руку, чуть изогнутую, как бы для поцелуя, но поцеловать не догадался.

— Хоть сегодня-то вы счастливы?

Гарусов с трудом вышел из глубины и сказал:

— Марина Борисовна, я хорошо понимаю: моя кандидатская степень — в общем, то же, что и Валино высшее образование.

— Не понимаю.

— Очень просто. Если бы я был честный человек, я прямо сказал бы на защите, что диссертация не моя, а ваша.

Марина Борисовна перепугалась:

— Вы с ума сошли! Не смейте и думать так, не то что говорить! Мало ли кто подхватит, сообщит в ВАК...

— Отчего бы ВАКу не узнать правду?

— Правду?! Тут и намека нет на правду! Вы же сами знаете, сколько в диссертации ваших идей...

— Ни одной, — твердо сказал Гарусов. — Если я обманул людей и выдал эту диссертацию за свою, то...

— То что?

— Исключительно из личных соображений. Я не могу уехать из Ленинграда, Вале через год кончать институт.

Марина Борисовна примолкла. Если правду сказать, она была немного разочарована... Она ждала чего-то другого, более торжественного, более растроганного, она сама не знала, чего ждала. Гарусов выпустил ее руку. Они поднялись.

«Что ж, ничего не поделаешь, — думала Марина Борисовна, — такой уж он: суховат, но зато глубок. Сыновей же не выбирают...»

На другой день он позвонил и пришел.

— Вчера была встреча, — сообщил он, и только по нижней губе было видно, что он счастлив. — Вот, подарила мне авторучку.

Он вынул авторучку из нагрудного кармана и посмотрел на нее, как на ребенка.

— Ну, и как у вас теперь складывается, какие перспективы?

— Сказала, что любит, чтобы ждал, — ответил Гарусов, дрогнув углами губ. — Может быть, и правда любит. Я ведь от нее за все годы первый знак внимания получил.

— Ну вот, как хорошо, я люблю счастье.

— А может быть, и нет, — не слушая, продолжал Гарусов. — Может быть, просто боится, что уеду, пока она институт не кончила. Я имел глупость ей сказать про эти предложения, связанные с отъездом.

— Вы, разумеется, не едете?

— Нет, отказался. Пойду младшим научным к Трифонову.

Марина Борисовна ахнула:

— Младшим? Вы, кандидат? Да вас везде старшим с руками оторвут! Только бросьте клич...

— Я это знаю. Я даже сам об этом размышлял, потому что оклад старшего гораздо выше. Тогда я мог бы больше помогать тому человеку и скорее выплатить долги.

— Тогда в чем же дело?

Гарусов улыбнулся:

— На этот раз, можно сказать, совесть во мне победила.

— Это какая-то шизофрения! При чем тут совесть?

— Очень даже при чем. Я ведь не забыл про наши разговоры с вами.

— Какие разговоры?

— «Навязать государству плохого специалиста». И если я иду против совести, когда помогаю тому человеку, то решил хотя бы в вопросе о месте работы быть честным.

297

Спорить тут было бесполезно. Марина Борисовна и не пробовала. Какая-то уж очень непривычная определенность появилась в Гарусове за последнее время. Жесткость.

16

Лаборатория Трифонова, куда поступил Гарусов после защиты, была из тех молодых организаций, которые только еще создаются, но никак не могут создаться. Еще неясен был даже точный профиль лаборатории. Мест по штатному расписанию было в ней предостаточно, специалистов же со степенями — мало, и Гарусов был встречен хотя и с недоумением (почему отказался от должности старшего научного сотрудника?), но с распростертыми объятиями. С пропиской дело обделали вмиг (кто-то кому-то позвонил), и Гарусов в рекордно короткий срок получил квартиру. Квартира, как водится, была далеко, в новом районе, а лаборатория — тоже в новом, но в другом конце города; и та, и другая были далеко как от прежнего гарусовского института, так и от дома Марины Борисовны. Все было далеко отовсюду, и времени ни на что не хватало. Так что Гарусов ходил к Марине Борисовне все реже и реже, и она постепенно потеряла его из виду и не знала, как он живет.

А жил Гарусов остервенело, замкнуто и одержимо. Началась для него страдная пора — Валя кончала институт, делала диплом. Тут уж он должен был выложиться весь, на горбу вынести ее из института, чего бы это ни стоило. В лаборатории Трифонова тоже работа оказалась не из легких — товарищи быстро поняли, что

Гарусов безотказен, и нередко на нем выезжали. Все вечера после работы Гарусов просиживал в чертежно-вычислительном бюро, перед доской-кульманом, со стаканом остро отточенных карандашей у правого локтя, полный остро отточенных мыслей. Диплом он делал с увлечением. За те годы, что он обучал Валю, Гарусов не столько ее обучил (она оставалась младенчески невинной в науке), сколько самого себя. Теперь у него была вторая специальность — инженера-теплотехника, которая ему нравилась больше, чем первая. Иногда он даже мечтал: как было бы хорошо поехать вместе с Валей куда-то на стройку, два инженера-теплотехника — он и она...

С Валей они по-прежнему встречались в комнате Федора Жбанова, который был тактичен и своего присутствия не навязывал. Бедный Федор! На их свиданиях теперь мог бы присутствовать кто угодно, не только он. Гарусов приходил с чертежами в картонном тубусе, разворачивал их, укреплял кнопками на стене и пробовал втолковать Вале ее дипломный проект. Валя слушала рассеянно, позевывала. Эта беспечность и раздражала его, и восхищала. Защита на носу, а она как маленькая! Слава богу, хоть память хорошая, вытвердит доклад накануне защиты, проскочит, если не будут копать. О том, что случится, если начнут копать, Гарусов боялся и думать.

А все-таки и она устала, бедняжка! Как-то раз Гарусов после занятий с нею сворачивал чертежи, отвернулся на минуту, а она уже заснула на кровати Жбанова, слегка приоткрыв измученный детский рот, уронив с ноги маленькую туфлю...

Дома у Гарусова все было по-прежнему. Квартиру Зоя освоила, на новую работу поступила, но с Гарусовым они все больше погружались во взаимное молчание. Ниночка вытянулась, подурнела, плохо училась и стала грубить. Зоя иногда на нее кричала тонким голосом, а потом плакала. И откуда только это у них берется? «Нет, — думала Зоя, — тяжело все-таки детей воспитывать без отцовского влияния».

Что происходит с Гарусовым, она в общих чертах понимала. Какая-то доброжелательница еще год назад прислала ей анонимку: «Смотрите лучше за своим мужем, как он проводит личную жизнь». А Зоя и без того знала. Слишком многое обдумала по ночам, слушая звон гарусовской раскладушки. Но Зоя уже привыкла к своему горю, оно казалось ей в порядке вещей. Ни словом не заикалась она и тогда, когда Гарусов с каждым месяцем приносил ей все меньше денег, только становилась прижимистей, Ниночке обновок не покупала, а о себе — и говорить нечего. Молча она хозяйничала, ходила на работу, стирала Гарусову носки и рубашки. Только и отводила душу, что в письмах к Марфе Даниловне: «Не знаю, как и живу, — писала она, — ничего не замечаю. День за днем, то работа, то стирка, то глажка. Ниночка ничего, растет, худая только, не в меня. Характер тоже не в меня проявляется. Мое здоровье ничего, что мне делается, было бы на душе спокойно. Очень переживаю за Толю, стал худющий и нервный, много работает». Все это были не те слова, но и от них становилось легче.

Настал, наконец, для Гарусова великий день — день защиты Валиного диплома. На защиту он, конечно, не пошел, целый день маялся, шатался по лаборатории от телефона к телефону, брал каждую трубку и, подержав в руках, опускал на место. Звонить еще было рано. В три тридцать он начал звонить: «Защитила ли, и с какой оценкой?» То ему отвечали: «Еще не защитила», то: «Сведений нет». Гарусов пустился на хитрости, любезной лисой обошел секретаршу, наговорил ей каких-то глупостей о ее приятном голосе и добился-таки, что она обещала лично сбегать и разузнать. На следующий гарусовский звонок она ответила: «Все в порядке, проект — пять, защита — три. Проект отмечен как выдающийся». Гарусов глубоко вздохнул, поблагодарил девушку-благовестительницу, сухо промолчал на ее кокетливые вопросы: «А она вам кто, что так за нее болеете?» — и, слыша в груди сердечные такты, поехал на квартиру к Федору Жбанову. Там они с Валей условились встретиться «в семь часов вечера после защиты». Кажется, был такой фильм, то ли в «шесть», то ли «в семь часов вечера после войны». Это она, Валя, придумала такую формулировку: «В семь часов вечера после защиты». Он ехал в автобусе и все улыбался Валиному остроумию. На площади он купил тяжелый букет цветов. Приехал он, конечно, рано, часам к шести. Вали, разумеется, еще не было. Гарусов поставил цветы в какую-то кастрюлю, сел за стол и попробовал думать. Из мыслей ничего не складывалось: перед ним возникала некая новая жизнь, которую он не мог ни представить себе, ни осмыслить. По привычке конспектировать, он взял лист бумаги и стал набрасывать схему возможных вариантов со своими решениями, вроде ветвящегося дерева:

1) В. соглашается немедленно. Беру расчет. Квартира остается З. Уезжаем.

2) В. соглашается, но не сразу, а когда подрастет С. Жду.

3) В. не соглашается, но дает надежду. Требую уточнений.

3-а) Если...

И так далее. Когда Гарусов отвлекся от схемы и посмотрел на часы, было уже семь. Он испуганно разорвал лист.

Семь пятнадцать. Вали не было. Ничего, он не беспокоился. Валя мастерица опаздывать.

В семь сорок пять он встал из-за стола и сел смотреть телевизор. Серые лица с двойным контуром его угнетали, но он досмотрел передачу до конца. Он всегда дочитывал до конца все, что читал, и досматривал до конца все, что смотрел. Когда передача кончилась, он выщелкнул телевизор и с ужасом посмотрел на уменьшающийся белый квадратик. Квадратик уменьшился и исчез. На часах было девять. Было ясно, что она не придет.

Все же он сел и еще подождал часа два. В сущности, он уже давно знал, что этим кончится.

Наступила ночь. На кухне холодильник запел свою песню. Это была красивая песня, только холодная, от нее мурашки шли по спине. Гарусов озяб, потер руки и встал, чтобы пройтись по комнате. Тут только он заметил на кровати Жбанова, посреди подушки, письмо: «Толе Гарусову». Он разорвал конверт.

«Дорогой Толя, я уже давно решилась на эту разлуку, но все не хотела тебя волновать. Лека откуда-то узнал про тебя и про наши встречи и запсиховал, хотя я ему сказала, что ты умер в Воронеже, но он не верит. Не знаю, что будет, если он узнает всю правду. Он сейчас выполняет очень ответственную работу, и всякие переживания ему противопоказаны. Толя, нам нужно, "не грусти и не печаль бровей", как сказал мой любимый поэт Сергей Есенин. Если ты меня любишь, сделай все, чтобы сохранить мое настроение и семейную жизнь. Не ищи меня, не пиши даже до востребования, я в почтовое отделение даже заходить не буду. Я долго думала перед тем, как написать тебе, и решила, что так лучше. Эта последняя встреча все равно ничего не дала бы ни тебе, ни мне. Я, конечно, тебя любила, но жизнь все решает по-своему. В данный момент у меня сильно разбито сердце, но я не теряю бодрости и стараюсь жить для своей семьи, и тебе советую то же. Валя».

Гарусов прочел письмо очень внимательно, ровно два раза. Затем он положил на стол ключ от комнаты Федора Жбанова, вышел не оборачиваясь и захлопнул за собой дверь.

17

Прошло два года.

Марина Борисовна, немного постаревшая, но, как всегда, хлопотливая и легкая на ногу, собиралась куда-то с дарами в авоське, теряя туфли и роняя шпильки. В дверь позвонили.

— Черт возьми, не ко времени, — сказала Марина Борисовна и, наступив в темноте на очередного кота, который оскорбленно вскрикнул, отворила дверь. На пороге стоял Гарусов. Марина Борисовна прижала руки к щекам. Авоська упала, Гарусов ее подобрал.

— Спасибо. Толя, милый, вы ли это? Глазам своим не верю! Куда же вы пропали? Век вас не видела! Ну, как же я рада, как рада! Чего же вы стали столбом, входите же, я сейчас чай поставлю.

Гарусов вошел и снял кепку. Марина Борисовна ахнула:

— Что с вами? Вы были больны?

Гарусов был острижен наголо, под первый номер. От стрижки его лицо изменилось, стало еще тверже и напоминало фотографии революционеров в царской тюрьме. Не хватало только второго снимка — в профиль.

— Не беспокойтесь, Марина Борисовна, я не болен, просто решил постричься.

— Не «постричься», а «остричься», — механически, по преподавательской привычке, поправила Марина Борисовна. — Но зачем, зачем?

— Просто так. Обновить свою внешность. Стóит пятнадцать копеек. Правда, они для плана меня уговорили еще вымыть голову. Говорю: ладно, мойте хоть два раза. Вымыли два раза.

— Ах, боже мой, — изнемогая, сказала Марина Борисовна, — о чем это мы с вами, какие пустяки, голову два раза, когда я ничего о вас не знаю. Садитесь, рассказывайте...

— Я ведь ненадолго пришел. Только попрощаться.

Марина Борисовна так и села.

— Попрощаться? Вы куда-нибудь уезжаете?

— Да, в Магадан.

— Толя, это так неожиданно. Я ничего не могу понять. Объясните, что случилось?

— Ничего особенного. Просто я остро нуждаюсь в деньгах. А там я буду много получать и довольно скоро смогу оплатить квартиру.

— Какую квартиру?!

— Да, вы же еще не знаете. В самом деле, я долго с вами не виделся. Дело в том, что я развелся со своей женой и записался на кооперативную квартиру.

— Развелись с Зоей? Не может быть! Какая нелепость!

— Нелепость, но факт.

— Неужели... неужели жéнитесь на своей Вале?

— Нет, — сухо ответил Гарусов. — С Валей я расстался уже давно.

— Тогда, простите меня... зачем квартира? Зачем развод?

— Если бы я не развелся, мне не удалось бы вступить в кооператив. Эту квартиру я покупаю не для себя, а для одного человека, которому очень трудно живется.

— Опять человека? — взвизгнула Марина Борисовна.

— Да, — сухо подтвердил Гарусов. — Год назад я встретил одного человека, которому нужно помочь.

— Женщину?!

— Да.

— И опять полюбили? Какой же вы...

— Нет, на этот раз не полюбил. Я слишком разочаровался в любви, чтобы полюбить вторично. Мне просто хочется помочь человеку. Я ничего не жду для себя, думаю только о ней.

— Она... замужем?

— В том-то и дело, что да. Ей очень плохо живется с мужем, единственный выход — квартира. Распишемся, а как только она въедет и получит прописку, разведемся. Квартира останется ей.

Марина Борисовна плакала.

— Толя, я вас не понимаю! Я вас не понимаю!

Гарусов смотрел на нее, как взрослый — на ребенка в глупых слезах.

— Не огорчайтесь, Марина Борисовна. Я этого не сто́ю.

— Разве дело только в вас! А работа? — сморкаясь, всхлипывала Марина Борисовна. — Ваша работа? Наша с вами, в конце концов! Неужели вы так, сразу, можете ее бросить? Зачем же мы с вами... Зачем же я...

— Марина Борисовна, я очень перед вами виноват, я поступил эгоистично, я с самого начала знал, что из меня не выйдет научного работника.

— Вышел же, вышел! — топнула ногой Марина Борисовна.

— Плохой.

— И вовсе не плохой! Не всем же быть гениями!

— Всем, — твердо сказал Гарусов. — Кто идет в науку — всем. С моей стороны это была ошибка, ну что ж, постараюсь ее исправить.

— Исправить? А вы кем же туда едете? Дворником?

— Нет, до этого еще не дошло. Инженером-теплотехником.

— Бред! У вас же и диплома нету...

— Там его не требуют. Там нужна работа, а работать я надеюсь не хуже других, — Гарусов слабо улыбнулся. — Этим я отчасти думаю компенсировать вред, который я нанес государству, навязав ему, как вы говорите, плохого специалиста...

— Вечно вы меня будете этим попрекать! Дело не в том, кого вы там навязали, а кого нет. Дело в том, что вы идете прямо по живым людям. Зоя, Ниночка... Подумали вы о них?

— Думал, но ничего не поделаешь. Я, конечно, здорово к ним привязался и не могу себе представить, как я без них буду жить. Но надо войти и в Зоино положение. Иметь такого мужа, как я, было бы тяжело любой женщине. Переносить мои вклады в других...

— Толя, а я? Вы обо мне не подумали! Правда, мы за последние годы мало виделись...

— Марина Борисовна, у вас ведь много учеников.

— Но только один сын.

Гарусов помолчал.

— Я... Я вам очень благодарен...

— Какая благодарность? Все это не то, не то...

— Вы меня извините, Марина Борисовна, я должен идти. А долг я вам верну при первой возможности.

— Бог с вами, какой долг? Я и забыла совсем. А когда вы едете?

— Сегодня ночью.

— Боже мой! А я вас задерживаю. Вам некогда, надо собираться. Идите-идите, я вас провожу, осторожнее, в передней темно, лампочка перегорела, никто не купит, кроме меня, а я забываю...

Она бормотала без устали, как заводная. Гарусов ощупью отпер дверь, выбрался на площадку. Она стояла на пороге, положив голову себе на плечо.

— И вот всегда у меня так, всегда так...

Косые слезы бежали у нее по щекам. Гарусов медлил.

— Ну, чего вы стоите? Идите, идите!

Она махнула рукой. Гарусов ушел.

Теперь ему надо было зайти к Федору Жбанову. По слухам, Федор был в запое, но все-таки попрощаться надо было.

Когда Гарусов вошел, Жбанов лежал ничком на кровати, подняв толстые ноги на деревянную лакированную спинку. Он нехотя поднял с подушки вялое, несвежее лицо. За последний год Жбанов отрастил усы, и это сильно его не красило.

— А, святитель-великомученик, — сказал он сквозь спутанные усы, — явился-таки, приполз! А что у тебя с башкой? Ну-ка, повернись!

Жбанов захохотал:

— Ну и фигура! Дон Жуан! Казанова! Покоритель женских сердец!

Гарусов молчал. Федор Жбанов неожиданно гибким движением перекинул на пол толстые ноги в шерстяных носках и бросил в Гарусова подушкой:

— Тьфу на тебя. Не хочу даже и разговаривать с таким идиотом.

Гарусов направился к двери.

— Постой! — загремел Жбанов.

Гарусов остановился.

— Ты не уйдешь, пока не объяснишь всю эту чертовню. Куда ты едешь? Зачем?

— Я тебе уже объяснял, — смиренно отвечал Гарусов. — Еду, чтобы деньги заработать. Внести за квартиру.

— Черта с два! Нет, брат, меня не проведешь! Тут другая должна быть причина.

Гарусов молчал.

— Ничего не понимаю! — бушевал Жбанов. — Нет, постой, кажется, начинаю понимать... Ага! Понимаю! Как увидел твою дурацкую стриженую башку, так и понял. Знаешь, кто ты? Монах. Да, да. Монах по призванию. Для таких, как ты, не хватает советских монастырей.

— Что за чушь, — тоскливо сказал Гарусов. — Монастыри какие-то... Придумаешь тоже. Пьян ты, Федор.

— А что? Я пьян, конечно, но рассуждаю вполне здраво. Таким, как ты, мало обычной жизни, нормальной работы. Они хотят жертвоприносить. Истязать свою плоть. Таким именно нужны монастыри, разумеется, не церковные, а гражданские... Оттуда, например, мы будем черпать санитаров, золотарей... А что? Мысль!

— Оставь, Федор, — отмахнулся Гарусов. — Без тебя тошно.

— Ха! — закричал Жбанов. — Это хорошо, что тошно! Значит, в тебе разум не совсем еще погас. Может, еще одумаешься, совесть в тебе проснется. Скажет: «Толя, а Толя, науку-то свою бросил, не стыдно?»

— Нет, не стыдно. Все равно ученого из меня не получится.

— Эх, мне бы твою усидчивость...

— Мне бы твой талант.

— ...я свой талант, — выругался Жбанов. — Не вышло из меня ни черта и уже не выйдет.

309

— Если бы я был глуп, я сказал бы тебе: не пей. Не пей, Федя.

— Полечиться, что ли, принудительно? — задумчиво спросил Федор. — Там, говорят, такое пойло дают, что после него от любой жидкости, даже от квасу, с души воротит.

— Вот как и меня, — тихо сказал Гарусов.

— Что ты там такое бормочешь?

— Ничего, это я так. Прощай, Федор. Спасибо тебе за все. Сам знаешь, за что. Я Зое сказал: если что, пусть к тебе обращается. Можно?

— Спрашиваешь тоже.

Жбанов встал с кровати и обнял Гарусова. Лицо Гарусова пришлось ему где-то под мышкой, и, чтобы лучше разглядеть это лицо, Жбанов поднял его за подбородок. Серые глаза Гарусова смотрели невесело, но твердо.

— Ну, прощай, Толя. Не поминай лихом. Любил я тебя, сукиного сына.

Гарусов пошел прощаться в свое последнее место — домой. У самого дома он встретил Ниночку. Она шла, тринадцатилетняя, худенькая, сплошные ноги, шла — вот так пигалица! — с мальчишкой и бессовестно с ним кокетничала. От этого коса усердно моталась у нее по спине. Гарусов ее окликнул, она остановилась, мальчишка прошел дальше.

— Ниночка, я хочу попрощаться.

— Опять едешь? — неприязненно спросила она и закусила конец косы.

— Еду.

— Надолго или совсем?

— Там видно будет.

— Ну, счастливого пути, — она взмахнула косой и побежала догонять своего кавалера, который стоял и нетерпеливо копал землю бутсой.

Гарусов поднялся по лестнице. Зоя уже ждала его у дверей — должно быть, в окно увидела, как он подходил. Бледная, но спокойная. Он посмотрел ей в лицо и обмер: оказывается, за эти годы щеки у Зои стали треугольными. Он опустил глаза на ее клеенчатый, цветочками, фартук.

— Когда? — спросила Зоя.

— Сегодня. Ноль тридцать.

— Побудешь или как?

— Не могу, Зоя, надо еще за вещами заехать...

— Что ж, поезжай, раз надо. Посидим с тобой, что ли, на дорогу. Так, кажется, по-русски-то полагается.

— Не знаю я, Зоя, как полагается.

Сели. Гарусов сказал с усилием:

— Прости, Зоя, что испортил тебе жизнь. Не надо мне было на тебе жениться.

— Что ты, Толенька, как ты можешь так говорить? Я с тобой очень даже счастлива была и навсегда тебе благодарна.

— Это я тебе должен быть благодарен.

Помолчали. Зоя спросила:

— Может, все-таки поехать мне с тобой, Толенька? Ты не думай, я на жену не претендую, веди свою личную жизнь, какую хочешь. Я просто помочь тебе хочу. Прямо душа болит за тебя, как ты там будешь, один, как иголка.

Не надо, Зоя. Я именно хочу посмотреть, чего я сто́ю один.

— Смотри, тебе виднее.

Зоя встала. Гарусов тоже встал. Тут словно что-то ее толкнуло, и она протянула ему обе руки, сложив их ладонями кверху, лодочкой. В эту лодочку Гарусов, прощаясь, спрятал свое лицо.

1969

ДАМСКИЙ МАСТЕР

1

Я пришла с работы усталая, как собака. Мальчишки — ну, конечно! — играли в шахматы. Это какая-то мужская болезнь. Я сказала:

— Черт знает что такое! Опять эти дурацкие шахматы. До каких пор?

На столе было типичное свинство. Пепельница разбухла от окурков. В пивных бутылках медленно надувались и лопались гигантские пузыри.

— Типичные свиньи, — сказала я. — Дела у вас нет, что ли? И это накануне сессии...

— Лапу, — подобострастно сказал Костя.

— Не будет тебе лапы. Свиньи, иначе не назовешь. Приходишь домой, как в кабак. Хоть бы один раз пепельницу за собой вынесли! Неужели я, пожилая женщина...

— Прикажете возражать? — спросил Коля.

— Прекратить хамство! — крикнула я.

— Лапу, — потребовал Коля.

Мне улыбаться совсем не следовало, но губы как-то сами разъехались, и я дала ему руку.

— Не ту! — заорал Коля, как оглашенный. — Левую, левую!

(Левая ценится дороже — на ней родинка.)

— А мне и правая хороша, мы люди маленькие, — сказал Костя.

Я дала ему правую. Оба прицеловались — каждый к своей руке. Две наклоненные головы. Соломенно-желтая и угольно-черная. Дураки мои. Сыновья мои. Только не думайте, что вы дешево отделались. Я еще сердита.

— Сейчас же убрать со стола! — крикнула я, чтобы не демобилизовываться.

Костя, кряхтя, взвалил на плечо пепельницу, Коля стал вытирать стол какими-то брюками. Голодная я была, как собака.

— Обедали?

— Нет. Тебя ждали.

— А дома что-нибудь есть?

— Ничего. Сейчас сбегаем.

— Нет, это черт знает что такое, — сказала я, распаляя себя. — Неужели же...

— ...ты, пожилая женщина... — услужливо подсказал Коля.

— Да! Я! Пожилая женщина! — заорала я. — Да, черт возьми! Пожилая! Работающая! Вас, дураков, воспитывающая!

— Но, заметьте, не воспитавшая, — скромненько вставил Коля.

— Да, к сожалению, не воспитавшая! Вся жизнь к черту! Ни за грош пропала жизнь!

— Не гоношись, подруга, — миролюбиво сказал Костя.

Я взяла бутылку и хотела бросить на пол, но не бросила.

— Нет, хватит с меня этого кабака. Уеду от вас. Живите сами.

— Живи и жить давай другим, — снова ровненьким голоском сообщил Коля.

— Довольно дурацких замечаний! Я говорю серьезно. Жизнь не цирк.

— Как вы сказали? — переспросил Костя. — Жизнь не цирк? Разрешите записать.

Он вынул записную книжку, послюнявил карандаш и нацелился.

— Жизнь... сами понимаете... жизнь... не... цирк... — записал он.

— И вообще, — перебила я его очень громко, — мне это все надоело! Надоело! Понятно вам? Уеду в Новосибирск. Или, еще лучше, выйду замуж.

— Ого! — заметил Костя. — Это дает!

— А что? По-вашему, я уже не могу ни за кого выйти замуж?

— Только за укротителя, — сказал Коля.

Тьфу, черт возьми!

Я вышла и хлопнула дверью.

Молока бы выпить, что ли. Я открыла холодильник. Он был пустой и обросший, с одной-единственной увядшей редиской на второй полке. Не холодильник, а склеп. Никакого молока, разумеется, нет и в помине. А утром было. «Спороли», как говорила няня.

...Нет, хватит с меня этого, хватит, думала я, расчесывая волосы и со злобы выдирая целые пучки. Не могут два молодых идиота сами о себе позаботиться, не говоря уж о матери... Подумаешь, «лапу»! Лижутся, а мать голодная. Надоело все, надоело... И эти волосы дурацкие, ни два ни полтора — полудлинные, неухоженные... А сколько седых появилось! И все на каких-то нелепых местах, например за ушами, не то что у людей, те благородно седеют — с висков... Глупо седею, бездарно. А эти самодельные букольки на лбу! Сама, старая дура, на бигуди закручивала. Спать больно, плохо...

...Не буду им готовить обед, пусть сами о себе заботятся...

А с волосами этими что-то нужно делать. Остричься, что ли? Жалко. Уже года три, как отращиваю, столько трудов пропадет... Нет, хватит, остригусь. «Остригусь и начну», — так говорил мой папа. Беспокойно жил мой папа, до самой смерти все хотел «начать». «Остригусь и начну...»

— Я ухожу, — сказала я мальчикам.

— Куда? — спросил Костя.

— Замуж, — ответил Коля.

2

А улица была прекрасная, вся в свежих каплях недавнего дождя. Листья на липах светлые, новенькие, отлакированные, и поливальная машина катилась, сияя радугой, зачем-то поливая уже мокрый асфальт. Я купила мороженое и шла, покусывая твердую, украшенную розой верхушку. Зубы тихонечко ныли, но мне было хорошо так обедать — на ходу, мороженым. Что-то студенческое.

Ноги еще легки, весенний день длинен, люди идут, торопятся, много хорошеньких, остригусь и начну.

А вот и парикмахерская. В огромной витрине фотографии девушек в масштабе три к одному, каждая натужно бережет прическу. Надпись: «Здесь производятся все виды обслуживания в порядке общей очереди».

Идти так идти. Я потянула высокую, тяжелую дверь с вертикальной надписью: «К себе». Внутри пахло сладким одеколоном, паленым волосом и еще чем-то противным. Сидело и стояло десятка два женщин.

У, какая очередь! Может, уйти? Нет, решено, выстою.

Я спросила:

— Кто последний?

Несколько голов повернулось ко мне и не ответило.

— Скажите, пожалуйста, кто последний?

— Здесь последних нет, — сострила черномазенькая, с задорным зубом.

— Крайнюю ищете, гражданочка? — спросила пожилая, в голубых носочках, с седоватой мочалой на голове. — Крайняя будто за мной занимала, да ушла.

Руки у нее были красные, натруженные и тяжело лежали между колен.

— Так я буду за вами, можно? А как вы думаете, товарищи, сколько придется ждать?

— Часа два в крайнем случае, — ответила пожилая.

Другие молчали. Одна из них, статная, белая, как-то по-лебединому повернула шею, прошлась по мне ярко-синими глазами и отвернулась.

Я, говорят, не робкого десятка, но почему-то робею женщин. Особенно когда их много и они заняты каким-то своим, женским делом. Мне всегда кажется, что они должны меня осуждать. За что? А за что придется. За мой почтенный возраст (тоже, красоту наводить пришла!), за очки, английскую книгу в авоське. В этой очереди меня сразу потянуло к той пожилой, в носочках. И она, видно, тоже заприметила меня. Две бабушки. Она потеснилась на стуле, давая мне место.

— Садись, чего там. Сказано, в ногах правды нет. Я осторожно примостилась на самый краешек.

— Да ты не бойся, всей задницей садись. Поместимся, у меня-то постная. Была, да вся вышла.

Уселись.

— Хочу шестимесячную сделать, — сказала она. — Боюсь, муж любить не станет. Что-то начал к одной молодой похаживать.

— А дети есть?

— Сыновья. Двое.

— И у меня двое.

— А муж гуляет?

— Нет у меня мужа.

Она помолчала.

— Кому как повезет, — сказала она, подумав. — У меня хоть и гуляет, да не пьет, а у тебя и вовсе нет. Ты все-таки не бросай, надейся. Не такая уж слишком пожилая, из себя полная.

— Я не бросаю, — сказала я.

— Следующий! — крикнул из дверей жирный мастер в белом халате, с ярко-зеленым галстуком.

Черненькая с зубом подскочила и ринулась вперед. Женщины загалдели:

— Не ее очередь!

— Не пускать!

— Я на шестимесячную, — отбивалась она.

— Все на шестимесячную!

— Я тоже на шестимесячную! — пискнула я.

— Сказано: все виды операций...

— В порядке общей очереди!

А это разве порядок? Общая очередь орала и волновалась.

— Не хулиганьте, гражданочка, — сказал жирный. — Всех обслужим, как один человек, будьте уверены.

Черненькая прошмыгнула в зал. Шум продолжался.

— Он с ней живет, — сказала белая, с лебединой шеей.

— Ну что ж, что живет? Порядок тоже нужно знать. Мало кто с кем живет.

— А вот потребуем жалобную книгу...

— Заведующего...

— Позвать заведующего!

Седая старушка за барьером гардероба взялась за вязанье. В кабине кассы розовая кассирша в голубом от белизны халате зевнула, вынула зеркальце и, напряженно растянув рот, стала ваксить толстые ресницы.

Именно эти ресницы меня взорвали. Робости как не бывало. Я подошла к кассе:

— Жалобную книгу.

Она поглядела неприязненно:

— А чё вам нужно жалобную книгу?

— Не ваше дело. Любой посетитель в любой момент может потребовать жалобную книгу.

Очередь зарокотала, теперь уже против меня:

— Сразу, чуть что...

— Одного человека приняли, а она жалобную книгу...

— Она в жалобную напишет, а людя́м неприятности...

— Тоже понимать нужно... Работают люди...

Не любят у нас жалобщиков. Но я уже закинулась.

— Гражданка, — сказала я голосом милиционера, — если вы мне сейчас же не дадите жалобную книгу...

Кассирша вышла из кабины.

— Я вам сейчас заведующего позову.

Вышел заведующий, чернокудрый детина с лицом мясника.

— Чего вам, гражданка?

Я объяснила ему, что мастер только что принял женщину без очереди. Ссылалась на свидетелей, но те молчали. Он выслушал меня без выражения лица и потом крикнул в зал, как кличут собаку:

— Роза!

Вышла конопатенькая парикмахерша в марлевом тюрбане.

— Роза, обслужишь гражданку без очереди.

— Слушаю, Руслан Петрович.

— Да разве я об этом? — заволновалась я. — Да разве мне нужно без очереди?

Руслан повернулся и вышел.

— Роза, — обратилась я к ней, — поймите, я совсем не о себе. Я только против беспорядка.

— Сами беспорядок делаете, несознательные, — сказала Роза и тоже ушла.

Я вернулась в очередь. Женщины молчали. Даже пожилая в носочках не подвинулась, а крепко сидела на своем стуле.

Ну и пусть...

Ждать еще долго. Прислонясь к прохладной, маслом крашенной стене, я стояла и думала.

...А хорошо бы все-таки уехать в Новосибирск. Дали бы мне однокомнатную квартиру. Или, еще лучше, номер в гостинице, где прошлый раз жила. Уж больно домик хорош — смешной, разноцветный: ухо зеленое, брюхо розовое. Кругом лес, трава на участке человеку по шею, зеленая, густая, чистая, с султанами. На улицах птицы поют. А по тротуарам — математики, физики, очкастые, бородатые, молодые, веселые...

...А еще хорошо бы, может быть, и в самом деле пойти замуж, выкинуть такое коленце, за старого друга, друга молодости, и уехать к нему в Евпаторию. Он всю жизнь меня любил, любит и сейчас, знаю. Теперь уже старенький, на сколько же лет старше меня? На десять? Как это говорится, старый — это тот, кто старше меня на десять лет. Ну что ж? Взять выйти замуж и уехать. Пусть они, наконец-то, привыкнут сами о себе думать. А работа? Ну, найду что-нибудь полегче. А то и вовсе поживу без работы. Буду в море купаться, в садике цветы посажу, кур заведу... А что? Стирать буду, белье вешать, голубое от синьки, на солнечном каменистом дворе... Руки мыльные, волосы взмокнут, растреплются, отведу от лица локтем... А тут он подойдет, по плечу погладит: «Устала, родная моя? Отдохни, голубчик». — «Нет, я еще ничего». Чепуха, бред.

— Кто желает обслуживаться? — раздался резкий мальчишеский голос.

Я очнулась.

Рядом с очередью стоял паренек лет восемнадцати, с хохолком на макушке. Весь какой-то не то чтобы просто тощий, а узкий: узкое бледное лицо, тонкие, до острых локтей голые руки, и на бледном диковатом лице горящие темные глаза. Не то олененок, не то волчонок.

— Кто здесь желает обслуживаться? — повторил он. На очередь он глядел презрительно, словно не он их, а они его должны были обслуживать.

— Я хочу...

— И я хочу...

— И я...

— Я первая сказала!

— Нет, я!

Очередь снова загудела.

— Между прочим, обязан предупредить вас, — сказал паренек, — я еще не мастер, а только стажер и вполне могу вас изуродовать.

Женщины примолкли.

— Нет уж, мы лучше здесь, чин чинарем, — вздохнула пожилая.

Я решила:

— Давайте, уродуйте.

Паренек быстро рассмеялся. Было что-то диковатое не только в глазах его, но и в улыбке. Зубы острые, ярко-белые.

— Это вы хорошо сказали: «Уродуйте». Я со своей стороны постараюсь вас не изуродовать. Пройдемте.

Он провел меня не в зал, а в какую-то заднюю каморку. Два мастера не в белых уже, а в черных халатах колдовали над двумя женскими головами, откинутыми назад, в помятые жестяные тазы. Один бритвенной кисточкой накладывал краску, другой разглядывал на свет зеленую жидкость в мензурке. Неужто в зеленый тоже красят?

Пахло здесь как-то по-другому, душно и тускло. У двери два узкобрючных подозрительных шкета с косо срезанными бачками вели пониженными голосами странную беседу: «Тридцать "Лонды" плюс пятьдесят фиксажа». Пахло спекуляцией.

— Не стесняйтесь, — сказал паренек, — я вас за той перегородкой обслужу.

Шаткая голубая перегородка покачивалась, словно дышала. На стене в золотой паршивой рамочке висела грамота: «Передовому предприятию».

Я села в кресло.

— Выньте шпильки, — приказал паренек.

Я вынула.

Он приподнял прядь волос, пощупал, пропустил сквозь пальцы, взял другую.

— Волос посечён, — сказал он. — Результат самозакрутки. Какую операцию желаете?

— Остричь... И шестимесячную, если можно.

— Все можно. Можно и шестимесячную. Только предупреждаю, для теперешнего времени эта завивка несовременна. Со своей стороны могу вам предложить химию.

— То есть химическую завивку?

— Именно. Самый современный вид прически. Имейте в виду, за рубежом совсем прекратили шестимесячную, целиком перешли на химию.

— Чем же эта химия отличается от шестимесячной?

— Небо и земля. Шестимесячная — это баран. Может быть, кому-нибудь и нравится баран, но я лично против барана. Химия дает более интересную линию прически, как будто она раскидана ветром.

Мне вдруг захотелось, чтобы у меня была прическа раскидана ветром.

— Валяйте свою химию, — сказала я. — А долго это?

— Часа четыре, не меньше. Если халтурно, то можно сделать и за два часа, но я не привык работать халтурно.

— Что же это, до одиннадцати?

— Если не до полдвенадцатого.

...Эх, Коля и Костя там без обеда... Догадаются ли, дурни, что-нибудь купить себе? Ничего, пусть привыкают.

— Ладно, делайте.

— А вы не беспокойтесь, — вдруг сказал парень, — я по своей квалификации не ниже мастера, если не выше. Мне сейчас выгоднее быть стажером, чем мастером. План не требуют, и ответственность меньше. Я могу свободно экспериментировать, если кто предоставит свою голову.

— А я и не беспокоюсь, — ответила я. — Было бы о чем. Подумаешь, красоту какую погубите.

Он опять рассмеялся по-своему, быстро показав зубы.

— Это вы интересно сказали. Подумаешь, красоту какую... Это верно.

Ну что ж, сама напросилась.

— А как вас зовут? — спросила я.

— Виталик.

— Терпеть не могу таких имен: Валерик, Виталик, Владик, Алик... Только и слышишь: ик, ик, ик... Это заикание, по-моему, ужасно не свойственно русскому языку.

— Как вы сказали? Не свойственно русскому языку? В каком смысле?

— Раньше таких окончаний не было, они теперь развелись. Что-то в них сентиментальное, сюсюкающее. Представьте себе, например, героев «Войны и мира»: Николай Ростов, Андрей Болконский, Пьер Безухов. Вообразите, если бы их звали Колик, Андрик, Пьерик...

Он опять засмеялся.

— Интересно. Значит, нельзя говорить Виталик?

— Не то что нельзя, а лучше не надо.

— А как же меня звать?

— Просто Виталий. Хорошее, звучное имя. Виталий значит жизненный.

— Позвольте, я запишу.

Он вынул из кармана халата большую потрепанную записную книжку.

— Виталий — жизненный. В этой записной книжке я, между прочим, цитирую разные мысли.

— Какие мысли?

— Разные, относящиеся к разным сторонам жизни. Например, такая мысль: кто своего времени не уважает, сам себя не уважает. Между прочим, верно.

— Чья же это мысль?

— Моя. Голова чистая?

Я не сразу поняла:

— Как будто бы. Вчера мыла.

— Под вашу ответственность.

Ох, и строг. Я чувствовала себя, как больной у хирурга, и с робостью разглядывала незнакомые инструменты.

— А это что за топорик?

— Дамская бритва. Стрижка под химию всегда выполняется бритвой по мокрому волосу. Ниже голову.

В его коротких командах («Ниже голову») было что-то неуютное, не парикмахерское. Обычно парикмахеры женскую голову именуют головкой. Он сурово отсекал мокрые пряди, приподнимал их, подкалывал, расчесывал, снова резал. Прошло с полчаса. Он заговорил:

— Если не ошибаюсь, вы сказали, что Виталик говорить нельзя. А как, например, Эдик? Есть такое имя — Эдик? У меня, между прочим, товарищ Эдик.

— Вероятно, он Эдуард.

— Эдуард — это же не русское имя?

— Нет, не русское.

— Откуда же у нас, русских, такое имя?

— Была такая мода одно время, по-моему, глупая.

— А у вас дети есть?

— Два сына.

— Какого возраста?

— Старшему двадцать два, младшему двадцать.

— Как и мне. Мне тоже двадцать, двадцать первый. А как ваших детей зовут?

— Коля и Костя. Простые русские имена. Самые хорошие.

— А я думал, интереснее Толик или Эдик. Или еще Славик.

— Это вам только кажется. Когда у вас будут дети, я вам советую назвать их самыми простыми именами: Ваня, Маша...

Это его позабавило. Не знаю, простые ли имена, или идея, что у него будут дети.

Он все еще стриг. Сколько времени, оказывается, нужно, чтобы оболванить одну женскую голову...

— Скоро? — спросила я.

— Ниже голову. Нет, еще не скоро. Операция сложная. Извините, если я вас спрошу. Вот вы упомянули в своем разговоре несколько имен и фамилий: Николай, кажется, Ростовский, Андрей Болконский и еще Пьер... Как будто Пьер. Какая его фамилия?

— Пьер Безухов.

— Так вот, я хотел вас спросить: Пьер — это разве русское имя?

— Нет, французское. По-русски Петр.

— Так вот вы, кажется, упомянули выражение, что Виталик или, скажем, Эдик не в духе русского языка. А сами употребили такое французское имя, как Пьер.

Ай да парень! Поймал-таки меня. Думал-думал и поймал.

— Да, вы правы. Мой пример не совсем оказался удачен.

— И какие это люди, о которых вы говорите? Андрей, и Николай, и Пьер? Они русские?

— Русские. Но, знаете, в то времена в высшем обществе было принято говорить по-французски...

— А в какие это времена?

— Во времена «Войны и мира».

— Какой войны? Первой империалистической?

Я чуть не засмеялась, но он был очень серьезен. Я видела в зеркале его строгое, озабоченное лицо.

— Виталий, разве вы никогда не читали «Войны и мира»?

— А чье это произведение?

— Льва Толстого.

— Постойте. — Он снова вынул записную книжку и стал листать. — Ага. Вот оно, записано: Лев Толстой «Война и мир». Это произведение у меня в плане проставлено. Я над своим общим развитием работаю по плану.

— А разве вы в школе «Войну и мир» не проходили?

— Мне школу не удалось закончить. Жизнь предъявила свои требования. Отец у меня сильно пьющий и мачеха слишком религиозная. Чтобы не сидеть у них на шее, мне не удалось закончить свое образование, я, в сущности, имею неполных семь классов, но окончание образования входит в мой план. Пока не удается заняться этим вплотную из-за квартирного вопроса, но все же я повышаю свой уровень, читаю разные произведения согласно плану.

— И что же вы сейчас читаете?

— Сейчас я читаю Белинского.

— Что именно Белинского?

— Полное собрание сочинений.

Он открыл фибровый чемоданчик и из-под груды бигуди, деревянных палочек, флаконов и еще чего-то вытащил увесистый коричневый том.

Я открыла книгу. Собрание сочинений Белинского, том первый. «Менцель, критик Гёте»...

— Виталий, неужели вы все это читаете?

— Все подряд. Я не люблю разбрасываться. К концу этого года у меня намечено закончить полное собрание Белинского...

— А кто же вам составляет план?

— Я сам. Конечно, пользуясь советами более старших товарищей. Я посещал свою учительницу русского языка, она мне дала несколько наименований. Некоторые из клиентов, более культурные, тоже помогают в работе над планом.

— Но ведь это очень долго! Подумать только, Виталий! Год на Белинского?

— Ну что же, что год? Я еще молодой.

Стрижка как будто приближалась к концу. Мне было боязно взглянуть в зеркало. Всей кожей головы я чувствовала, что острижена коротко, уродливо, неприлично. А, была не была! Назло им обреюсь наголо.

— Виталий, — спросила я, — а что вы собираетесь делать дальше?

— Смочить составом, накрутить...

— Нет, я не о голове своей, а о вашей жизни. Что вы собираетесь делать дальше?

— Этот вопрос у меня тоже подработан. Буду повышать себя в своем развитии, сдам за десятилетку...

— А потом?

— Потом я хотел бы в институт.

— Какой институт?

— Этого я еще не знаю. Может быть, вы посоветуете какой-нибудь институт?

— Это довольно трудно — ведь я не знаю ваших вкусов, способностей. А сами вы чем бы хотели заниматься?

— Я бы хотел заниматься диалектическим материализмом.

Я даже рот открыла. Любопытный парень!

— В качестве кого, Виталий? Что вы хотели бы — преподавать? Или быть теоретиком, развивать науку?

— Нет, я не сказал бы преподавать. Я не чувствую склонности к преподаванию. Нет, я именно, как вы сказали, хотел бы развивать науку.

— А какие у вас есть основания думать, что вы к этому способны? Ведь это непросто!

— Во-первых, у меня много оснований. Прежде всего я с давнишнего детства охотно читаю политическую литературу, как-то: «Новое время», «Курьер ЮНЕСКО» и другие издания. В школе я всегда был передовиком по изучению текущего момента...

— Но ведь от этого еще далеко до научной работы. Ведь...

Я запнулась. Он смотрел в зеркало суженным взглядом, поверх бигуди, флаконов, ножниц.

— Я думаю, — твердо сказал он, — что я мог бы принести пользу, если бы занялся диалектическим материализмом. А вы не знаете, где специализируются по этой профессии?

— Знаю, — ответила я. — Московский государственный университет, факультет философии.

...Операция была длинная, и мы провели вместе весь вечер. Виталий сосредоточенно возился с моими волосами, накручивал их на деревянные палочки в форме однополого гиперболоида, смачивал составом, покрывал пышной мыльной пеной, споласкивал раз, споласкивал два, крутил на бигуди, сушил, расчесывал. Он уже устал, и на узком лбу, по обе стороны от длинных прямых бровей, выступили капельки пота. Было уже без четверти одиннадцать, когда он последний раз провел щеткой по моей голове и отступил, а я позволила себе взглянуть в зеркало.

Ну и ну! Вот она какая, химия... Блестящая, живая масса темных волос, в которой светящимися паутинками потонули белые нити, казалась не волосами даже, а дорогим мехом — такой сплошной, целостной шапкой, так непринужденно облегли они голову. А эта изогнутая полупрядь, упавшая, словно ненароком, с левой стороны лба, словно прическу только что разбросало ветром...

— Как вы удовлетворены? — спросил Виталий.

— Замечательно! Да вы, оказывается, художник!

— Меня рано называть художником, но если я буду заниматься этой специальностью, то постараюсь проявить себя как художник.

— Спасибо, большое спасибо! А сколько я вам должна?

— В кассу пять рублей новыми. А сверх того — зависит от желания клиента.

...По его лицу нельзя было сказать, удовлетворило ли его на этот раз «желание клиента». Деньги он взял просто и сухо сказал: «Спасибо».

— До свидания, Виталий, — сказала я. — Как-нибудь я еще к вам зайду, ладно?

— А я прекращаю работу в этой точке, — ответил он, — и возвращаюсь на свою старую точку. Все, что можно было взять здесь от мастеров, я уже взял.

— А где же ваша старая точка?

Он назвал адрес, телефон. Я записала.

— Виталий... А как дальше?

— Виталий Плавников.

— Виталий Плавников, — записала я. — Буду вас помнить. Хороший вы мальчик, Виталий Плавников. Будем знакомы. Меня зовут Марья Владимировна Ковалева.

Он подал мне руку и сказал:

— Я тоже от вас почерпнул.

<h1 style="text-align:center">3</h1>

Я вернулась домой. В квартире было тихо (спят, паршивцы, наголодались и спят), но в моей комнате горел свет. Я вошла. На круглом столе, под классическим оранжевым абажуром, стоял букет цветов, окруженный бутылками молока. На большой тарелке затейливо разложены бутерброды, боже ты мой, какие бутерброды — с ветчиной, с балыком, с икрой... В букет вложен конверт, в конверте письмо. Каются, черти.

Я достала письмо. Отпечатано на машинке. Две страницы. Что за чепуха?

«Все свиньи земного шара сходны между собой по складу тела и по нраву. Голос свиней — странное хрюканье, которое не может быть названо приятным, даже когда выражает довольство и душевный покой...»

(Фу-ты черт, какая ерунда! Что там дальше?)

«...Самки свиней не так раздражительны, как самцы, но не уступают им в храбрости. Хотя они и не могут нанести значительных ран своими небольшими клыками, но тем не менее опаснее самцов, потому что не отступают от предмета своего гнева, топчут его ногами и, кусая, вырывают целые куски мяса...»

(Вот оно куда клонят!)

«...Маленькие поросята, действительно, очень миловидны. Их живость и подвижность, свойственные молодости, составляют резкую противоположность лени и медленности старых свиней. Мать очень мало заботится о них и часто не приготовляет даже гнезда перед родами. Нередко случается, что она, наскучив толпой поросят, поедает нескольких, обыкновенно задушив их первоначально... (Брем, "Жизнь животных", т. 2, стр. 731—745.)»

— Ой, мерзавцы, мерзавцы! — простонала я и все-таки не могла не смеяться, даже слезы потекли.

В мальчишеской комнате что-то упало, и появился заспанный Костя в трусах.

— Ну как? — спросил он. — Дошло?

И вдруг, увидев меня, завопил:

— Мать! Какая прическа!! Потрясно! Николай, скорей сюда! Погляди, какая у нас мать!

Вылез Коля, тоже в трусах.

— От лица поруганных поросят... — бормотал он. И вдруг остолбенел. — Ну и ну! — только и сказал он. — Лапу!

Я дала им по одной руке — Косте правую, Коле левую. И опять они целовали каждый свою руку, а я смотрела на две головы, соломенно-желтую и угольно-черную.

Дураки вы мои родные. Ну куда же я от вас уйду...

4

На другой день, как всегда, я пошла на работу. Ну, не совсем как всегда: на плечах у меня была голова, а на голове прическа. И эту голову с прической я принесла на работу. Моя секретарша Галя поглядела на меня с удивлением — мне хотелось думать, с восторгом, — но сказала только:

— Ой, Марья Владимировна, тут вам звонили откуда-то, не то из Совета Министров, не то из совета по кибернетике, я забыла...

— И что сказали?

— Тоже забыла... Кажется, просили позвонить...

— По какому телефону?

— Я не спросила.

— Галя, сколько раз вам нужно повторять: не можете запомнить — записывайте.

— Я не успела. Они быстро так трубку повесили...

Галя была смущена. Крупные голубые глаза смотрели виновато, влажно.

— Простите меня, Марья Владимировна.

— Ну ладно, только чтобы это было в последний раз.

— В последний, Марья Владимировна, честное пионерское, в самый последний.

Она вышла.

Все меня уговаривают расстаться с Галей, а я не могу. Знаю, что это не секретарша, а горе мое, обуза, и все-таки держу. Наверное, люблю ее. У меня никогда не было дочери. А как она мне нравится! Нравятся ее большие, голубые, эмалевые глаза, тоненькая талия, выпуклые икры на твердых ножках. И еще она меня интересует. Чем? Попробую объяснить.

Если два вектора ортогональны, их проекции друг на друга равны нулю. Я Галю чувствую по отношению к себе ортогональной. Мы существуем в одном и том же пространстве и даже неплохо друг к другу относимся, но — ортогональны. Сколько раз я пробовала дойти до нее словами — не могу.

Мне предстояло несколько телефонных разговоров, и я взяла трубку. Так и есть, говорят по параллельному аппарату, и, конечно, Галя со своим Володей. Уславливаются вечером пойти в кино — мировая картина. Прислушиваюсь: какая такая мировая картина? Оказывается, «Фанфары любви». Долго говорят, а телефон все занят. Ничего, успею. Фанфары любви... Я положила трубку.

Все-таки чем она, моя Галя, живет — вот что мне хотелось бы узнать. Неужели то, что на поверхности, — это и все? Только бы прошел рабочий день, а там кино, Володя, танцы, тряпочки? А что? Тоже жизнь... Выйдет замуж за своего Володю, будет носить яркий атласный сверток... И я когда-то носила свертки, только не атласные... Сыновей растила в самую войну. Вырастила... Воспитать не сумела. Нет, они все-таки хорошие, мои мальчики.

Вошел мой заместитель, Вячеслав Николаевич Лебедев. Когда боролись с излишествами, мы с ним объединили наши кабинеты. Вздорный старик, болтлив и волосы красит.

— Марья Владимировна, вы сегодня ослепительны!

Он поцеловал мне руку. Обычно он этого не делает.

— Острижена, причесана — только и всего.

— Нет, не говорите. Все-таки наша старая гвардия...

...Да, старая гвардия. Я представила себе, как он крадучись проникает в такой вот вчерашний закуток за фанерной перегородкой и как там атлетический Руслан накладывает ему краску... Брр!.. А в сущности, почему? А если бы он был женщиной?

— Как со сметой на лабораторию? — сухо спросила я.

— Не утверждают.

Ну, я так и знала. Если хочешь нарваться на отказ, достаточно поручить дело Лебедеву. При виде такого человека у каждого возникает желание дать ему коленкой под зад.

— Что же они говорят?

— Надо пересмотреть заявку на импортное оборудование, на пятьдесят процентов заменить отечественным.

— А вы им говорили, что отечественного оборудования этой номенклатуры нет в природе?

— Говорят, производство осваивается.

— Осваивается! Когда же это будет?

Вот и работай с такими помощниками. Я закурила и стала просматривать смету. Он нервно отмахивался от дыма.

— Зачем вы курите? Грубо, неженственно...

— Зато вы слишком женственны.

Сказала и сразу пожалела. Он даже побледнел.

— Марья Владимировна, с вами иногда бывает очень трудно работать.

— Извините меня, Вячеслав Николаевич.

Нет, надулся старик. Нашел благовидный предлог и вышел.

...Помню, моя няня когда-то говорила мне: «Эх, Марья, язык-то у тебя впереди разума рыщет». Так и осталось...

Смерть не люблю, когда на меня обижаются, прямо заболеваю. Вот и сейчас отсутствие Лебедева сковывало меня по рукам и ногам. Ну куда он пошел? Шатается где-нибудь по коридорам, бледный, расстроенный, или разговорился с кем-то и жалуется. А ему: «Ну чего вы хотите? Баба есть баба».

Вошла Галя, конфузливо пряча глаза:

— Марья Владимировна...

— Опять что-то забыли?

— Нет, Марья Владимировна, у меня к вам просьба. Можно мне в город съездить, ненадолго?

— Володя?

— Нет, как вы можете даже подумать! Совсем не Володя.

— Ну а что, если не секрет?

— В ГУМе безразмерные дают.

— Ладно, поезжайте, раз такой случай.

...Сколько я себя помню, всегда в дефиците были какие-нибудь чулки. Когда-то — фильдекосовые, фильдеперсовые. Потом — капрон. Теперь — безразмерные. Во время войны — всякие.

— Марья Владимировна, может быть, и вам взять?

— Ни в коем случае.

— Так я поеду тогда...

— Поезжайте, только сразу.

Эх, некстати! Помощи от нее никакой, но именно сегодня мне хотелось иметь человека на телефоне. Мне надо было подумать. Естественная потребность человека — иногда подумать.

В сущности, я уже давно не занимаюсь научной работой. Когда мне навязывали институт, я так и знала, что с наукой придется покончить, так им и сказала. «Да что вы, Марья Владимировна, мы вам обеспечим все условия, дадим крепкого заместителя». Вот он, мой крепкий заместитель, надулся теперь — хоть бы ненадолго.

Если считать в абсолютном, астрономическом времени, то я, пожалуй, и не так уж страшно занята, могла бы урвать часок-два для науки. Не выходит. Научная задача требует себе все внимание, а оно у меня разворовано, раздергано на клочки. Вот, например, на выборку: нет фанеры для перегородок. У инженера Скурихина обнаружено две жены. Милиционеры просят сделать доклад о современных проблемах кибернетики. В недельный срок предложено снести гараж, а куда машины дену?

Рваное внимание, рваное время. Может быть, его не так уж мало, но оно не достается мне одним куском. Только настроишься — посетитель. К Лебедеву отсылать бесполезно — все равно отфутболит обратно. Раньше мне казалось: вот-вот дела в институте наладятся, и я получу свой большой кусок времени. Потом стало ясно, что это утопия. Большого куска времени у меня так и не будет.

И, как назло, сегодня передо мной начала маячить моя давнишняя знакомая задача, вековечный друг и враг мой, которая смеется надо мной уже лет восемь.

Начать с того, что она приснилась мне во сне. Конечно, снилась мне ерунда, но, проснувшись и перебирая в уме приснившееся, я как будто надумала какой-то новый путь, не такой идиотский, как все прежние. Надо было попробовать. И поэтому сегодня мне позарез нужен был целый кусок времени. Не тут-то было. Телефон звонил, как припадочный. Я пыталась работать, время от времени поднимая трубку и отвечая на звонки. И как будто что-то начало получаться... Неужели?

В дверь постучали. Просунула голову девушка из экспедиции.

— Марья Владимировна, вы меня извините... Гали нет, а у меня для вас один документ, сказали, что очень срочный.

— Ну, давайте.

Я взяла документ.

«21 мая 1961 года в 22.00 на улице Горького задержан гражданин Попов Михаил Николаевич в невменяемом состоянии, являющийся, по его заявлению, сотрудником-лаборантом Института счетных машин. Будучи помещен в отделение милиции, гражданин Попов оправлялся на стенку и мимо...»

— Хорошо, я разберусь, — сказала я.

Девушка ушла. Я снова попыталась сосредоточиться. Забрезжил какой-то просвет. И снова телефон. Черт бы тебя взял, эпилептик проклятый! Я взяла трубку:

— Слушаю.

— Девушка, — сказал самоуверенный голос, — а ну-ка, давайте сюда Лебедева, да поскорее.

— Послушайте, вы, — сказала я, — прежде чем называть кого-нибудь «девушка», узнайте, девушка ли она.

— Чего-чего? — спросил он.

— Ничего, — злорадно ответила я. — С вами говорит директор института профессор Ковалева, и могу вас уверить, что я не девушка.

Голос как-то забулькал. Я положила трубку. Через минуту снова звонок. Звонили долго, требовательно. Я не подходила. Извиниться хочет, нахал. Пусть побеспокоится.

...А все-таки зря я его так. Ни в чем он особенно не виноват. А главное, важно так: «Директор института, профессор Ковалева». Старая дура. Старая тщеславная дура. И когда только станешь умнее? «Остригусь и начну». Остриглась, но не начала.

После этого звонка я присмирела, скромно сидела у телефона, вежливо говорила: «Марьи Владимировны нет. А что ей передать?», записывала сообщения, — словом, была той идеальной секретаршей, какой хотела бы видеть Галю. Кстати, Галя так и не пришла, Лебедев тоже. Хуже было с посетителями. Им-то нельзя было сказать: «Марьи Владимировны нет», — и у каждого было свое дело, липкое, как изоляционная лента. Время было совсем рваное, но все-таки я работала, писала, вцепившись свободной рукой в волосы, курила, комкала бумагу, зачеркивала, снова писала... Вот уже и звонки прекратились — вечер. Когда я очнулась, было десять часов. У меня получилось.

Я еще раз проверила выкладки. Все так. Боже мой, ради таких минут, может быть, стоит жить...

Я прожила долгую жизнь и могу авторитетно заявить: ничто, ни любовь, ни материнство, — словом, ничто на свете не дает такого счастья, как эти вот минуты.

Со всем тем я опять забыла пообедать.

Я запечатала сейф и спустилась в вестибюль. Все уже давно ушли, и гардеробщица, и сотрудники. Мой плащ, довольно обшарпанный, висел — один как перст. Я остановилась против зеркала. Хороша, нечего сказать. Лицо бледное, старое, под глазами темно. От вчерашней прически, разбросанной ветром, следа не осталось. Здесь, похоже, хозяйничал не ветер, а стадо обезьян.

Я оделась и пошла домой. Быстрый дождик отстукивал чечетку по новеньким листьям. И всегда-то я забрызгиваю чулки сзади.

5

Да, черт меня дернул остричься. Забот прибавилось. Раньше было просто: заколола волосы шпильками — и все. А теперь... В первый же раз, когда я вымыла голову и легла спать, утром оказалось, что у меня не волосы, а куриное перо. Словно подушку распороли.

Я позвонила Виталию.

— Виталий, у меня что-то случилось с головой. Волосы встали дыбом.

— Голову мыли? — строго спросил Виталий.

— Конечно, мыла. А вы думали, что я уже никогда не буду голову мыть?

— Можно мыть и *мыть*. Волос требует ухода. Можно применять яичный желток...

— Простите, мне некогда слушать, Виталий, у меня сегодня доклад в министерстве, а с такой головой...

— Приезжайте, я вас обслужу.

Так я отыскала Виталия в его старой точке и стала ездить к нему почти каждую неделю. Точка была небольшая, небойкая, без длинных очередей и зеркальных витрин, с двумя просиженными креслами в затрапезном дамском зале.

Рядом с Виталием работал только один мастер — старик Моисей Борисович с дрожащими руками и кивающей головой. Как только он ухитрялся этими своими руками работать? А работал, и превосходно. Правда, холодную завивку он не любил. Его специальностью были щипцы.

— Щипцы — это вещь, — говорил он. — Вы тратите время, но вы имеете эффект.

Ходили к нему «на щипцы» несколько старых дам. Мне они нравились — седые, строгие, несдающиеся. Особенно хороша была одна — с черными ясными глазами, гордым профилем и густыми, тяжелыми голубыми сединами. Когда она их распускала, голубой плащ ложился на спинку кресла. Она сидела прямо-прямо и не отрываясь глядела в зеркало, плотно сжав небольшой бледный рот. Какая, должно быть, была красавица! А Моисей Борисович хлопотал щипцами, вращал их за ручку, приближал к губам, снова вращал и наконец решительно погружал в голубые волосы, выделывая точную, стерильно правильную волну. И все время кивал головой, словно соглашался, соглашался...

— А вы умеете щипцами? — спросила я как-то Виталия.

— Отчего же? Мы в школе все виды операций проходили: ондюляция, укладка феном, вертикальная завивка... Только для нашего времени это все не соответствует. Наше время требует крупные бигуди, владение бритвой и щеткой, форму головы. Мастер, если он уважает себя, должен знать все особенности головы клиентки. Если у клиентки уплощенная форма головы, мастер должен предложить ей такую прическу, чтобы эта уплощенность скрадывалась. Бывает, что голова у клиентки необыкновенно велика или шея коротка, это все необходимо учесть и ликвидировать с помощью прически. Если бы у меня была жилплощадь, я бы развернул работу по своей специальности, но я лишен всяких условий.

— А где вы живете?

— По необходимости я вынужден снимать угол у одной старушки. Прописан я у сестры, но у нее пьющий и курящий муж и двое детей, комната двенадцать с половиной метров, но проходная, один человек буквально живет на другом, без всякого разделения. Это создает неподходящую, нервную обстановку, поэтому я снял квартиру, хотя бы ценой материальных лишений.

— А с родителями вам жить нельзя?

— С отцом и с мачехой? Нежелательно. Отец зарабатывает меньше, чем пропивает. Живя у них, я вынужден буду не то чтобы пользоваться с их стороны поддержкой, но даже отдавать часть своего заработка отцу на вино, а это меня не удовлетворяет.

6

Как было сказано, мы с Виталием встречались каждую неделю. А работал он медленно, вдумчиво, и мы проводили вместе довольно много времени. Можно, пожалуй, сказать, что мы подружились. Вот его я не чувствовала к себе ортогональным. Нам было о чем поговорить. Время от времени я помогала ему в работе над «планом личного развития» и убедила-таки его отложить изучение Белинского на более поздний срок. Иногда он приносил специальные парикмахерские журналы — на немецком языке, на английском, и я переводила ему текст сплошняком, включая рекламы и брачные объявления, например: «Молодой парикмахер, 26 лет, рост 168 см, вес 60 кг, желает жениться на парикмахерше, хорошо освоившей химическую завивку, не старше 50 лет, имеющей собственное дело...»

Случалось, что я поправляла ему неправильные ударения; он внимательно слушал, и ни разу я не заметила, чтобы он повторил ошибку. Я научила его говорить «я ем» вместо «я кушаю», «половина первого» вместо «полпервого». Изредка он брал у меня деньги — не помногу, рублей пять, десять — и всегда возвращал точно, день в день.

Часто он расспрашивал меня о моих сыновьях. Видимо, эта мысль его занимала. Нет-нёт да и спросит:

— Ваши сыновья учатся?

— Да. Коля уже кончает, Костя на втором курсе.

— На кого они учатся?

— На инженеров. Коля — по автоматике, Костя — по вычислительным машинам.

— Они сами выбрали свою специальность, или вы им посоветовали?

— Сами выбрали.

— А испытывали они затруднения при выборе специальности?

— Право, не знаю. Кажется, не испытывали.

— А они хорошо учатся, ваши сыновья?

— По-разному. Старший — ничего, младший — неважно.

— Если бы у меня были такие условия, как у вашего сына, я бы не позволил себе плохо учиться.

— Я думаю, да.

Иногда его интересовали более сложные вопросы:

— Как вы добились, чтобы ваши сыновья не сделались плесенью?

— Как добилась? Я специально этого не добивалась.

— Вы проводили с ними беседы?

— Нет, кажется, не проводила...

Я ходила к Виталию, время шло, и постепенно происходили какие-то перемены.

Во-первых, Виталий сдал на мастера.

Когда я спросила его об экзамене, он ответил:

— Это нельзя даже назвать экзаменом, пустяки. Мои требования к самому себе далеко выходят за пределы этого экзамена.

Во-вторых, появились очереди. Не только перед праздниками, но и в обычные дни. И все только к Виталию.

— Виталий, вы приобретаете популярность.

— Мне эта популярность, если сказать правду, ни к чему. Я заинтересован подобрать себе солидную клиентуру, у которой я мог бы что-либо почерпнуть. Меня, например, рекомендовали одной жене маршала. Другая, врач, приехала из ГДР и привезла бигуди совсем нового типа. А эти, — он презрительно мотнул в сторону очереди, — им что баран, что не баран, все одинаково.

...Удивительно все-таки меняется психология в зависимости от обстоятельств. Это я говорю вот к чему. Когда я сама ждала у дверей зала и жирный мастер в зеленом галстуке принял кого-то без очереди, я орала и волновалась. Теперь я сама проходила к Виталию без очереди, а кто-то сзади орал и волновался и иногда требовал жалобную книгу. Тогда я смотрела на проходящих без очереди снизу вверх, теперь на стоящих в очереди — сверху вниз. Совсем другой ракурс. Вечная история. Держатели привилегий жаждут их сохранить, остальные — уничтожить. Мне было стыдно своих привилегий, и душой я была с теми, кто орал и волновался, тело же мое садилось без очереди в кресло. Что делать? Времени у меня было до ужаса мало.

— У этой дамы сегодня доклад в министерстве, — сказал как-то Виталий одной особенно напористой девушке. У нее были глаза смелые и светлые, как вода.

— Мало ли у кого где может быть доклад. Очередь есть очередь.

Совершенно верно... Душой я была на стороне этой девушки.

— Ну хорошо, я уйду.

Но кругом, как всегда в таких случаях, зашумели протестующие голоса:

— Может быть, у нее и правда доклад...

— Пожилая, видно, интеллигентная...

— Одного человека не подождем, что ли?

Таким образом, на волне народного признания меня вынесло в кресло. Никакого доклада в министерстве у меня в тот день не было. До чего же мне было стыдно!

...А все-таки доклады в министерстве время от времени случались, а иной раз и того хуже — приемы. Тут уж без Виталия было не обойтись. Однажды в день такого приема — черт бы его взял — я пришла прямо в парикмахерскую без звонка. Моисея Борисовича не было, Виталий был один. Он сидел в своем кресле, задумавшись и разложив перед собой свою производственную снасть — разнокалиберные бигуди, зажимы, жидкости, пряди волос. Он не сразу меня заметил, а когда заметил, отнесся не по обычаю холодно:

— А, Марья Владимировна, это вы... А я тут только что развернул работу, пользуясь тем, что один. Пытаюсь понять особенность одной операции в связи с качеством волоса.

— Телефон был занят... Если вам некогда, я уйду.

— Нет, отчего же? Раз уж пришли, я вас обслужу. Только придется подождать.

Он стал прибирать свое рабочее место, а я села в угол с книгой. Эх, это чтение урывками! Сколько раз я себя уговаривала бросить его. Все равно ничего не воспринимаешь. Просто дурная привычка — как семечки лущить.

А тут еще против меня шебаршил маленький радиоприемничек, от горшка два вершка, и мешал мне читать: передавали скрипичный концерт Чайковского. Вообще я люблю эту вещь, но сейчас шло мое самое нелюбимое место, — когда скрипка без сопровождения давится двойными нотами, безнадежно пытаясь изобразить оркестр. А ну, ну кончай скорей эту музыку, понукала я ее мысленно. Давай-ка, давай полный голос. И она послушалась, дала. Скрипкин голос запел, но рядом с ним неожиданно появился второй. Флейта, что ли? Откуда в концерте Чайковского флейта? Я подняла голову. Это свистал Виталий.

Он убирал со стола — и свистал. Мало того, он еще двигался под музыку. Он сновал между столом и шкафом — узкий, легкий, с мальчишеским выворотом острых локтей — и свистал. Свист осторожно, бережно, тонко поддерживал скрипку, то поддакивал ей: так, так, так; то разубеждал: нет, нет, нет; то отступал, то возникал снова. Я заложила пальцем страницу и слушала, удивляясь, с морозом по коже.

И вдруг щелк — Виталий выключил радио.

— Садитесь в кресло, Марья Владимировна, я готов.

— Виталий, милый, это же замечательно! Кто вас научил так свистать?

— А, свистать? Это я сам. На прошлой квартире, когда у меня были лучшие условия, я всегда включал радио и изучил многие произведения...

— А вы знаете, что вы сейчас свистали?

— Конечно, знаю. Концерт для скрипки с оркестром це-дур, музыка Петра Ильича Чайковского.

— Виталий, послушайте, вы же очень музыкальны, вам имело бы смысл учиться...

— Я об этом думал, но решил, что нет. Для того чтобы приобрести пианино, нужно прежде всего быть обеспеченным площадью.

...Виталий работал, а я сидела и молчала, послушно поднимая и наклоняя голову. Он заговорил сам:

— Музыкой я с самых малых лет интересовался, еще в детском доме. Помню, играл оркестр, я отстал от прогулки, меня хватились, стали искать. Я стоял как прикованный. Другой раз воспитательница принесла духовые инструменты, маленькие, а может быть, и большие, только я помню, что маленькие. Там такие кастаньеты были, тарелки, барабан и еще такие, полукруглые, как они называются?

— Литавры, что ли?

— Да, точно, литавры. Я стал на этих литаврах играть и такой беспорядок спровоцировал, что это ее возмутило. Она очень стала сердиться и наступила на меня, навалилась, потоптала и стала бить. Я этого никогда не забывал, и теперь, когда остаюсь один, прямо плачу, чувствую, как она меня топчет.

— Какой ужас! Что же, вас вообще били там, в детском доме?

— Нет, не били никогда.

— А как вы попали в детский дом? Вы же говорили, у вас есть отец?

— Отец меня воспитать не мог. Моя мать — я ее никогда не знал, даже не видел фото, — она умерла, когда я был совсем в ничтожном возрасте, около двух недель. Я ее не видел, но по слухам восстановил, что она была умная женщина. Отец не мог меня вскармливать, и к тому же у меня были две старшие сестры, он и отдал меня в дом малютки, откуда дальше я попал в детский дом.

— А вы знали, что у вас есть отец?

— Я бы не знал, но тут произошел один случай. К нам в детский дом приезжала делегация. Я им понравился, они снимали меня в самолете, самолет был, как пианино. Потом отвели в спальное помещение и стали снимать спящим. Коробку конфет «Садко» положили под подушку и сказали: «лежи, как спишь, тогда получишь коробку». Я от утомления уснул, проснулся — «Садко» под подушкой нет. Ужасно рыдал. А в то время, когда засыпал, я слышал их разговор. Заведующая детским домом сказала про меня, что у него есть отец и две сестры. Я это тогда запомнил.

На другой год, где-то около Нового года, потому что елку сооружали, я видел, как одному ребенку мать передала подарок. Я вспомнил, что у меня есть отец и две сестры. Ночью я вышел в зало и стал трясти елку. Не знаю сам, почему я ее стал трясти. Вышли эти самые хозяйки и увидели, что я трясу елку. Какая была тут мера ко мне приложена, не помню сам. Но мне тогда было все равно. Когда мать передала своему сыну подарок, я тут все вспомнил — и как воспитательница меня топтала, и все...

Виталий внезапно прервал работу и отошел к окну. Через минуту он вернулся.

— Извиняюсь, Марья Владимировна. Это со мной иногда бывает. Вспомню что-нибудь из своей жизни и неудержимо плачу.

— Не надо об этом вспоминать, вам же тяжело. Простите, что я вас расспрашивала.

— Нет, мне лучше, когда полная ясность. Можете задавать вопросы.

— А как же вас взяли из детского дома?

— А это уже потом, когда меня Анна Григорьевна хотела взять.

— Какая Анна Григорьевна?

— С завода-шефа. Она часто посещала наш детский дом. Не знаю почему, но я ей понравился, и она решила взять меня к себе вместо сына. Только сначала она об этом никому не объявляла, мне тем более. Меня она просто водила к себе в гости, чтобы испытать. Я никогда карманником не был и у нее в гостях обходился тихо и аккуратно, так что она еще больше ко мне привязалась. А я очень мечтал, чтобы она меня взяла. Только вместо этого она в один день приводит... отца моего, приводит и сестру. И мачеха с ними. Меня ей показывают, а она говорит: пусть живет, говорит, авось не объект. Стал я жить у них и переживать один день другого хуже.

— А откуда же Анна Григорьевна взяла их, вашего отца, сестру?

— Это я уже потом узнал. Она, когда меня хотела взять, пошла к заведующей и говорит: «Отдайте мне этого ребенка, Виталия Плавникова». А заведующая ей и сказала, что у него отец и две сестры. Разыскала она их, думала радость мне сделать. А сама потом на меня уже смотреть не хотела: не достался мне в качестве сына, так и смотреть на него не хочу.

— И больше вы ее так и не видели?

— Нет, больше не видел.

— А дома вам плохо жилось?

— Я не сказал бы, что плохо, удовлетворительно. Но я очень сильно переживал.

— Мачеха вас обижала?

— Нет, на мачеху я жаловаться не могу. Если бы я помнил свою родную мать, конечно, я мог бы жаловаться. А так я мачеху даже мамой называл, хотя и боролся с ее религиозностью. Переживал я оттого, что не мог забыть Анну Григорьевну.

7

Ко мне пришла Галя.

— Марья Владимировна... Вы меня, конечно, извините...

— В чем дело, Галя? Опять за безразмерными?

— Нет, нет, ничего подобного. Марья Владимировна, я хочу к вам обратиться по личному вопросу, но как-то неудобно...

— Ну-ну, говорите.

— Марья Владимировна, я давно хотела спросить: кто вам делает голову?

— Какую голову?

— Я хочу сказать — прическу.

— Ах, вот вы о чем! А я-то сразу не поняла.

— Вы меня, конечно, извините, Марья Владимировна. Но верите или нет, мы тут с девочками на вас смотрим и удивляемся. В вашем возрасте так следить за собой далеко не все следят. Честное слово. Я не для того, чтобы что-нибудь, а от всей души. Хотите, девочек спросите.

— Ладно, ладно. А к чему вы это все ведете?

— Я хочу узнать, Марья Владимировна: кто это вам так стильно делает голову, и, может быть, вы меня устроите к этому мастеру? Очень вас прошу, если, конечно, вам это не обидно.

— Почему обидно? Охотно поговорю с Виталием.

— Вашего мастера зовут Виталий? А он сильно пожилой?

— Ужасно пожилой, вроде вас.

— А что? Я для девушки уже не молодая, двадцать четвертый год.

Галя вздохнула.

— Еще бы, — сказала я. — Старость.

— Нет, вы не скажите, Марья Владимировна, в нынешнее время мужчины девушку считают за молоденькую, только если лет семнадцать-восемнадцать, ну, двадцать, не более. И то если одета со вкусом.

Я окинула Галю пристальным глазом: ужасно она мне нравится. Одета, конечно, со вкусом. И где только они, наши девушки, каким верхним чутьем всему этому выучиваются — непостижимо! Все на ней чистенькое, простенькое, коротенькое, ничего лишнего — ни пуговицы, ни брошки, ни бус. Вся подобранная, вся на цыпочках, на острых, игольчатых каблучках. Такую вещицу мужчине, наверное, хочется взять двумя пальцами за талию и переставить с места на место.

— Вы прекрасно одеты, Галя, и вам никак нельзя дать больше восемнадцати-двадцати.

— Вы шутите, Марья Владимировна?

— Истинная правда.

...И правда, я никак не могу стать на такую точку зрения, с которой есть разница между восемнадцатью и двадцатью тремя...

— Ну, спасибо, — сказала Галя. — Так я вас очень попрошу, Марья Владимировна, скажите вашему Виталию, чтобы он меня причесал. У нас в субботу вечер молодежный. Не забудете?

— Не забуду.

Я не забыла и в следующий раз, сидя перед зеркалом, сказала:

— Виталий, у меня к вам просьба. Есть у меня девушка Галя, моя секретарша. Миленькая девушка, между прочим. Так вот, ей очень хочется, чтобы вы ее причесали. Моя голова ей очень понравилась.

— Какой волос? — сухо спросил Виталий.

— У нее? Ну, как вам сказать... Светло-каштановый, пожалуй. Ближе к блондинке.

— Цвет мне безразличен. Длинный, короткий?

— Скорее длинный.

— Если ей «бабетту» нужно, так я «бабеттой» не занимаюсь. Этот вид прически меня не интересует. Теперь девушки большинство делают «бабетту», и, я скажу, напрасно. Этот обратный начес только видимость создает, что волос пышный, а на деле он только взбитый и посеченный. Другая сделает «бабетту» и не расчесывает целых две недели. Волосу это вредно.

— Нет, Виталий, она мне про «бабетту» ничего не говорила. Сделайте ей что-нибудь красивое по своему вкусу.

— Интересная девушка? — деловито спросил Виталий.

— По-моему, очень.

— Я потому спросил, что я иногда интересных девушек позволяю себе обслуживать без всякой материальной точки зрения. Меня интересует проблема выбора прически в зависимости от размера лба, длины шеи и прочих признаков. Это легче проверять на девушках, чем на солидной клиентуре. У солидной клиентуры уже и волос не тот, и форма лица не так выражена, и к тому же она требует себе определенную прическу, а не ту, которую я как мастер ей предлагаю. С другой стороны, много занимаясь девушками, я рискую не заработать себе на жизнь. Но время от времени я должен проверять на девушках свои теории.

— Ну, так проверьте их на моей Гале.

— Хорошо, я согласен.

— Так я ей скажу, она вам позвонит.

— Лучше я сам ей позвоню. Телефон?

— Мой служебный.

— Отлично. Я ей позвоню.

8

Суббота — короткий день. Как для кого. Для меня этот день оказался длинным. Я даже опоздала на молодежный вечер. Когда я пришла в клуб, уже начались танцы. Я люблю смотреть на ноги танцующих. Они часто говорят больше, чем лица. А обувь? Туфельки, туфельки, туфельки — импортные, остроносые, невесомые, с тонкими, почти фиктивными каблуками. Хвала тем, кто не пошатнувшись ходит на этих прелестных фиктивностях (я не могу). А рядом с туфельками — покровительственно — мужские полуботинки, а то и ременные сандалии, а то и совсем сапоги... И много — ох как много! — девичьих пар: туфельки с туфельками. Танцуют изящно, старательно, независимо, как будто ничего другого им и не нужно. Эх, девушки, бедные вы мои! Давно прошла война, выросло другое поколение, а все вас слишком много...

Среди большинства модных туфелек особенно заметны те, что в меньшинстве, те, что попроще: босоножки, сандалеты, даже тапочки. Пожалуй, даже мило в тапочках, если ноги легкие, прямые... И как-то отдельно заприметилась мне пара зеленых парусиновых босоножек. Как эта пара хлопотала, как перебирала, как притаптывала! На каждый такт музыки она делала не одно, не два, а штук десять неуловимых движений. Интересно, какая у них хозяйка, у этих босоножек? Я скользнула взглядом вверх по толстеньким икрам и увидела девушку, совсем молоденькую, лет семнадцати, с паклевыми стоячими кудряшками (Виталий сказал бы — баран). Вся она была коротенькая, крепенькая, как репка. Узкое, выше колен, ярко-золотое парчовое платье кругло обтягивало маленький выпуклый зад. Она деловито танцевала за кавалера с тонкой и томной девицей чуть не на голову выше себя. Люблю девушек, которые танцуют за кавалера, — с ними можно дело иметь...

И еще среди множества танцующей обуви привлекли мое внимание огромные желтые полуботинки на чудовищно толстой рифленой подошве. Что-то они мне напоминали, но что? А, понятно. В этих полуботинках танцевал стиляга. Не теперешний стиляга, а старомодный, образца 1956 года. Он словно сошел живой со страниц «Крокодила» — в своем мешковатом клетчатом пиджаке, коротких, дудочками брюках, с огромными ногами на рубчатой подошве, с длинными неопрятными волосами... Старомодный стиляга!

А где же моя Галя? Попробую отыскать ее по ногам. Это оказалось нетрудно — я сразу нашла глазами две грациозные ножки в серых туфлях с мечевидными носами. Интересно, как причесал ее Виталий? Я подняла взгляд на ее лицо и сразу поняла, что Галя — красавица. Не просто хорошенькая девушка, а именно красавица. Или это из-за прически? Тяжелые, густые, как льющийся мед, темно-золотые волосы текли вокруг головы — иначе не скажешь. Она танцевала с каким-то парнем, зачарованно глядя ему в лицо, и эмалевые глаза плавились. Кто же этот парень? Володя, что ли? Ох, да это Виталий!

Как же я его не узнала? В черном костюме он был какой-то необычный, я бы сказала — не такой узкий, даже представительный. Глядя суровыми глазами поверх великолепной медовой прически, равнодушный к своим ногам, он еле заметно, ритмично переступал ими, чуть подрагивая коленями. Это, видно, модная манера танцевать: не двигаясь с места.

Чудеса! Галя — и Виталий...

Радиола, захлебнувшись, умолкла. Пары пошли вразброд, волоча обрывки серпантинных лент. Но тут музыка снова заиграла: вальс.

Вот бессмертный танец! Сколько на моем веку состарилось и умерло танцев, а он все тот же, самый любимый. Замелькали вертящиеся пары. Рядом со мной откуда-то взялся Лебедев.

— Марья Владимировна, один тур!

— Бог с вами, Вячеслав Николаевич! Я давно уже не танцую.

— Не танцуете, а сразу видно, что хочется.

— Откуда это видно?

— А вы всем существом своим отбиваете такт: раз-два-три, раз-два-три... Разрешите?

Я отстранилась:

— Право, не стоит. В другой раз, в другой обстановке...

— Эх, вы, трусиха!

Он подхватил какую-то девочку и закружил ее. Ловко танцует старик. И завидно, и грустно.

...Вот так и стой и смотри, как кружится-кружится мимо тебя вальс...

9

Музыка замолчала, вальс кончился. Принесли микрофон. На середину зала вышла культурница Зина, спортивного вида девушка с тонкими, до плеч голыми, загорелыми руками, и сказала в микрофон:

— Добрый вечер, товарищи!

— Добрый вечер, добрый вечер, — загудело в ответ.

— Начинаем второе отделение нашего затейно-массового молодежного вечера. В программе — вечер смеха, массовые игры.

— Ну вот, опять массовые игры, — досадливо протянул девичий голос.

— Не мешайте, товарищи. Товарищи, освободите пространство для массовых игр. Будьте дисциплинированны, товарищи.

Люди сдвинулись к самым стенкам. Меня сначала притиснули, потом узнали:

— Марья Владимировна, да вы вперед проходите.

— В первый ряд, Марья Владимировна!

— Не нужно, — отбивалась я, — мне и здесь хорошо.

— Да вы отсюда ничего не увидите.

— Увижу, право, увижу.

Вытолкали меня таки в первый ряд, черти.

Зина хлопотала в центре свободной площади. Принесли мешок. Из мешка она стала вынимать одного за другим резиновых надувных зайцев, уже надутых. Каждый заяц с кошку величиной. Она чинно, серьезно усаживала их бок о бок на полу. Я автоматически считала зайцев — пятнадцать штук. Народ молчал.

Вот кончились зайцы, и из мешка появились ружья — одно, два, три, четыре игрушечных ружья и еще какие-то загадочные предметы из картона — маски, должно быть, что-то розовое.

— Внимание, товарищи. Объясняю игру. В массовой игре принимают участие две пары — две девушки и два молодых человека.

Кругом засмеялись.

— Дисциплинированнее, товарищи. Смеяться будете потом. Игра называется «Охота на зайцев». Кто желает принять участие в игре?

Толпа жалась. Никто не выходил.

— Ну, выходите, товарищи, быстренько, проявляйте активность.

— Эх, была не была! — крикнула одна девушка и выскочила на середину. Это оказалась та самая, в золотом платье. Молодец, репка!

Лиха беда начало. За репкой вышла еще девушка — эту я знала, лаборантка Тоня, — и еще два мальчика, оба из нашего института, один покороче, румянец пятнышками, а другой длинный-длинный, с распадающимися волосами, в джинсах. Как будто бы Саша Лукьянов, но я не была уверена. Если Саша Лукьянов, то я ему уже два выговора подписала. У этого парня ноги были слишком длинны, и он все переминался, сгибал то одну, то другую.

— Еще раз внимание, товарищи. Объясняю игру «Охота на зайцев». В игре участвует четыре человека. Каждый из них должен надеть свое ружье на плечо.

Посмеиваясь и стесняясь, ребята пролезли в ременные петли детских ружей.

— Так. Объясняю дальше. Каждый из вас четырех получит свой угол. Расстанавливаю участников по углам. В центре зала сидят зайцы. Видите зайцев?

— Чего же не видеть, не слепые, — сказал короткий. Кругом стояло погребальное молчание. Зайцы сидели шеренгой, очень унылые, свесив мягкие холодные уши. Один все норовил свалиться на бок. Зина его поправляла.

— Каждый из вас должен настрелять как только можно больше зайцев и снести их в свой угол, понятно? Вы снимаете с плеча ружье, прицеливаетесь в зайца и производите выстрел. Настоящего выстрела, конечно, не происходит, так как ружья детские и ничем не заряжены в целях безопасности игры. Убив зайца, вы несете его в свой угол, понятно?

— Понятно, — грустно сказал длинный, согнув на этот раз правую ногу.

— Теперь я вам одену маски. Чтобы вы не могли ничего видеть, глазные отверстия масок заклеены. Понятно?

— Чего тут не понять, школу кончили, — сказала репка.

— Внимание. Одеваю маски.

Длинному досталась унылая маска пьяницы с торчащими ушами и висячим лиловым носом. Короткому — что-то желтое, плоское, принюхивающееся. Уродливую старческую харю в платке нацепили Тоне. Но страшнее всего оказалась женская маска, которая досталась веселой золотой репке. Раздутая, синевато-розовая бабья голова, почти без глаз, с одним ухом, с паралитически раскрытым, скошенным набок ртом. Клиническая маска идиотки. Все четверо замаскированных с ружьями на плечах стояли среди зала, словно выходцы из кошмарного сна алкоголика.

— Внимание, приготовились. По моему сигналу играющие начинают игру по охоте на зайцев. Внимание, начали!

Зина свистнула в свой свисток, не то спортивный, не то милицейский. Первой тронулась с места девушка — золотая репка — с розовым ужасом вместо головы. Она сняла ружье, старательно прицелилась, «выстрелила» в невидимых зайцев и, твердо ступая, отправилась за добычей. Должно быть, и в самом деле трудно сохранить направление, ничего не видя. Она взяла правее, чем нужно, прошла мимо зайцев, присела на корточки и стала шарить по пустому полу, бессмысленно поводя идиотической головой. В зале раздались отдельные смешки.

«Какой ужас, — думала я. — Что это такое?..»

Теперь схватил ружье долговязый в джинсах — Саша Лукьянов или не Саша Лукьянов? — тот, с головой пьяницы. Он, видно, стремился внести в номер что-то свое: выстрелил, сказал «пиф-паф» и направился к зайцам гусиным шагом, высоко вскидывая ноги. Этот оценил расстояние довольно удачно. Сначала он наступил на зайцев, разбил шеренгу, потом сориентировался, сел на пол, нашарил двух и, держа их за уши, понес в чужой угол.

— Не сюда, не сюда! — кричали ему.

Многие уже хохотали, раздалось два-три свистка. Зина попыталась вмешаться и что-то сорганизовать, но ее уже никто не слушал. Остальные маски тоже включились в игру... Через несколько минут в зале творилось что-то невообразимое. Все четверо в масках, забывая стрелять, слепо и тупо валандались по свободному пространству, спотыкаясь, сталкиваясь, ощупывая друг друга, беспорядочно хватая и перетаскивая с места на место злополучных зайцев. Кругом хохотали. Никто ничего не понимал, но смеялись все громче; я не понимала: чему тут можно смеяться, это же страшно! — и вдруг почувствовала, что не могу больше, что хохочу вместе с другими...

— Ну, это черт знает что такое, — сказал рядом со мной чернявый плечистый парень, сунул два пальца в рот и закатился молодецким посвистом — сущий Соловей Разбойник. Два-три заливистых свистка в разных концах зала ему ответили.

— Товарищи, вас просят соблюдать дисциплину! — надрывалась в микрофон культурница.

... Меня кто-то схватил за ногу. Я посмотрела вниз и увидела страшную, скособоченную морду идиотки. В охоте за зайцами девушка совсем потеряла направление и шарила по ногам зрителей.

— Сейчас же снимите маску, — резко сказала я.

Она выпрямилась и отвела маску вбок. На меня глядело милое, румяное, вспотевшее личико.

— Девочка, — сказала я ей, — не надо вам этого, не надо.

Она заплакала.

Господи, еще этого не хватало...

Я подошла к Зине:

— Немедленно прекратите это безобразное зрелище.

— Что случилось? — спросила Зина, но тут же узнала меня, взяла свисток и длинно, пронзительно засвистела: — Внимание, товарищи! Игра «Охота на зайцев» окончена. Первый приз — собрание открыток города Москвы — получает... Как вас зовут, товарищ?

Но «товарищ», высокий парень с распадающимися волосами, уже сорвал с себя маску и хорошим футбольным ударом запустил ее в конец зала. Двое других тоже скинули маски, подбросили их, и вот они запорхали, заплясали над головами. «Эх, эх!» — кричали, бросали, хохотали в толпе. Маске пьяницы надорвали нос, и он понуро болтался, словно сетовал.

Зина подошла ко мне, ломая руки:

— Что же мне делать? Массовый вечер срывается...

— А разве у вас еще не все?

— Нет. По плану мы должны еще разбивать горшок...

— Пустите меня к микрофону, — сказала я.

— Пожалуйста...

Что я им скажу? Не знаю. Но что-то надо сказать, непременно. Когда я подошла к микрофону, зал притих. Я сама не узнала свой голос. А слова!

— Дорогие мои ребята, — сказала я, — дорогие мои мальчики и девочки. Мои хорошие мальчики и девочки. Вы меня простите, что я так к вам обращаюсь. У меня два сына в таком же возрасте. Старшему двадцать два, младшему двадцать...

...Что я несу? Но остановиться уже нельзя. Множество глаз смотрит на меня, и стало совсем тихо.

— Дорогие мои, — говорю я, — вы сейчас смеялись. Вы смеялись невольно, не могли не смеяться, это я по себе знаю, я тоже смеялась вместе с вами. Но разве это настоящее веселье? Бывает, например, веселье от водки. Такое веселье мой сын называет «химическим». То, что у вас было сейчас, это тоже химическое веселье...

— Правильно, правильно! — закричали отдельные голоса. Кто-то свистнул, другие зашикали.

— Я не умею по-хорошему вам объяснить, в чем тут дело, но чувствую, что это веселье — плохое. Как бы это выразить? Ну вот иногда мальчишки кидают камнями в собаку и тоже при этом смеются... Разве им весело?

Теперь заплакала Зина.

Я собрала свое мужество и сказала:

— Только вы не подумайте обвинять Зину. Она не виновата, виновата одна я. Простите меня. Мы еще подумаем. Мы еще придумаем с вами настоящее, умное веселье. А пока мы его не придумали — давайте танцевать. Пожалуйста, вальс!

И сразу же, как по волшебству, радиола заиграла вальс. Я стояла вся в поту. Нечего сказать, выступила...

Ко мне подскочил тот самый, высокий, в джинсах:

— Марья Владимировна! Позвольте...

Я кивнула и подала ему руку. Все равно терять нечего после такого позора. Он повел меня, сильно поворачивая, и вот платья, пиджаки, рубашки, лица слились, вращаясь, в один туманный круг, в котором изредка ярким бликом вспыхивал, поворачиваясь, кругленький золотой зад...

— Вы Саша Лукьянов? — спросила я своего партнера.

— Это точно, — ответил он.

Больше мы не говорили. Вальс кончился. Меня обступили ребята.

— Марья Владимировна, следующий танец со мной...

— Нет, со мной, я первый подошел...

— Хорошенького понемножку, — сказала я и вышла в фойе.

Мне было нехорошо. Сердце, должно быть. Вот живет человек и не знает, что есть у него такой мешок внутри, приходит день, и он узнаёт, что есть у него такой мешок. Ничего не поделаешь...

— Марья Владимировна, что с вами? Вы так побледнели...

А, это Галя, и Виталий с ней.

— Галочка, воды мне, если можно.

Галя принесла стакан воды. Она и сама-то побледнела. Неужели я что-то для нее значу? Вот бы не подумала.

Я выпила воды и сказала:

— Ничего. Просто голова закружилась. Много лет не танцевала. Сейчас пройдет.

10

В сущности, я глупа. Мне самой это совершенно ясно, но другие почему-то не верят, даже самые близкие друзья. Считают, что я кривляюсь.

Вот, например, с этим вечером. Глупее моего поведения трудно было выдумать. Наверно, каждому человеку знакомо острое чувство стыда, когда он, оставшись один, стонет и потряхивает головой при постыдном воспоминании. Так я стонала и потряхивала головой, вспоминая свое выступление на вечере. Возможно, еще придется держать ответ в какой-нибудь инстанции за «срыв мероприятия». Это, впрочем, меньше всего меня пугало.

Когда на следующей неделе я пришла к Виталию, он встретил меня сухо и молчаливо.

— Ну как вам понравился наш вечер? — спросила я, чтобы разбить молчание.

— Вечер, конечно, ничего, нормальный. Я вообще против таких вечеров. Я хожу на них только потому, что хочу изучить разные слои. Но в данных слоях я ничего интересного для себя не нашел. Пусть я не кончил десятилетку, а из них многие имеют даже институт, но я ничего в них передового по сравнению со мной не вижу...

Когда чего-нибудь стыдишься, так и тянет ковырять это место. Я спросила:

— А что вы думаете о моем выступлении?

— Вы на меня, конечно, не обижайтесь, Марья Владимировна, но ваше выступление было слишком простое, без формулировок, и оно меня не удовлетворило. От вас, как руководителя учреждения, можно было ждать более глубокого анализа.

— Неужели же вам понравились эти зайцы?

— Зайцы! — Он презрительно махнул рукой. — Кто говорит о зайцах? Глупая игра, не дающая ни уму, ни сердцу.

— Ну, так что же, по-вашему, я должна была сказать?

— Я не могу вам указывать, я для этого не имею достаточного образования. Но я хотел бы более определенных формулировок. И потом танцевать вальс с парнем, который, извиняюсь за выражение, не постеснялся прийти на вечер в джинсах, — это, по-моему, не соответствует вашей солидности...

Так... Осудил.

Все это, конечно, понемногу сгладилось. Я даже просила извинения у Зины и предложила ей помощь в организации второго молодежного вечера. Мы даже провели его, этот вечер... Очень помогли сами ребята, особенно Саша Лукьянов. Это оказался удивительный парень, парень с замочком! Как растения выдыхают кислород, так он выдыхал смешное. Достаточно было увидеть, как он обширной ладонью, словно лопатой, отгребал назад плоские волосы и потом грозил им пальцем — лежите, мол, смирно, — чтобы понять, что это талант первоклассный.

Есть разные сорта юмора. Тот сорт, что у Саши Лукьянова, — самый загадочный. Ну что, собственно, он сказал? Повтори — не смешно. А все надрываются, плачут от смеха. Согнет ногу — умрешь.

Мы с Сашей Лукьяновым, электризуя друг друга, тратили на подготовку к вечеру целые вечера. Мы безудержно изобретали. Чтобы вместить все наши выдумки, вечер должен был бы продолжаться сутки. Приходилось самоограничиваться. Вечер мы назвали «тематический-кибернетический», для оформления привлекли механиков, инженеров... Все на полупроводниках. Гостей встречал специально изготовленный робот-хозяин, который сверкал глазами, кланялся и выкрикивал слова приветствия... Разыгрывалась кибернетическая лотерея... Передавались поздравительные телеграммы в двоичном коде, которые надо было расшифровывать... Правда, не обошлось без неполадок: робот-хозяин скоро испортился, один глаз у него потух, и он стал говорить без передышки «...аствуйте, аствуйте, аствуйте...». Но Саша Лукьянов стукнул его молотком по голове, и он замолчал...

В общем вечер прошел и даже имел успех, но успех довольно средний, непропорциональный затраченным усилиям. Я сама чувствовала, что это не совсем то... На другой день я вызвала секретаря комсомольской организации Сережу Шевцова. Парень медлительный, но солидный, а главное — не врет.

— Ну как ребята, довольны вечером?

— Ничего, — сказал он без энтузиазма.

— Ну а что они говорят?

— Разные есть мнения. Одни довольны, а другие говорят — раньше лучше было.

— Как, эти зайцы?

— Нет, какие там зайцы. Он махнул рукой вроде Виталия. — Зайцами у нас никто не увлекается. Хохочут так, от нечего делать. Нет, они говорят, что раньше оставалось больше времени на танцы...

— Хорошо, Сережа, мы это учтем.

Да, думала я, оставшись одна, нет ничего таинственнее смеха. Нет ничего неуловимее. В чем тут секрет? Для одного смешно, для другого — глупо. Для одного смешно, для другого — страшно. Для одного смешно, для другого — скучно... Может быть, надо было просто выпустить на эстраду Сашу Лукьянова и заставить его согнуть ногу...

Так, не совсем бесславно, но и не триумфально, кончилась моя работа в качестве внештатного затейника.

11

И еще одно последствие было у первого, неудачного вечера. Галя и Виталий стали встречаться. Мне это было нетрудно обнаружить. Часто, снимая телефонную трубку, я слышала по параллельному проводу резкий, высокий голос Виталия и голубиное воркование Гали. А что? Для нее это неплохо. Виталий мальчик серьезный. И Галя казалась счастливой. Каждые три-четыре дня она являлась с новой прической, на зависть всем институтским девочкам. То это была диковинная башня, делавшая ее лицо надменным и прозрачным. То под девятнадцатый век — гладко, до глянца затянутые назад волосы и пышный, богатый узел на шее. А иногда — девические пряди, нежно рассыпанные по плечам, и косая челка над голубыми глазами... И каждый раз у нее было новое лицо, и с каждым разом она казалась счастливее...

Только это длилось недолго. Постепенно стали увеличиваться интервалы между прическами: неделя, две недели... И вот однажды я пришла на работу — Галя плакала.

— Галя, милая, что с вами такое?

Она плакала по-детски самозабвенно, глубоко шмыгая носом.

— Галя, что случилось?

Она потрясла головой.

— Ну, скажите же мне, маленькая, в чем дело. С Виталием что-нибудь?

Она снова потрясла головой отрицательно, но было ясно, что да.

— Ну, сядьте как следует, вытрите нос, поговорим.

Еле-еле удалось от нее добиться толку.

— Он меня не любит.

— Ну зачем же так думать? Ведь было у вас все хорошо...

— Нет, не говорите, Марья Владимировна, я знаю: не любит.

— А вы его?

— А я его люблю. Раньше я не думала, что способна на такое серьезное чувство. А теперь полюбила... Надо же...

Снова потоки слез.

— Марья Владимировна, моя жизнь тоже не очень счастливая. Вы не смотрите, что я на мордочку ничего, меня ни один мужчина не любит.

— А Володя? — не удержалась, спросила я.

— Ну что Володя? Володя — женатик. Он только со мной встречался, пока жена в положении была...

Что ей сказать? Вот и жалко мне ее от души, а чувствую: нет у меня для нее нужных слов. Ортогональность проклятая.

Я погладила Галю по голове.

— Ну, успокойтесь, девочка, может быть, все не так уж плохо. Хотите, я с ним поговорю?

— Ой, поговорите, Марья Владимировна! Он вас послушает, я знаю. Он вас сильно уважает. Хотите — верьте, хотите — нет, мы когда с ним встречаемся, он только о вас и говорит.

Лестно, но нелепо.

12

— Виталий, — сказала я, — знаете, у меня с вами будет один серьезный разговор.

Он нахмурился.

— Это об Гале?

— Совершенно верно.

— Этот разговор я давно предчувствовал. Но, в конце концов, здесь вины моей никакой нет. Я интересовался Галей как подходящим материалом для прически, у нее живой волос, упругий и хорошо принимает форму под любым инструментом. Я пробовал на ней различные типы бигуди. А теперь я ее голову исчерпа́л, мне это уже неинтересно, я должен развиваться дальше, не могу же я всегда работать над одним типом волоса.

— Как вы не понимаете, что здесь дело не в волосе?

— С другой стороны, вы сами можете понять, что я еще не готов, чтобы расписаться, — ни по возрасту, ни экономически. Мне еще нужно сдавать за десятилетку, не говоря уже об институте, а площадью я не обеспечен. Если бы у нее была площадь, я мог бы этим заинтересоваться, а то у нее одна комната, и там же мать и сестра.

— Виталий, как вы можете? Это ужасно, что вы говорите. Ставить такой вопрос в зависимость от площади... Как это цинично, неужели вы не понимаете?

Он поглядел на меня с таким искренним недоумением, что мне стало совестно.

— Для меня вопрос площади имеет огромное значение. Если я когда-либо женюсь, то только так, чтобы у меня и моей жены были приличные квартирные условия. Куда я ее приведу? В свой угол? Это несолидно. К тому же я имею к моей жене главное требование: чтобы она не мешала мне двигаться, а, наоборот, помогала. Я, например, много времени трачу на приготовление пищи: завтрак, обед и ужин, это все вычитывается из моего личного времени. Вполне может случиться, что я женюсь, а она меня будет тянуть в своем развитии.

— Ох, Виталий! Что вы только говорите! Разве это важно?

— А что важно?

— Важно одно: любите вы ее или нет.

Виталий задумался.

— Возможно, что и люблю. Я ведь еще молод и сам не знаю, люблю ее или нет.

Он занялся моей головой и замолчал. Я тоже молчала.

— Марья Владимировна, я хочу задать вам один вопрос. Можно?

— Разумеется.

— Марья Владимировна, я вас очень высоко ставлю по развитию, совершенно серьезно, и даже уважаю больше, чем родную мачеху... У вас, конечно, большой опыт. Я вас хотел спросить: по какому это признаку можно узнать, любишь человека или нет?

Вот так вопрос! Придется отвечать. Я подумала.

— Вы мне задали трудный вопрос, но я постараюсь на него ответить. По-моему, главный признак — это постоянное ощущение присутствия. Ее нет с вами, а все-таки она тут. Приходите вечером домой, открываете дверь, комната пустая, — а она тут. Просыпаетесь утром — она тут. Приходите на работу — она тут. Открываете шкаф, берете инструменты — она тут.

— Это я понимаю, — сказал Виталий.

— Ну вот и хорошо.

Снова помолчали, на этот раз подольше, и наконец он заговорил:

— Марья Владимировна, вы мне очень понятно рассказали признаки, и теперь я вполне уяснил, что в таком понимании я Галю не люблю.

— Ну как, поговорили? — встретила меня Галя.

— Поговорила.

Тут бы Гале спросить: «Ну и как?» Но она спрашивать не стала, и так все поняла. Чуткая девочка моя Галя!

Эх, горе женское! И всегда-то одинаковое, и ничем ему не помочь...

13

В середине зимы заболел и умер Моисей Борисович, и кресло рядом с Виталием опустело. Жалко, хороший был старик... Некоторое время продолжали еще его спрашивать по телефону, — наверное, те красивые старухи с голубыми волосами, — а потом и эта ниточка оборвалась, и о старом мастере все забыли.

А к весне над соседним креслом появилась новая фигура — женщина-мастер по имени Люба. Крупная, тяжелая, как битюг, с вытравленными перекисью нахальными волосами. Она сразу невзлюбила Виталия. Еще бы! Никто не хотел к ней, все к нему. Когда Виталий работал, она с показным равнодушием обтачивала пилкой свои ярко-лиловые ногти и пела: «Тирли-тирли». Иногда подходила к ожидающим и как бы невзначай бросала:

— Обслужимся, девочки? Э?

— Нет, мы уж подождем.

Ей доставались большей частью «перворазницы» — деревенские женщины с белыми морщинами на коричневых лицах, которые застенчиво вынимали из волос цветной пластмассовый гребень и спрашивали: «А на шесть месяцев у вас делают?..» Люба обслуживала их брезгливо, червяком поджав ядовито-красные губы.

Меня она тоже невзлюбила. Я, например, всегда с ней здоровалась, а она не отвечала. Как-то раз я задержалась, переводя Виталию английский журнал, и слышала, как она сказала кассирше:

— У самой дети взрослые, скоро внуки, а она — с мальчишкой. И думает, что интересная: фы-фы, а никакой интересности нет, одна полнота.

А Виталий начинал нервничать, все чаще обходился невежливо с осаждавшими его дамами, говорил: «Я один, вас много...»

И вот однажды, придя в парикмахерскую, я застала его плачущим. Если можно плакать сухо, то он именно это и делал. Он судорожно прибирал у себя на столе и плакал беззвучно и зло, хлопая ресницами. Эх, дети... Тогда одна, теперь другой. Я подошла.

— Марья Владимировна, вы меня извините, я вас не могу обслужить.

— Что случилось, Виталий?

— Ничего особенного не случилось, только я должен сейчас уйти домой.

— Ну что же все-таки с вами? Не отпущу вас, пока не скажете.

— Я должен был это предвидеть.

— Что предвидеть? Ну-ка, сядьте, Виталий, и расскажите мне все как есть.

Он сел.

— Марья Владимировна, я так и знал, что они не дадут мне спокойно работать.

— Кто «они»? Люба?

— Да и Люба, и другие нашлись, солидарные с ней, мастера из мужского зала, и кассирша Алевтина Петровна. Я им давно раздражаю нервную систему своей работой. Ко мне клиентура ходит, я позволяю себе тратить много времени на операцию, план страдает, меня опять-таки к телефону нужно звать — все это озлобляет их против меня. Кроме того, имеется много желающих. Я просто не способен обслуживать всех желающих, мне это неинтересно даже экономически. Зачем это я буду причесывать каждую клиентку — она приходит в год два раза: на май и на ноябрьскую, от силы на Новый год. Выбирая себе клиентуру, я всегда смотрю, могу ли я в данном случае почерпнуть для своего развития, а не то чтобы обслуживать сплошь и каждую. Они обижаются, пишут в жалобную книгу. На меня уже скопилось несколько жалоб, но мне это безразлично, поскольку меня интересует работа, и только работа.

— Ну а что же вас сегодня так расстроило?

— Произошел такой случай: они выкрали у меня из кармана записную книжку, где записаны адреса и телефоны клиенток, и эту книжку передали в профсоюзную организацию для разбора дела.

— Какого дела? Разве вам нельзя записывать любые адреса, какие вам вздумается?

— Конечно, формально можно, но фактически эти женские адреса показывают, что я имею свою клиентуру, а это строго запрещено. Я должен работать всех одинаково и давать план. Я себя до этого не допускаю, так как, давая план, я невольно буду скатываться в сторону халтурной работы. Сейчас, например, модная линия требует челочки. Эту челочку надо продумать, у меня на одну эту челочку больше уйдет, чем на целый перманент. В существующие нормы это не укладывается. Вот они, опираясь на все эти факты — записная книжка, жалобы, невыполнение плана, — собираются раздуть против меня целое дело.

И. Грекова

— Подумаем, Виталий, нельзя ли вам как-нибудь помочь?

— Я уже думал, и помочь мне трудно. Дело в том, что у нас довольно бездарная директриса — грубости, оскорбления мастеров, буквально мат. К тому же Матюнин против меня.

— Кто это еще Матюнин?

— Это заведующий сектором парикмахерских нашего управления культурно-бытового обслуживания.

— А за что же он против вас?

— За мои выступления. Тут меня выдвинули секретарем комсомольской организации по району. Я не отказался, несмотря на отсутствие времени. Я должен выдвигаться в своем развитии, получать авторитет. Авторитет у меня не такой уж маленький, но и не очень большой, средний. Так вот, на комсомольском собрании я выступил и стал заострять вопрос. Говорю, говорю, заостряю...

— Какой же вы вопрос заостряли?

— Насчет амортизации инструмента. Говорю: «Когда будет возбужден вопрос о безобразиях выплаты компенсации за амортизацию инструмента?» Так и сказал и этим очень выиграл в своем авторитете. Матюнину это, конечно, не понравилось, он сам заинтересован в том, чтобы амортизацию не выплачивать.

— Почему заинтересован?

— Он имеет от этой недоплаты прямую выгоду.

— Крадет, что ли?

— Не так чтобы буквально крадет, но пользуется.

— Неужели с этим нельзя ничего сделать?

— Очень трудно. Эти предприятия культурно-бытового обслуживания, грубо говоря, тащатся за хвостом у государства. А они, Матюнин и такие же как он, пользуются

376

тем, что до сих пор государству в своем движении некогда было навести в этом деле законность. Взять, скажем, расход материалов. Существует определенная норма на операцию. Тут недодал, тут заменил, а некоторые ухитряются пускать в ход вторично, и это все деньги. А еще я позволил себе заострить вопрос о культуре обслуживания. Лучше плохо обслужиться у культурного мастера с хорошей внешностью, чем то же плохое обслуживание иметь плюс хамство. Это возбудило против меня тех мастеров, которые еще не овладели культурой обслуживания...

— Послушайте, Виталий, — сказала я, — а что, если я ему позвоню?

— Кому?

— Да Матюнину, будь он проклят.

— Я был бы вам очень благодарен.

— Ну, так давайте телефон.

Я набрала номер. Мне ответил жирный, чувственный бас:

— Матюнин у аппарата.

— Товарищ Матюнин? С вами говорит директор Института информационных машин, профессор Ковалева.

— Очень приятно, — сказал бас.

— Товарищ Матюнин, тут в одной из ваших парикмахерских работает молодой мастер Виталий Плавников.

Матюнин молчал.

— Вы меня слышите?

— Слышу, — ответил он суховато.

— Так вот, я уже второй год у него причесываюсь и должна сказать, что это выдающийся мастер, настоящий художник...

— У нас все мастера хорошие, — сказал Матюнин железным голосом.

— Но этот мастер... Вы же знаете, что у него отбоя нет от клиенток...

— Не нахожу в этом мастере ничего особенного. В нашей системе все мастера квалифицированные, сдают техминимум, умеют выполнять модельные прически и все виды операций. А на этого Плавникова постоянно поступают жалобы: грубость с клиентами, невыполнение плана...

— Нельзя же строго требовать выполнения плана, когда речь идет о художественной работе.

— По-вашему нельзя, а у нас вся работа художественная. Что же, нам всем план не выполнять?

— Все-таки я бы вас очень просила учесть мой отзыв о его работе. Наверное, вы не от меня одной это слышите.

— Виноват, я больше слышу жалобы. Кроме того, откуда я могу знать, кто это со мной разговаривает?

Я бросила трубку.

— Я так и знал, — сказал Виталий. — Он еще и потому против меня имеет, что я не вношу ему денег. Делаю вид, что мне это неизвестно.

— Что неизвестно?

— Существует такое неявное правило, — конечно, нигде оно не приводится, — что каждый мастер, желающий спокойной работы, должен вносить ему деньги, не очень большие, но порядочные, три-четыре рубля в месяц.

— Господи, что вы говорите, Виталий? Может ли это быть?

— А отчего же? В нашем запущенном участке такие явления среди администрации случаются. Зарплата небольшая, чаевых нет, они и стараются улучшить свое положение. Зачем бы, например, он с высшим образованием сидел на такой должности?

— А у него, мерзавца, высшее образование? Какое же?

— Юрист. Мне, между прочим, нравится такое образование, если, конечно, употреблять его по прямому назначению. Я бы охотно поступил на юридический...

— Ну ладно, об этом речь еще впереди. Сейчас хорошо бы его изобличить.

— Матюнина? Чересчур хитер. А где свидетели? К тому же, пока я состою в этой системе, такое прямое выступление может принести вред моей работе, сделать ее прямо-таки невозможной.

И вдруг неожиданно он сказал:

— А я, Марья Владимировна, хочу уходить.

— Из этой точки?

— Из дамских мастеров.

— Да что вы, одумайтесь: у вас готовая специальность в руках, а самое главное — вы любите эту работу и у вас талант.

— Такой талант слишком неподходящий для нашего времени. И еще я вам скажу, Марья Владимировна, я на свой заработок по количеству не обижаюсь, но мне не нравится его качество. Мне приходится зависеть от доброго желания клиентов, которых я даже не всегда уважаю.

— Понятно. Но только вы не торопитесь. Хотите, я поговорю о вас на киностудии? Может быть, они вас возьмут?

— Я уже узнавал. На киностудии требуют специальное образование, художественный техникум, там не важно качество работы, а одна бумажка.

— А мы посмотрим, может быть, и выйдет. Только не торопитесь, ладно? Ну, до свиданья, Виталий, не расстраивайтесь.

Виталий встал.

— Я уже настроился обратно. Я вас обслужу.

А с киностудией оказалось все не так просто, как я по наивности предполагала. Во-первых, не было вакансии. Кроме того, действительно требовалась бумажка. Но мне обещали подумать. Уж очень я просила за Виталия. Скрепя сердце я даже выдала его за своего двоюродного племянника (не знаю, есть ли такое родство?).

— Только по вашей просьбе, и то вряд ли, — сказал мне администратор.

14

Дома шел очередной спектакль с мальчиками. Мне никогда не удается их убедить, что я сержусь на них совершенно серьезно. Из всего они делают балаган.

— Паяцы, — сказала я.

— Ты разве человек? Нет, ты паяц! — заорал Коля омерзительным голосом.

— Что ты орешь, дурак?

— Опера «Паяцы», музыка Леонкавалло.

Ох, как мне иногда хочется дать ему в ухо — почему-то именно ему, а не Косте.

— Юность, — подал голос Костя, — ты понимаешь, мать, юность требует особого внимания, чуткости, так сказать...

Зазвонил телефон. Подошел Коля.

— Владычица, тебя. Кто бы он ни был, молюсь богу за его душу!

Я взяла трубку:

— Слушаю.

Я не сразу узнала голос Виталия. Он весь звенел изнутри.

— Марья Владимировна! — закричал он. — Марья Владимировна, можете меня поздравить! Я больше не дамский мастер! Я покончил с этой специальностью!!

— Что вы? Так скоро? Я же просила вас не торопиться... Мне кое-что обещали...

— Не нужно ничего, Марья Владимировна. Я хочу быть обязанным только себе.

— Вы что, ушли с работы? Куда же?

— На завод, учеником слесаря. Я очень доволен, очень!

— Как же так? Отчего так внезапно?

— Я внезапно не поступаю. План продуман во всех деталях. Буду работать в коллективе, сдам за десятилетку, потом за институт. Но вас, Марья Владимировна, как исключение, я всегда буду обслуживать. Я согласен ездить к вам на дом, хотя бы это было и трудно по времени.

— Спасибо, Виталий. Большое спасибо. Желаю вам успеха, понимаете? Если нужна будет какая-нибудь помощь...

— Я понимаю. Я вам позвоню.

— Звоните. Всего вам хорошего. Спасибо, спасибо...

Я положила трубку и стояла, разглядывая свои ладони. Эх, чего-то я тут недосмотрела...

— Что случилось? Хорошее или плохое? — спросил Костя.

— Сама не знаю. Пожалуй, хорошее.

Ну что ж?.. Счастливого пути тебе, Виталий!

1962

СОДЕРЖАНИЕ

Литературно-художественное издание

И. Грекова

ТАКАЯ ЖИЗНЬ

Роман, повести

Заведующая редакцией *Е.Д. Шубина*
Редактор *А.С. Прохорова*
Технический редактор *Т.П. Тимошина*
Корректор *М.В. Карпышева*
Компьютерная верстка *Н. Пуненковой*

ООО «Издательство Астрель»
129085, г. Москва, проезд Ольминского, д. 3а

ООО «Издательство АСТ»
141100, Московская обл., г. Щелково, ул. Заречная, д. 96

Электронные адреса:
www.ast.ru
E-mail: astpub@aha.ru

Отпечатано с готовых файлов заказчика в ОАО «ИПК
«Ульяновский Дом печати». 432980, г. Ульяновск, ул. Гончарова, 14

«Любовь в седьмом вагоне» — сборник рассказов известной романистки Ольги Славниковой. Автор призывает отнестись к этим текстам как к «достоверной фантастике».

Детектив, любовная история, антиутопия, ужастик... Каждый найдет своё, сидите ли вы дома в удобном кресле или расположились в купе и посматриваете в окно на убегающую платформу.